Marco Polo

Hermann Schreiber

Marco Polo

Karawanen nach Peking

cbj

cbj ist der Kinder- und Jugendbuchverlag
in der Verlagsgruppe Random House

FSC
Mix
Produktgruppe aus vorbildlich
bewirtschafteten Wäldern und
anderen kontrollierten Herkünften

Zert.-Nr. SGS-COC-1940
www.fsc.org
© 1996 Forest Stewardship Council

Verlagsgruppe Random House FSC-DEU-0100
Das FSC-zertifizierte Papier *München Super* für die GEOlino-Bibliothek
aus dem Verlag cbj liefert Mochenwangen Papier.

Gesetzt nach den Regeln der Rechtschreibreform

1. Auflage 2006

Umschlagabbildung und Innenillustrationen: Dieter Wiesmüller
Umschlaggestaltung: Network! Werbeagentur GmbH, München
Ku · Herstellung: WM
Satz und Reproduktion: Uhl + Massopust, Aalen
Druck: GGP Media GmbH, Pößneck
Printed in Germany
ISBN 10: 3-570-13258-7
ISBN 13: 978-3-570-13258-6

www.cbj-verlag.de
www.geolino.de

Inhalt

ERSTES BUCH

ZWEITES BUCH

ERSTES BUCH

Das Diamantenfest

Erst in der Dämmerung war das Schiff in die Lagune eingelaufen, und als es an der Riva degli Schiavoni festmachte, senkte sich schon die Nacht auf den Wald der Masten, der Segel und auf die vielen Barken. Darum wohl blieben im Gewirr der Lastträger und der Kaufleute drei Reisende unbemerkt, die ernst und ohne sich zu unterhalten das Schiff verließen. Am Ufer wandten sie sich noch einmal der Lagune zu, blickten über die matt schimmernde Wasserfläche hin und fassten einander bei der Hand. So sprachen sie leise ein kurzes Gebet.

Soviele Menschen sich auch an diesem Abend um den Anlegeplatz drängten, das Dankgebet der drei Heimgekehrten gab niemandem Anlass stehen zu bleiben. Venedig war die Stadt der Reisenden, der Fremden, der verschiedensten Religionen, und wenn sich jemand mitten zwischen Warenballen und Tragtieren zu Boden geworfen und Allah angerufen hätte, es wäre nicht sonderlich bemerkt worden.

Erst nachdem sie gebetet hatten, kümmerten sich die drei um ihr Gepäck, nahmen zwei Lastträger auf, die sich mit den bastverschnürten Ballen beluden, und traten langsam, so, als seien sie ihres Weges nicht ganz gewiss, das letzte und kürzeste Stück ihrer Heimreise an, das Viertelstündchen, das die Riva degli Schiavoni von der Pfarre San Giovanni Chrisostomo trennte, in der sich der Palazzo der Familie Polo befand.

Die engen Gassen bis dorthin, die schmalen Brücken, das alles war vertraut und doch fremd zugleich. Die Schatten tanzten über Fassaden, die sie wiederzuerkennen hofften, und dann fielen ihnen doch nicht einmal die Namen der Menschen ein, die hier gewohnt hatten.

»*Ecco*«, sagte der erste Lastträger nach einer Weile, »hier ist es, Messire – diese Tür.«

Die Ballen und Gepäckstücke klatschten dumpf auf das Pflaster. Der älteste der Reisenden zog die Börse, wählte im schwachen Licht sorgsam die Münzen, als habe er sie lange nicht in Händen gehabt, und entlohnte die Träger. Dann ging er die wenigen Stufen hinauf, hob den bronzenen Löwenkopf, der als Türklopfer diente, und ließ den metallenen Klang durch die dunkle Straße hallen.

Ein Fenster, in das Holz des Torflügels geschnitten, öffnete sich halb.

»Was wollt ihr? Es ist schon spät!«

»Das Schiff aus Alexandria hat eben angelegt. Lass uns ein, ich bin Maffeo Polo und dies ist mein Bruder Niccolò mit seinem Sohn Marco.«

Der Diener lachte dünn wie über einen schlechten Scherz.

»Karneval, meine Herren, ist längst vorüber. Wozu also die Vermummung und die falschen Namen? Geht in Frieden und denkt euch beim nächsten Mal etwas Besseres aus! Die Männer, deren Namen ihr nennt, sind längst tot, seit Jahren – was sage ich! Seit Jahrzehnten hat man nichts mehr von ihnen gehört. Sie sind verschollen im weiten Tatarenland, von wo keiner wiederkehrt... Man hat uns erzählt, dass Räuber ihnen auf einem Pass aufgelauert hätten... Der Herr sei ihren Seelen gnädig, es waren angesehene Kaufleute und gute Venezianer, nicht Fremde wie ihr, die ihr unsere Sprache kaum richtig sprecht.«

Maffeo Polo antwortete nichts, nur seine Rechte fuhr dorthin, wo das Herz eben einen heftigen Stich getan hatte, und stumm lehnte er sich an den steinernen Türpfosten.

»Nur ein Wort noch, Freund«, bat der Jüngste der drei schnell, damit der Diener das Fensterchen nicht schließe, »wir kommen morgen bei Tageslicht wieder, da wird man uns erkennen ... Sage mir nur, wer jetzt diesen Palast bewohnt, in dem ich geboren wurde?«

»Wer sonst als die Familie Polo? Die Herren, die sich zum Großkhan aufgemacht haben vor zwanzig Jahren oder mehr, sie sind für tot erklärt, soviel ich weiß; die Erben bewohnen das Haus, wie es nicht anders sein kann.«

»Es ist unsere Schuld«, sagte Niccolò Polo bekümmert, als die drei in einer Herberge am Hafen bei einer Karaffe Wein saßen. »Wir hätten gleich tun sollen, was wir jetzt ohnedies tun mussten: ein Zimmer mieten für die Nacht. Nach tausenden von Nächten in fremden Betten oder auf der blanken Erde wäre es auf diese eine Nacht auch nicht mehr angekommen. Die Nacht macht misstrauisch, das Morgenlicht zerstreut die Ängste – wenn wir morgen vor dem Palazzo stehen, wird man uns umarmen, hineinführen und Bäder bereiten.«

»Man wird uns nicht hineinführen«, widersprach Marco, »denn wir werden nicht hingehen ...«

»Wir sollen hier, in unserer Heimatstadt, in einer Herberge leben, während irgendwelche Neffen und Nichten sich in unserem Palast breitmachen?«, brauste Maffeo auf, aber sein Bruder Niccolò legte ihm begütigend die Hand auf den Arm.

»Vertraue Marco«, bat er. »Er ist zwar der Jüngste von uns, aber hat er uns nicht gerettet, als der Großkhan uns nicht reisen lassen wollte? Hat er nicht immer einen Ausweg gefunden? Er ist der Jüngste und hat am meisten Zeit von uns, und dass man sich Zeit nehmen muss, um zum Ziel zu gelangen, das, denke ich, hätten wir in Asien gelernt.«

Maffeo nickte müde. »Was soll also geschehen?«

»Wir gehen morgen zu Messer Manin, unserem Notar; er war vierzig, als wir aufbrachen, er kann noch leben. Bei ihm liegen unsere Unterschriften und viele Papiere, die nur wir kennen können. Er wird uns legitimieren. Und erst wenn das sicher ist, wenn er uns sagt, dass er uns wiedererkenne und für uns bürge, dann laden wir die Herren Verwandten zu uns, *wir* laden ein, denn wir sind die Herren, es kommt uns nicht zu, noch einmal an die eigene Pforte zu pochen!«

Am nächsten Abend strahlte der größte Saal der Herberge im Glanz vieler Kerzen. Eine lange Tafel war gedeckt, erwartungsvoll drängten sich Herren und Damen, bis eine kleine Tapetentür sich öffnete und die Gastgeber erschienen: drei Herren mit schmalen, wetterharten Gesichtern und alle drei in weite, fremdartige Gewänder aus roter Atlasseide gekleidet. Sie baten die Gäste, sich zu setzen, blieben selbst aber stehen und begannen, während die Anwesenden sich in den kleinen Schalen die Hände wuschen, ihre kostbaren Oberkleider aufzutrennen. Die großen Bahnen schöner Seide verteilten sie an die Dienerschaft, während ihnen andere Diener frische Kleider aus schwerem Damast umlegten.

Nun erst setzten sie sich zum Mahl, bei dem es an nichts fehlte, plauderten freundlich mit den ihnen zunächst Sitzenden, unter denen der alte Notar Manin war, und obwohl man bemerkte, dass sie das Venezianische mit fremden Brocken aus barbarischen Sprachen untermischten, gewannen schließlich doch alle Anwesenden den Eindruck, Landsleute vor sich zu haben, die eben lange in fremden Ländern geweilt hatten.

Nach dem letzten Gang erhoben sich die drei Herren abermals, zertrennten nun auch die Kleider aus Damast und verschenkten die Stücke an die Diener, die nun weiche Roben aus kardinalrotem Samt brachten. Erst als sie so gekleidet waren, traten die drei gemeinschaftlich zu einer großen Truhe, die bis dahin so gut wie unbemerkt in einem Winkel des Saales gestanden hatte, schlossen sie auf und nahmen jeder einen Kaftan aus rauem, aber festem Stoff heraus. Damit kehrten sie an die Tafel zurück, die inzwischen von den Resten des Mahles gesäubert worden war. Vor aller Augen setzten sie die kleinen Trennmesser nun an die abgetragenen und beschmutzten Reisekleider und holten aus Nähten und Borten behutsam und ohne sich zu übereilen, einen Edelstein nach dem anderen ans Licht.

Das Gespräch an der langen Tafel verstummte, als die ersten Juwelen im Kerzenschein aufblinkten. Im allgemeinen Schweigen wuchsen kleine Häufchen kostbaren Gesteins und großer, matt schimmernder Perlen vor jedem der drei Herren auf, bis schließlich ein Vermögen auf dem Tisch lag, wie es noch keiner der Anwesenden beisammen gesehen hatte.

Während alle den Atem anhielten und nur noch auf die glitzernden Schätze starrten, erhob sich Manin.

»Liebe Freunde«, sagte er, »Freunde aus der Heimat und Freunde aus der Fremde, ihr kennt mich alle aus jahrzehntelanger Tätigkeit und werdet nicht annehmen, dass ich im Abend meines Lebens und meiner Arbeit eine jener unlauteren Handlungen begehe, von denen ich mich zeitlebens ferngehalten habe. Darum begehre ich Glauben und Gewicht für meine Worte, mit denen ich Ihnen meine aus der Fremde heimgekehrten Klienten und Freunde vorstelle, noch einmal vorstelle, denn sie sind Ihnen allen einmal bekannt gewesen: Maffeo Polo, Niccolò Polo, Marco Polo, Botschafter des Papstes beim Großkhan, Kuriere des Großkhans zu Seiner Heiligkeit, ehrsame Kaufleute der Republik Venedig!«

Nach einer Minute, in der man nur die Kerzen leise knistern hörte, brach der Lärm los, Freude, Erstaunen, Unglauben, Streit.

»Ihr könnt uns glauben«, sagte Marco Polo schließlich in den Lärm, »dass wir weder in Samt noch in Seide oder Damast lebend hier angekommen wären. Die größte Gefahr des Menschen ist der Mensch. Nur in grauen, unscheinbaren Kleidern, in die wir unseren Besitz wohlweislich vorher und eigenhändig eingenäht hatten, durften wir hoffen, die Heimat lebendig wiederzusehen. Wir waren Reisende wie alle anderen, wir unterschieden uns nicht von Juden, Armeniern, Türken und Indern, und als kleine Leute, die verarmt heimkehrten, belegten wir unsere Plätze für die letzte Überfahrt von Ägypten hierher. Nun aber nehmt teil an unserer Freude, habt teil an unserem Gut und trinkt mit uns zur Feier des glücklichen Wiederfindens.«

Unter der Flagge der Republik

Was war wohl schöner – als Jüngling auszuziehen oder als Mann heimzukehren? Mit Vater und Onkel auf die Reise zu gehen, auf die weiteste Reise, die je Venezianer unternahmen, oder nach vierundzwanzig Jahren, als niemand mehr es glaubte, heil und gesund mit Vater und Vatersbruder die Heimatstadt wiederzusehen, umgeben vom Glanz eines Erlebnisses, wie es selbst in dieser Seestadt noch keinem anderen zuteil geworden war?

Marco fragte es sich seit Stunden, seit er wieder im Palast seiner Familie weilte, aber er wusste keine Antwort. Alles war wirklich gewesen bis zu dem Augenblick, da die Verwandten die Wahrheit erkannten und begannen, sie zu umarmen und den beiden alten Männern die Hände zu küssen. Seither, seit dem triumphalen Einzug in die Wohnung seiner Kindertage, verwirrten sich ihm Erinnerung und Wirklichkeit. Man hatte ihm ein Zimmer gezeigt und ihm gesagt, es sei das seine gewesen. Eine junge Base hat ihn scheu die Treppen heraufbegleitet, ihm das Bett bezogen, einen Krug Wasser gebracht, die Läden geöffnet, das leise Raunen des Lebens von San Chrisostomo ins Zimmer gelassen – in sein Zimmer…

Da hingen Bilder: eine Barke im Sturm, aber keines der Segel war gerefft. Marco schüttelte lächelnd den Kopf – der Maler hatte gewiss nie einen Sturm auf dem Meer miterlebt. Eine stark nachgedunkelte Ansicht von Venedig fesselte ihn schon mehr: Ja, so kannte er die Stadt, so hatte er sie im Gedächtnis behalten, vielleicht war es sogar dieses Bild gewesen, das ihm deutlicher vor Augen gestanden hatte als der ganze Palast, ein Bild, das er oft angeschaut haben musste. Und dann entdeckte er die Miniatur, den Frauenkopf, von dem man ihm erzählt hatte, dass dies seine Mutter sei. Gekannt hatte er sie nicht, sie war schon bald nach seiner Geburt gestorben, und es war ein sehr stilles Leben gewesen in den Jahren, da die Mutter schon tot war und der Vater in fernen Ländern. Und vielleicht war das auch der Grund gewesen, dass Vater ihn mitgenommen hatte auf die zweite Reise, mitgenommen, obwohl Marco damals noch kein Mann genannt werden konnte. Aber man durfte ihn nach dem Verlust der Mutter und der Wiederkehr des Vaters nicht gleich wieder zur Waise machen.

Ein leises Klopfen riss Marco Polo aus seinen Träumen. Er trat ans Fenster – man musste nicht wissen, dass er die alten Bilder studiert hatte – und rief dann erst sein *Avanti*.

Es war die kleine Base. Hier am Fenster, im Licht, sah Marco sie zum ersten Mal richtig, da sie vor ihm stand und nicht immer nur um ihn herumhuschte. Sie hatte ein kleines, rundes Gesicht mit einer winzigen Nase, braunen Augen und etwas zu dicken Lippen. Aber sie war freundlich, sie war offensichtlich von dem Wunsch besessen, den heimgekehrten Herren zu zeigen, dass man sich über deren Errettung aus der Tatarei freue, auch wenn nun die Reisenden die besten Gemächer bekamen und die anderen Verwandten ins Erdgeschoss ziehen mussten, wo neben der Küche noch ein paar Gewölbe frei waren, in denen sich Schränke und Betten aufstellen ließen. Maffeo und Niccolò hatten sogleich erklärt, dass sie niemanden vertreiben würden; sie hätten jahrelang in Zelten gelebt, im Freien geschlafen oder auf den Tischen der Herbergen, sie hätten nicht mehr die Ansprüche großer Handelsherren, sondern seien glücklich über die Gesellschaft der Verwandten.

»*Zio Marco*«, sagte die Kleine und schlug die braunen Augen zu ihm auf, »in der Halle ist Besuch, Herren vom Großen Rat. Du sollst hinunterkommen.«

»Du weißt, Lavinia, dass ich nicht dein Zio bin«, antwortete Marco lächelnd. »Wir sind nicht Onkel und Nichte, wenn du auch erst siebzehn bist und ich über vierzig, sondern Vetter und Base... Du darfst also einfach Marco zu mir sagen. Willst du das tun?«

Lavinia errötete bis in den Nacken, beugte das Knie und küsste Marco die Hand. Dann sprang sie auf, lief lautlos, als trüge sie überhaupt keine Schuhe, die große Treppe in die Halle hinunter und ließ die Tür offen. Marco rückte den Kragen zurecht, strich sich über das Haar und folgte ihr.

Er fand die kleine Versammlung noch bei den Höflichkeiten, mit denen nicht nur in China, sondern auch in Venedig begonnen wird; niemand platzt mit den Wünschen ins Haus, vor allem wenn sie nicht ganz leicht zu erfüllen sind. Niccolò Polo hatte Tee servieren lassen, und die beiden Herren vom Rat, ein älterer Kaufmann und ein Offizier, ließen sich das duftende Getränk mit jener Neugier munden, die sie als Räte einer weltoffenen Handelsstadt gleichsam von Berufs wegen an sich haben mussten.

»Ich hatte schon davon gehört«, sagte der Offizier, »aber getrunken habe ich es noch nie. ›*Tee*‹, sagen Sie, Ser Niccolò? Man wird sich das Wort merken müssen, ich finde das Getränk angenehm.«

»Und ob«, ergänzte der Kaufmann, »es belebt! Seht mich an, ich bekomme Farbe in den Wangen. Ich werde Ihnen ein Päckchen davon abhandeln, Ser Niccolò, ja, ich werde versuchen, durch meinen Vertrauensmann in Alexandria mehr davon zu erhalten und damit Handel zu treiben. Es scheint mir, dass die älteren meiner Landsleute recht empfänglich für diesen Trank sein werden …«

Noch während er leise vor sich hin lachte und immer wieder genüsslich kleine Schlucke nahm, war Marco in die Runde getreten.

»Das ist nun mein Sohn Marco, meine Herren«, stellte Niccolò vor, »als Maffeo und ich auszogen, war er ein Jüngling, er wird Ihnen nicht aufgefallen sein, Sie können ihn kaum kennen. Von uns allen ist er am meisten Chinese geworden, wenn ich so sagen darf, kam er doch als junger Mensch in das große Reich. Und von uns allen war er auch der tüchtigste Seemann und

Kämpfer, als es dann um das Abenteuer unserer Heimkehr ging...«

»Das höre ich gern«, fiel der Offizier ein, »und darum sind wir auch hier. Wie Sie gewiss schon auf der Reise durch das Mittelmeer gehört haben, durchlebt unsere Serenissima, unsere geliebte Republik Venedig, eben schwere Zeiten. In Byzanz ist das lateinische Kaisertum, das zu uns gehalten hatte, gestürzt worden, und die Genuesen haben den griechischen Kaisern an die Macht verholfen. Das hat ihnen viele Vorteile gebracht und eine große, wohlbehütete Niederlassung in Byzanz, von der aus sie den ganzen Osthandel beherrschen. Lange neidete uns Genua unsere Erfolge unter dem großen Enrico Dandolo; heute, ein Jahrhundert später, sind wir es, die Mühe haben, uns der Genuesen zu erwehren. Wir brauchen buchstäblich jeden Mann!«

Die drei Herren aus dem Hause Polo schwiegen überrascht und ein wenig betreten. Schließlich antwortete Maffeo:

»Aber wir sind alte Männer – ich bin ein wenig aus der Ordnung geraten durch die weiten Reisen und den Tatarenkalender, aber dass Niccolò und ich schon einiges über siebzig sind, das dürfte doch wohl stimmen!«

»Enrico Dandolo war beinahe hundert Jahre alt, als er Byzanz zum zweiten Mal eroberte«, sagte der Offizier.

»Vielleicht sagen uns die Herren, an welche Dienste für die Republik sie eigentlich gedacht haben?«, erkundigte sich Marco. »Wir können dann immer noch überlegen, ob wir dazu taugen oder nicht.«

Die Abgesandten des Großen Rates tauschten einen Blick, dann antwortete der alte Kaufmann für beide:

»Wir kommen mit unseren Vorschlägen so bald, um Ihnen zu zeigen – Ihnen dreien –, dass Sie uns willkommen sind, dass wir uns über Ihre gesunde Heimkunft freuen und dass wir Ihnen Plätze im Leben der Republik bieten wollen. Damit Sie nicht glauben, man habe Sie vergessen oder lege keinen Wert auf drei verdiente Männer, nur weil sie den größten Teil ihres Lebens in der Fremde zugebracht haben. Vor allem aber« – der alte Herr machte eine schlaue Pause und nippte wieder an seiner Tasse – »vor allem aber wollten wir verhindern, dass Sie sich anderwärts festlegen, ehe Sie uns angehört haben. Daher also unsere Eile.

Ser Niccolò, das darf man wohl annehmen, wird sich als Oberhaupt der Familie dem Wiederaufbau seines Handelsgeschäftes widmen und der Nutzung der wertvollen Beziehungen, die auf den Reisen angeknüpft wurden; dafür hat niemand so viel Verständnis wie die Regierung unserer Handelsrepublik.

Ser Maffeo möchten wir bitten, eine Kanzlei des Großen Rates zu übernehmen, die wir für ihn neu schaffen wollen, nämlich die Kanzlei für den Handel mit allen Ländern jenseits des Schwarzen Meeres. Er könnte dann, ohne sich selbst aus Venedig fortbegeben zu müssen, Dolmetscher ausbilden, Kapitäne beraten, jungen Kaufleuten mit Wagemut seinen reichen Schatz von Erfahrungen öffnen … Es wäre kein Ehrenamt, sondern aus der Schatulle des Großen Rates besoldet und mit einer lebenslangen Pension verbunden.«

Maffeo nickte nachdenklich. Offensichtlich war ihm der Vorschlag nicht unangenehm.

»Und Ser Marco«, sagte der Offizier in das Schweigen, das nun entstanden war, »Ser Marco, der Jüngste unter Ihnen, der Mann der vielen Abenteuer – sollte er nicht den Wunsch haben, eine Galeere der Republik zu kommandieren? Ein Schiff mit Matrosen, Soldaten und Ruderern, das ihm gehorcht und mit dem er das Mittelmeer durchfahren kann im Kampf gegen Genua?«

Marco lächelte.

»Sie vermuten sehr viel Kampfeslust bei einem Mann, der immerhin ein Vierteljahrhundert unterwegs war, Herr Offizier… Ich bin heimgekehrt, um mein Leben als Venezianer zu beginnen. Onkel Maffeo hat keine Nachkommen, mein Vater hat nur mich. Es gilt, eine Familie zu gründen, das Haus Polo wieder emporzuführen. Mir will scheinen, auch das sei ein Dienst an der Republik.«

»Sie lehnen also ein Kommando ab, Ser Marco, ein Kommando, das Ihnen schon morgen Ruhm und Ehren einbringen kann?«

»Verstehen Sie nicht falsch, was ich Ihnen jetzt sage, Herr Offizier«, antwortete Marco, und seine Stimme klang mit einem Mal ernst und gar nicht mehr verbindlich. »Ich habe als Gouverneur des Großkhans jahrelang über Millionen Menschen geboten. Mein Gouvernement war so groß wie Frankreich, und es lebten so viele Menschen in ihm wie vielleicht nicht einmal in ganz Europa. Hätte ich nicht meinen Herrn Kublai über mir gehabt, einen Herrn, den ich liebte und verehrte, ich hätte mich selbst wie ein König fühlen mögen… Dagegen ist eine Galeere ein Spielzeug, Herr Offizier, nichts anderes!«

Der Offizier schwieg betroffen. Es war nicht zu erkennen, ob er begriffen hatte, was Marco Polo eben erzählt hatte, und wenn er begriffen hatte, ob er es glaubte. Der alte Kaufmann war es, der versuchte, dem Gespräch einen freundlichen Schluss zu geben.

»Sie sprechen von Millionen, Ser Marco, und nennen unsere Galeeren Spielzeuge. Aber von diesen Spielzeugen hängt das Schicksal Venedigs ab und damit auch das Ihres Handelshauses und Ihrer Familie.«

»Wenn es so ist«, antwortete Marco, »wenn der Krieg sich nähert und die Genuesen uns auf den Leib rücken, dann, in Gottes

Namen, vertrauen Sie mir auch so eine Galeere an. Zunächst aber, meine Herren – und das können Sie mir nicht übel nehmen –, gehe ich auf Brautschau. Denn die Zeit drängt, wenn ich meinen Kindern noch eine Hilfe sein will!«

Der Tag von Curzola

Der Palast der Polo in San Giovanni Chrisostomo hatte nicht nur neues Leben gewonnen, die Venezianer hatten ihm auch einen neuen Namen gegeben. Seit jener Offizier verschreckt erfahren hatte, dass Marco über Millionen Chinesen geherrscht habe, seit Marco selbst den jungen Venezianern, die ihn aus Neugierde besuchten, von dem fernöstlichen Riesenreich des Kublai-Khan erzählte, seitdem hieß der Palast der Familie Polo kurzweg *la Corte del Milione,* der Millionenhof, und *Messer Milione,* das war Marco Polo selbst, der sich aber aus diesem Spitznamen nichts machte. Er brauchte sich ja nur seines eigenen Staunens im Reiche des Großkhans zu erinnern, um sich darüber klar zu werden, dass diese jungen Leute in einer Republik von den Ausmaßen Venedigs sich eben gar nicht vorstellen konnten, wie groß die Welt in dem Augenblick werde, da man das alte Kulturbecken des Mittelmeeres hinter sich lasse und in andere Erdteile vorzudringen versuche. Da war dann die Million nur eines der Zauberworte, eines von vielen Worten, mit denen man vergeblich genug versuchte, anderen die geschauten Wunder darzustellen.

Das neue Leben in der Cortel del Milione kam nicht nur daher, dass die Herren der Familie wieder heimgekehrt waren. Marco hatte auch seinen Vorsatz wahr gemacht und nicht lange gezaudert, sich eine Frau zu suchen; ja es war dem berühmtesten Venezianer nicht schwergefallen, in das höchste Patriziat einzuheiraten, zu dem die Polo, trotz Ruhm und Vermögen, bis dahin nie gehört hatten, weil sie eben keine Dogenfamilie waren.

Donata Badoer, die junge Dame, die von Marco vor den Altar geführt wurde, stammte aus einer der zwölf vornehmsten Familien der Stadt. Der Überlieferung nach war die ihre aus Ungarn nach Pavia gekommen und seit Begründung der Inselstadt Venedig in ihr ansässig. Überlieferungen dieser Art gab es in beinahe jeder der großen venezianischen Familien, die einen nahmen an, dass sie aus Italien stammten, die anderen aus Ungarn, wieder andere aus Dalmatien. Genaues ließ sich nicht sagen, denn als die Hunnen Aquileja bestürmten, da waren tausende von Flüchtlingen zusammengekommen und hatten auf den Inseln der Lagune Schutz gesucht, reiche und arme, und erst auf der venezianischen Inselgruppe hatte sich dann herausgebildet, wer sich über die anderen erhob, wer als vornehmer gelten durfte.

Wichtiger als diese Sagen war Marco Polo der Umstand, dass die Badoer durch geschickte Heiratspolitik ausgebreiteten Landbesitz erworben hatten, dass sie in Venedig viele Häuser und auf der Terra firma bis hin nach Treviso einige schöne Güter besaßen. Und dass sie der Republik schon einige Dogen gestellt hatten unter dem zweiten Familiennamen Partezipazio, unter dem sie auch einige Kirchen begründet hatten wie zum Beispiel San Giovanni Evangelista im Jahr 970. Das war viel der Ehre und ein großes Vermögen … Noch ehe aber fröhliches Kindergeschrei die Corte del Milione erfüllte, erreichte Venedig die Nachricht, dass ein genuesisches Geschwader in die Adria eingefahren sei und nicht nur die venezianischen Besitzungen in Dalmatien bedrohe, sondern auch Venedig selbst.

Nun war Eile geboten, denn die Venezianer wussten ganz genau, wie die Genuesen in Pera gehaust hatten, der Händlervorstadt von Byzanz, wie Häuser und Buden und Warenlager in Flammen aufgegangen waren und tausende den Tod gefunden hatten. Mit Schonung durfte man daher auch bei diesem Einfall nicht rechnen, und all die schönen Städte und Inseln der unteren Adria, die sich im Schutz des mächtigen Venedig sicher fühlten, waren furchtbar gefährdet.

Jedes einlaufende Schiff brachte neue Schreckensnachrichten; es war, als ob die arabischen Seeräuber aus Tunis angreifen würden, nicht die Seefahrer einer Stadt, die genauso italienisch war wie Venedig. Handelsfahrzeuge, die mit dem Krieg nichts zu tun hatten, wurden gnadenlos durch Brandpfeile oder Rammstöße versenkt, die Besatzung aber nur aufgefischt, um sie an die Ruderbänke der genuesischen Galeeren zu ketten. Kein Küstenort war sicher; blitzschnell landete der Feind, sodass keine Zeit war, ins Landesinnere zu flüchten, bemächtigte sich der Schiffe, die im Hafen lagen, und plünderte die Städte, noch ehe die Tore verrammelt und die Zinnen besetzt werden konnten. Wenn es aber gelang, eines der vielen mutigen Felsennester rechtzeitig verteidigungsbereit zu machen, dann zogen die Genuesen ein paar Schiffe zusammen, warfen Feuerbrände über die Mauern und ließen brennende Beuteschiffe in den Hafen treiben, sodass bald dichte Wolken schwarzen Rauches über dem Kampfgebiet lagen.

»Sie sind auf der Höhe von Ragusa«, berichtete ein griechischer Kapitän, der mit seinem Schiff voll Fässern an der Riva degli Schiavoni festgemacht hatte. »Ich bin nachts durchgeschlüpft, denn ich wollte doch meine wertvolle Ladung an Olivenöl und Wein nicht verlieren. Wenn das Schiff erst brennt, ist keine Zeit mehr, zu erklären, dass man neutral sei…«

Während der Grieche einer immer größer werdenden Menge von seinen Erlebnissen auf der Fahrt durch die Adria erzählte, war der Große Rat zu einer Entscheidung gelangt. Marco Polo erfuhr, was beschlossen worden war, sowohl von Maffeo, seinem Onkel, der nun an allen Sitzungen des Großen Rates teilnehmen durfte, als auch von seinem Schwiegervater, der Mitglied des Rates war: Venedig ist entschlossen, die Herausforderung anzunehmen; das Arsenal wurde geöffnet, die Galeeren wurden bewaffnet und bemannt.

Von Mund zu Mund verbreitete sich die Nachricht, dass das Staatsoberhaupt, der Doge Pietro Gradenigo, auf der Piazzetta zu den Venezianern sprechen und das Auslaufen der Flotte befehlen wolle. Base Lavinia brachte die Nachricht mit, als sie vom Einkaufen heimkehrte, und Marco eilte aus dem Haus, um nichts zu versäumen, hatte er sich doch verpflichtet, im Kriegsfalle ein Kommando zu übernehmen, sofern die Stadt selbst in Not geraten sollte.

Als er auf der Piazzetta eintraf, sprach Gradenigo schon eine Weile. Einige Räte der Stadt waren neben ihn auf den Balkon getreten; die Menge, die ihm zuhörte, wuchs von Minute zu Minute, so viele Menschen strömten aus den schmalen Gassen auf den Platz.

»Wir wären bereit«, rief der Doge mit weithin tragender Stimme, »das Mittelmeer zwischen Genua und uns zu teilen. Wir sind eine Handelsmacht und nicht kriegslüstern; uns geht es nur darum, dass unsere Schiffe freie Meere vorfinden und all jene, die Venedig anlaufen wollen, dies ungefährdet tun können. Wir wären bereit, die Küsten von Genua bis Barcelona den Genuesen zu überlassen und uns im westlichen Mittelmeer nur mit Handelsschiffen sehen zu lassen, wenn Genua seinerseits unsere Herrschaft im Adriatischen Meer respektiert und die langen Küsten Italiens und Dalmatiens nicht angreift. Aber es gibt einen Punkt, wo unsere Interessen zusammentreffen, wo sie gegeneinanderstehen – das ist jenes östliche Ende des Mittelmeeres, wo sich das Schwarze Meer öffnet und sich die große alte Kaiserstadt Byzanz befindet, auch Konstantinopel genannt. Dort hat es in den vergangenen Jahren Opfer und Verluste für Genua wie für uns gegeben, dort muss Frieden einkehren, dort müssen Verträge den Handel mit dem Osten sichern.

Vor einem Jahr erschienen die Genuesen schon einmal an der Adriaküste. Damals hat sie unser hervorragender Admiral Roger Morosini Malabranca blitzschnell hinausgeworfen und mit Schande vertrieben...«

Der Doge musste unterbrechen, weil diesen Worten langer Jubel folgte. Erst als er die Hände ausbreitete zum Zeichen, dass er weitersprechen wolle, trat wieder Stille ein.

»Malabranca wird auch die Flotte befehligen, die jetzt ausfährt, die sich in Chioggia und Zara verstärken wird und den Genuesen diesmal nicht nur die Schmach des Abzugs bereiten soll, sondern den vollständigen Untergang ihrer Flotte, damit sie nie mehr wiederkehren!«

Jubel brandete auf, die Menschen stürmten einander wegdrängend unter den Balkon, von dem sich Pietro Gradenigo nun tief herunterbeugte, mit den Händen grüßte, für den Beifall dankte.

Marco Polo hatte genug gehört; wer immer nun noch sprach, konnte ihm nichts Neues mehr sagen. Er lief hinaus auf die Riva degli Schiavoni, sprang in eine Gondel und befahl: »Zum Marinearsenal, schnell!«

»Wenn es schnell gehen soll, Herr, darf ich mir einen Zweiten suchen?«

»In Gottes Namen, aber beeile dich«, rief Marco Polo ungeduldig.

Ein Mann am Bug, einer im Heck, so nahm die Gondel bald darauf die Fahrt auf, und je näher sie den Arsenalen kamen, desto mehr Gondeln gesellten sich ihr zu. In allen saßen Männer, manche jünger, manche aber auch älter als Marco, und alle hatten sie ernste Gesichter.

Im Arsenal herrschten Lärm und Betriebsamkeit, aber was hier geschah, war zu oft geübt worden, um noch stocken zu können. Eine Galeere nach der anderen lief aus den breiten Eisentoren hinaus in das weite Becken, wo die Mannschaften vervollständigt und die Vorräte übernommen wurden. Waffen und Munition waren schon im Arsenal an Bord genommen worden.

Marco entdeckte in dem Trubel viele bekannte Gesichter, aber von ihnen allen schien nur Andrea Dandolo etwas zu sagen zu haben, der Sohn des letzten Dogen, der die Vorhut der Flotte befehligen sollte.

»Gott grüße Sie, Ser Marco«, sagte er und ließ die Gruppe stehen, mit der er sich eben unterhalten hatte. »Ich weiß, warum Sie kommen: Sie wollen Ihr Schiff!«

Marco nickte ein wenig überrascht. Die Admiralität hatte seine Zusage also ernst genommen und ihm ein Kommando vorbehalten.

»Es war nicht schwer, Ihnen eine Galeere zu reservieren«, sagte Dandolo, als habe er in Marcos Gedanken gelesen, »wir hatten leider zu allen Zeiten mehr Schiffe als gute Kapitäne und Mannschaften. Sehen Sie dort die *Orso Lipato* liegen? Sie erhält eben die Ruder und die Wurfmaschinen. Heute Abend kommt die Besatzung an Bord, Männer aus Chioggia – im Vertrauen gesagt: viel tapferer als die Venezianer. Wenn Sie um die sechste Stunde wieder hier sind, Ser Marco, können Sie mit mir in der Vorhut segeln, wir laufen heute Nacht noch aus; das Gros der Flotte folgt morgen Abend. Um den sechsten September können wir am Feind sein!«

Marco schlug in die angebotene Hand ein. Der Sohn des Dogen gefiel ihm, das war ein kräftiger Spross, so alt die Familie auch war, so viel Dogen sie auch schon hervorgebracht hatte. Unter diesem Kommando würde es gut sein zu kämpfen.

Über die Kaimauern schritt Marco eilig auf die *Orso Lipato* zu. Ruderschiffe kannte er ja gar nicht, eine Dschunke wäre ihm lieber gewesen, aber er gab zu, dass in der engen Adria, in der selten hoher Seegang herrschte, die Galeeren vor allem als Kriegsschiffe gewisse Vorteile versprachen. Man würde sich unabhängig vom Wind bewegen können.

Fackeln für die Brandwerfer und Steine für die Schleudern wurden an Deck getragen. Die Männer, die dies taten, waren die Ruderer, Kriegsgefangene aus dem ersten Genuesenkrieg, gefangene Türken von Kaperschiffen, Sklaven von den Gestaden des Schwarzen Meeres. Sie alle würden, angekettet und hilflos, in die Schlacht gehen, in den Kampf für die Republik Venedig.

Der Abschied von Donata fiel Marco schwer, vielleicht auch weil es ein Abschied von dem Leben war, das er nach so langen Reisen wie eine Wiederbegegnung mit seiner eigenen Jugend dankbar aufgenommen hatte. Für seinen Vater und für Onkel Maffeo war die Heimkehr Beginn der letzten friedlichen Lebensphase nach sehr viel Bewegung und Geschehnissen; für Marco war es wie ein Geschenk gewesen, auf der Höhe des Lebens – gereift und mit Vermögen ausgestattet – jenen Wiederbeginn wagen zu dürfen, den sich so viele Männer seines Alters ersehnen und der doch so wenigen gegönnt wird: das Rinascimento, die Wiedergeburt des vierten Jahrzehnts.

Also machte er es kurz, gebot Donata, ihn zum Arsenal zu begleiten, und nahm nur einen Diener mit, der ein paar Habseligkeiten trug und ihm auch an Bord folgen sollte.

Als er im Arsenal eintraf, erwartete ihn schon Dandolo; gemeinsam mit den anderen Kapitänen der Vorhutschiffe wurde der Kurs festgelegt und der vermutliche Ort des Treffens mit den Genuesen nach den jüngsten Berichten ermittelt.

»Wir halten uns hart an der italienischen Küste«, erklärte Andrea Dandolo, »um den genuesischen Spähern nicht aufzufallen; erst auf der Höhe von Pescara stoßen wir ins offene Meer hinaus, die Galeeren aufgefächert, die schnellen Brigantinen dahinter, damit sie sich im Augenblick des Kampfes losmachen können und dem Gros die Nachricht bringen …«

»Ich habe noch nie ein Ruderschiff kommandiert, Admiral«, sagte Marco Polo, »hingegen würde ich mit einer der Brigantinen vermutlich gut zurande kommen. Sollte ich darum nicht die *Orso Lipato* abgeben …?«

Dandolo runzelte die Stirn. Der Vorschlag in letzter Minute kam ihm offensichtlich ungelegen, andererseits wollte er dem berühmten Mann eine an sich vernünftige Bitte nicht abschlagen.

»Es geht nicht, Ser Marco«, entschied Dandolo dann, »einmal, weil Sie für eine Botenfahrt womöglich quer durch die Genuesen die Küste zu wenig kennen. Auch habe ich nur zwei Brigantinen, und es ist lebenswichtig, dass mindestens eine von ihnen zu Morosini durchkommt und ihm die genaue Schlachtposition übermittelt. Und drittens – das werden Sie als erfahrener Mann gewiss tolerieren – würden alle Ihre Leute, die sich darauf freuen, unter Ihnen zu kämpfen, es als ein schlechtes Omen ansehen, wenn am Vorabend der Schlacht das Kommando gewechselt würde. Die Leute aus Chioggia sind ohnedies besonders abergläubisch!«

Marco nickte. Es gab immer Gründe für und es gab immer Gründe gegen. Er hatte kein gutes Gefühl. Das lang gestreckte, niedrige Schiff war ihm fremd, und es widerstrebte ihm, Peitschen über die Rücken der Ruderer tanzen zu lassen, wenn er die Geschwindigkeit erhöhen musste. Die Herren trennten sich, nachdem noch ein paar Signale verabredet worden waren und die Reihenfolge des Ablegens. Die *Orso Lipato*, nach einem der ersten Dogen der Republik benannt, würde die Ehre haben, gleich hinter dem Flaggschiff Dandolos zu laufen.

Am Morgen des 5. September 1298 kam Ancona in Sicht, eine Stadt des Papstes, eine neutrale Stadt. Noch vor einem Jahr hatte der Heilige Vater versucht, zwischen den rivalisierenden Seestädten Frieden zu stiften, aber vor allem die Genuesen waren nicht auf seine Vermittlungsvorschläge eingegangen. Das kleine Vorhutgeschwader machte für wenige Stunden an der Reede von Ancona fest. Dandolo und die Kapitäne versuchten, Informationen zu erhalten, die Steuerleute ließen Wasser übernehmen und besorgten frische Verpflegung für Ruderer und Soldaten.

Die Schiffer von Ancona waren nicht gerade feindselig, aber sie hielten ein wenig hinter dem Berg mit dem, was sie wussten. Nächst dem Papst, der die ganze Mark Ancona beherrschte, war ja doch Venedig die größte Gefahr für die Unabhängigkeit der Stadt.

»Ihr glaubt doch selbst nicht, dass ihr genuesisch werdet, wenn Morosini und ich die Schlacht verlieren?«, rief Dandolo schließlich wütend. »In der Adria wird sich nie eine andere Macht behaupten können als eben die venezianische. Wenn ihr uns nichts sagen wollt, dann behaltet eure Weisheit, wir finden Oberto Doria auch so!«

»Bei aller Ehrfurcht, Admiral«, sagte da ein junger Steuermaat aus Ancona und blickte wie gleichgültig aufs Meer hinaus. »Oberto Doria werdet ihr niemals finden, denn der ist zu Hause geblieben ... Die Flotte befehligt Lamba Doria.«

»Eine schlechte Nachricht!«, rief Andrea Dandolo. »Ich hoffte, mir meinen Sieg gegen den Sieger über Pisa zu holen und die Scharte auszuwetzen! Woher kennst du den Namen?«

Aber niemand antwortete. Der junge Mann war verschwunden, so plötzlich er in der Gruppe um die Venezianer aufgetaucht war.

»Kennt ihn jemand?«, erkundigte sich Dandolo. »Habt ihr ihn schon einmal hier gesehen?«

»Nein, Herr«, antwortete ein alter Fischer, »er war nicht von hier. Ihr kennt unsere Mundart nicht so, aber wenn ihr mich fragt: Der junge Maat war nicht von Ancona und überhaupt von keinem adriatischen Hafen ...«

»Ein Späher also! In die Schiffe, wir laufen aus, die Genuesen müssen ganz nahe sein!«

Dandolo wandte sich zum Gehen, aber der Alte zupfte ihn am Ärmel.

»Gemach, Herr, lasst eure Leute noch einmal ordentlich essen und trinken. Die Genuesen segeln unter der dalmatinischen Küste mit Kurs auf Curzola. Morgen habt Ihr sie vor euch, übermorgen ist der Schlachttag. Gott sei Eurer Seele gnädig, Herr!«

Marco sah, wie der Admiral erblasste. Was der alte Fischer da gesagt hatte – auch Marco war es kalt den Rücken hinuntergelaufen –, das hatte sich angehört wie eine Prophezeiung und klang nicht sonderlich ermutigend.

Mit fliegender Hast schrieb Dandolo zweimal die Nachricht für Roger Morosini und siegelte sie auf dem Rücken eines Kadetten. Er schien an der Auskunft des alten Fischers überhaupt nicht zu zweifeln. Mit den Botschaften legten die Brigantinen zuerst ab und liefen nach Norden, dem Gros der venezianischen Flotte entgegen. Die Vorhut hatte nun Zeit. Dandolo tat, als seien die Würfel schon gefallen, als brauche er die Genuesen nicht mehr zu suchen, ließ Wein ankaufen und ausgeben und zog sich dann in seine Kajüte auf dem Flaggschiff zurück.

Zwei Stunden darauf, als Marco Polo schon den Befehl zum Auslaufen erwartete, kam ein Boot: Man bat ihn zu Dandolo.

»Ser Marco«, begann der Admiral ohne Umschweife, »Sie sind ein Mann von vielerlei Wissen, und man hat mir zugetragen, dass Sie in Asien auch von allerlei Magie gehört haben, von den Prophezeiungen der Chaldäer …«

»Da waltet ein Irrtum, Admiral«, antwortete Marco, »ich war bei den Kataiern, auch Chinesen genannt, nicht aber bei den Chaldäern …«

»Aber Sie können mir doch gewiss sagen, ob ich den Tag der Schlacht überleben werde!«, unterbrach Dandolo ungeduldig.

»Das kann ich nicht einmal von mir selbst sagen – und ich bin froh, dass es so ist!«

Dandolo stand auf, ging in dem kleinen Raum unruhig auf und ab und sagte schließlich:

»Ich kann meinen Schreiber hier an Bord nicht in Anspruch nehmen, er würde es weitererzählen … Kann ich Ihnen, Ser Marco, mein Testament diktieren?«

»Haben Sie das nicht vor dem Auslaufen gemacht und in Venedig deponiert?«

»Natürlich, wie alle anderen Offiziere auch – aber ich will es ändern, ich habe zwei Stunden nachgedacht und will alles umstoßen, und das will ich Ihnen jetzt ansagen!«

Der Abend brach herein, als die Pergamentrolle trocken und gesiegelt war. Enrico Dandolo hatte sie Marco anvertrauen wollen, sich dann aber doch dem Rat gefügt, sich an Land rudern zu lassen und das Schriftstück bei einem Notar der Stadt Ancona in sichere Verwahrung zu geben. Wer hätte es retten sollen, wenn die Galeere in Flammen aufging?

Nach diesen Vorkehrungen schien Dandolo erleichtert und seinen Mut wiedergefunden zu haben; umso nachdenklicher aber betrat Marco Polo das Verdeck seines Schiffes, denn das Testament, das Andrea Dandolo ihm diktiert hatte, war nicht eines jener allgemein vorsorgenden Schriftstücke gewesen, wie man sie in der Annahme abfasst, noch viele Jahre zu leben zu haben, Jahre, in denen alle Einzelheiten sich noch ändern werden; Dandolo hatte vielmehr ein präzises Testament diktiert, einen tatsächlich letzten Willen, den Brief eines Mannes, der sicher weiß, dass er nur noch einige Tage zu leben hat.

Am Morgen des 8. September kamen die Genuesen in Sicht. Im Licht der aufgehenden Sonne hoben sich die Schiffsrümpfe dunkel aus dem Meer, auf dem rosiger Widerschein lag, während die von Norden mit äußerstem Rudereinsatz heranlaufende venezianische Flotte im Dunst verborgen war.

»Wir sind in der Überzahl«, sagte der Steuermann zu Marco Polo, der den Harnisch angelegt hatte und auf dem Vordeck auf und ab ging.

»Dandolo befiehlt uns, die Fahrt zu erhöhen!«, rief Marco Polo, ohne auf die Bemerkung des Steuermanns einzugehen. »Alle Soldaten an Deck! Enterhaken klarmachen! Wein für die Ruderer! Takt um zwei Schläge steigern …!«

Der hölzerne Rumpf der *Orso Lipato* erzitterte, als sie sich nun schneller gegen die Wogen werfen musste, die von Südost heranliefen, vom kühlen Septemberwind aus dem Karst gekräuselt.

Das Flaggschiff Andrea Dandolos voran, die anderen Galeeren gestaffelt seitlich dahinter, so lief die Vorhut in die genuesische Hauptmacht hinein. Als die ersten Feuerbrände durch den Himmel zogen, sah Marco Polo, dass die Genuesen auch von Osten her angegriffen wurden.

»Morosini ist doch nicht in die Flanke des Gegners gelaufen, der steht noch im Norden, gibt es noch eine zweite Vorhut?«, fragte Marco Polo seinen Steuermann.

»Nicht eigentlich, Herr – es sind die Galeeren aus Zara, wenn ich mich nicht irre. Sie hatten den kürzesten Anmarschweg, und sie sind immer die wildesten Draufgänger. Das war schon vor einem Jahr so, als Morosini die Genuesen in der Straße von Otranto stellte!«

Während sich das venezianische Gros nur langsam aus dem Dunst heraus näherte, kam in den Gewässern vor Curzola das Treffen der Vorhuten mit den sichernden Schiffen der Genuesen in Gang. Dandolo wurde zuerst in die Zange genommen. Marco sah, wie zwei Galeeren sich an Backbord und Steuerbord neben das Flaggschiff legten und Enterbrücken von Bord zu Bord geworfen wurden.

»Steuermann!«, schrie Marco Polo, »volle Schlagzahl, wir rammen!«

Mit hoher Fahrt lief die *Orso Lipato* auf die drei Galeeren zu, die sich inzwischen ineinander verkeilt hatten. Durch Haken und Laufstege fest mit Dandolos Flaggschiff verbunden, hatte die genuesische Galeere, die Marco Polo zunächst lag, keine Chance, dem furchtbaren Rammstoß auszuweichen. Der eiserne Sporn riss die wenig geschützte Breitseite auf, bohrte sich so tief in den Feind, dass Marco schon fürchtete, das venezianische Schiff auch noch zu beschädigen. Dann war auf einmal ein fürchterliches Gewirr, ganz so, als habe man einen Stock in einen Ameisenhaufen gestoßen.

Während sich die Genuesen wütend auf den neuen Gegner stürzten, versuchte Marco, von der gerammten Galeere wieder freizukommen, damit sie sinke. Soweit die langen Ruder eingesetzt werden konnten, peitschten sie in verzweifelten Schlägen das Wasser, vermochten aber die verkeilte *Orso Lipato* nicht vom Feind zu lösen.

Die Genuesen waren insgesamt wohl in der Minderzahl, im Augenblick aber, ehe Morosini heran war und eingreifen konnte, gegenüber Dandolo und den Galeeren aus Zara erdrückend überlegen. Immer mehr Ruderer sackten, von Pfeilen getroffen, über den Bänken zusammen. Die bewegungslos hängenden Ruder behinderten den Einsatz der anderen.

»Hinüber!«, rief Marco Polo und schwang seinen Degen. »Wir kämpfen uns durch die Genuesen auf unser Flaggschiff! Die *Orso Lipato* ist nicht zu retten!«

Jeder Soldat wusste, was das bedeutete. Nur die wenigsten nahmen sich Zeit, etwas von ihrer Habe aus den Unterkünften zu holen. Die Waffen hatten sie und die waren im Augenblick das Nötigste. Vom Bug aus auf den Genuesen springend, bahnten sie sich immerzu fechtend einen Weg auf Dandolos Flaggschiff, an dessen Deck ebenfalls schon gekämpft wurde. Hinter ihnen aber ging die *Orso Lipato* in Flammen auf. Aus den Rauchschwaden drangen die Schreie der Ruderer, die angekettet waren. Niemand hätte gewagt, diese einstigen Gegner zu befreien und ihnen Gelegenheit zur Rache zu geben. Nur wenn das Schiff sank, ehe es vollkommen verkohlte, wenn sie mit ihrer Ruderbank irgendwo im Wasser trieben und aufgefischt wurden, hatten sie noch eine Chance zu überleben.

Marco Polo versuchte, Dandolo im Kampfgetümmel zu erkennen, aber die Reihen hatten sich längst in Einzelkämpfe aufgelöst. Marco und sein Diener blieben beisammen, einander schützend und warnend, mussten aber erkennen, dass der venezianische Widerstand auch auf dem Flaggschiff erlahmte.

Auf der Back zusammengedrängt, wehrten sich noch dreißig oder vierzig Soldaten. Sie wurden nicht mehr sehr heftig angegriffen, denn die Genuesen hatten alle Hände voll zu tun, um das Übergreifen des Feuers auf ihre eigenen Schiffe zu verhindern. Von der *Orso Lipato,* die lichterloh brannte, trug der Seewind immer wieder brennende Segelfetzen und zerfallendes Tauwerk auf die genuesischen Galeeren und auf Dandolos Flaggschiff.

Dandolo ... Da war er: Umgeben von seinen Offizieren, focht er – schon stark blutend, offensichtlich am linken Arm oder an der Brust verwundet.

»Admiral!«, rief Marco Polo ihm zu, »wir sind allein. Morosini ist noch eine Stunde weit weg ... Wir müssen aufgeben, das Schiff ist ohnedies schon verloren!«

»Wenn Sie es sagen«, keuchte Andrea Dandolo, »in Gottes Namen, ich kann ohnedies nicht mehr ... Ser Marco hat das Kommando, gehorcht ihm!«

Nach diesen Worten sank der Admiral hintenüber. Die Offiziere schützten ihn, Marcos Diener kniete neben ihm nieder und riss ihm den Panzer von der Brust, um die Verletzung zu finden.

Marco Polo schwenkte sein Halstuch, das am Beginn der Schlacht weiß gewesen war. Die Genuesen hatten unwillkürlich ihre Ausfälle eingestellt, als sie sahen, dass Dandolo zu Boden gesunken war und die Venezianer offenbar berieten. Ein Capitano rief französisch die Aufforderung:

»*Rendez-vous!*«

»*On se rend!*«, antwortete Marco Polo.

Die Männer aus Chioggia blickten böse, warfen ihre Schwerter und Bogen weg, steckten die Dolche aber in die Blusen. Die Offiziere gaben ihre Degen den nächststehenden Genuesen, dann wurden sie alle auf die unversehrte Galeere eskortiert. Über die Enterbrücken liefen die letzten Genuesen aus dem gerammten Schiff, dann wurden Haken und Brücken eingezogen, die Ruderer stießen das Schiff ab, zwei venezianische und eine genuesische Galeere trieben, ineinander verkeilt und vom Rumpf bis zu den Mastspitzen in Flammen gehüllt, langsam auf die Küste von Curzola zu.

»Auch für uns ist die Schlacht zu Ende«, sagte ein genuesischer Offizier zu Marco Polo. »Wir haben euren Admiral an Bord und zudem hunderte von Verletzten. Wir haben Befehl erhalten, aus der Kampflinie zu laufen und im Hafen von Curzola die Verwundeten zu versorgen... Ein guter Tag, *veneziano*, auch für dich, denn eine Gefangenschaft in unserer schönen Stadt ist immerhin besser, als von den Fischen gefressen zu werden!«

Das Buch des Marco Polo

Es war Nacht. Eintönig schlugen die Wellen an die Planken des Schiffes. Irgendetwas musste Marco geweckt haben: ein Geräusch, eine Hand, ein Ruf.

»Ser Marco«, flüsterte es neben ihm. Es war sein Diener. »Kommt schnell mit, ich glaube, der Admiral stirbt...«

Schlaftrunken erhob sich Marco Polo. Es brauchte eine Weile, ehe alles in sein Bewusstsein zurückkehrte, was sich begeben hatte. Er hatte gekämpft, er hatte sich ergeben, er war Gefangener an Bord einer genuesischen Trireme, die stolz, mit drei Reihen von Ruderern, nun wohl schon auf Heimatkurs lief. Man hatte ihn nicht gefesselt, weder ihn noch die anderen Offiziere, nur das Logis im Vorderkastell, in dem sie alle beisammen lagen, war versperrt. Da der Nachtwind frei durch die Bretter strich, war die Luft in dem engen Raum erträglich, trotz der zwei Dutzend Männer, die hier nebeneinanderlagen und von denen einige verwundet waren.

Geführt von seinem Diener, tastete Marco Polo sich zu Dandolo. Die Hand, die sich ihm entgegenstreckte, war heiß und trocken.

»Sie haben Fieber, Admiral«, sagte Marco, »soll ich rufen? Vielleicht ist ein Arzt an Bord.«

»Lassen Sie …«, bat Dandolo müde. »Es gibt keinen Arzt, nicht einmal einen Feldscher. Ein Barbier hat mich notdürftig verbunden, sonst wäre ich wohl schon tot, aber die Wunde wurde nicht gereinigt … Nicht einmal mit Wein … Sagen Sie mir, wer die Schlacht gewonnen hat?«

Marco zögerte eine Sekunde zu lang.

»Ich verstehe«, sagte der Admiral. »Sie wollen einen Sterbenden schonen. Ich mache mir keine Illusionen. Morosini war zu langsam und die Venezianer sind keine Kämpfer. Sie sind gute Seeleute und gute Handelsfahrer, aber kämpfen mussten für uns immer die Dalmatiner und die Männer aus Chioggia und Malamocco …«

»Aber ich weiß, Admiral«, beeilte sich Marco zu versichern, »dass auch Lamba Doria sehr schwere Verluste erlitten hat. Der

Vorstoß in die Adria ist aufgegeben, die Genuesen haben zwar gesiegt, aber für Venedig selbst besteht zurzeit keine Gefahr, denn auch der Sieger hat zu wenig einsatzfähige Schiffe.«

»Das hat man Ihnen alles gesagt?«

»Auf einer Galeere ist es schwer, Geheimnisse zu wahren. Ich lag den ganzen Abend mit dem Ohr an den Brettern. Die beiden Sottocomiti, die draußen mit ihren Knüppeln zwischen den Ruderern auf und ab gehen, haben so laut miteinander geschwatzt, dass ich eigentlich alles weiß, was ich wissen wollte.«

Während Marcos Worten war der Kopf des Admirals auf die Decke zurückgesunken, die man zu einem Kissen gerollt hatte. Mit einem Restchen Wein, das sich in einem Krug fand, kühlte Marco Polo die Stirn Andrea Dandolos.

»Sie haben den Namen des Notars behalten?«, fragte der Admiral leise.

»Des Notars in Ancona? Gewiss! Es scheint dort übrigens nur einen einzigen zu geben.«

»Sorgen Sie für alles ... Es ist mir eine Erleichterung, dass Sie bei mir sind ...«

Marco gab dem Diener zu verstehen, dass er sich entfernen solle, aber Dandolo wehrte ab.

»Wären wir nicht Gefangene, so könnte er nach einem Priester suchen. Aber hier, zwischen Ruderern und Soldaten, da ist ohnedies kein Platz für einen Mann Gottes. Leben Sie wohl, Marco Polo, grüßen Sie meine Frau und meine Kinder, wenn Sie heimkehren, der Friedensschluss wird wohl nicht lange auf sich warten lassen ... Im zehnten Jahr nach dem Tod meines Vaters folge ich ihm nach ... Schade, dass er nicht mehr Grund hat, auf mich stolz zu sein ...«

Es war so dunkel in dem kleinen Raum, dass Marco Polo nicht

sehen konnte, ob Dandolo die Augen offen oder geschlossen hatte. Aber er spürte, dass neben ihm ein Leben erlosch, ein Atem verwehte. Als er die Hand unter die Bluse Dandolos schob, war kein Herzschlag mehr zu fühlen. Marco rief den Diener.

»Durchsuche den Mantel des Admirals, ich leere ihm die Taschen. Die Genuesen brauchen davon nichts zu erhalten; was er bei sich trug, gehört seiner Familie!«

Erst als sie die Börse, die Uhr, ein wenig Schmuck und einige Papiere des Toten an sich genommen hatten, klopften Marco und der Diener an die Tür. Die anderen Offiziere waren erwacht und hatten sich, soweit es ihre Verletzungen zuließen, erhoben. Der Profos, dem die Militärgerichtsbarkeit an Bord oblag, kam endlich und schloss auf.

»Euch geht es wohl zu gut!«, schimpfte er. »Wenn Ihr an die Luft wollt, kann ich euch ja an die Ruderbänke ketten lassen. Wir brauchen ohnedies frische Leute für den weiten Weg nach Hause!«

»Entschuldigen Sie den Lärm«, antwortete Marco Polo höflich, obwohl ihm nicht danach zumute war, »aber wir mussten uns melden, denn Seine Gnaden, der Admiral Andrea Dandolo, ist soeben verschieden!«

Der Name, der vornehmste Venedigs, tat auch in dem dumpfen Gehirn des Profosen seine Wirkung. Ein Dandolo schließlich hatte Venedig überhaupt erst groß gemacht. Es gab im ganzen Mittelmeerraum nur zwei Namen, die andere, ja alle anderen so deutlich überstrahlten, den der Doria in Genua und der Dandolo in Venedig.

Ohne noch etwas zu sagen, öffnete der Profos die Tür weit. Vier Offiziere trugen Dandolos Leichnam auf das Vordeck.

»Ich mache dem Kapitän Meldung«, versprach der Profos,

»weiß aber nicht, wann er beidrehen kann zur Bestattung, wir haben die Straße von Otranto noch nicht passiert.«

Es sind also, folgerte Marco Polo, venezianische Schiffe dem Unheil entronnen. Die Genuesen fühlen sich in der Adria immerhin noch bedroht. Sie würden die Meerenge vielleicht nahe an den Ionischen Inseln passieren, aus Furcht vor den Venezianern; das böte eine Chance für den, der über Bord sprang.

Im Morgengrauen ließ der Kapitän das Rudern einstellen. Die Taktrufe des Comiten verstummten, es wurde für einen Augenblick ganz still auf dem Schiff, das einen leichten Bogen beschrieb, um sich vor den Wind zu legen. Abermals wurde die Tür des Kastells aufgeschlossen. Marco Polo und die anderen hatten ihre Kleidung in Ordnung gebracht, so gut dies unter diesen Verhältnissen möglich war, und traten hinaus aufs Deck.

Zwischen zwei Reihen von Seesoldaten lag Andrea Dandolo, auf ein Brett gebunden und mit der venezianischen Flagge geschmückt; die Genuesen hatten sich für den toten Admiral des Gegners also von einer Beutefahne getrennt. Der Kapitän, den Marco Polo bei dieser Gelegenheit zum ersten Mal sah, sprach ein kurzes Gebet und erhob die linke Hand, um den Toten zu segnen; die Rechte trug er in einer durchbluteten Binde. Dann hoben vier Seesoldaten den Leichnam und ließen ihn mit dem Brett über Bord gleiten.

Das Meer lag im Morgendunst beinahe ohne Seegang da, nur ein paar Möwen schossen auf den langen Gegenstand zu, der da über Bord fiel und gleich unter Wasser verschwand, lag die Bordwand doch nur wenig mehr als einen Meter über den Wellen. Im Nordosten, dort, wo der Dunst sich im Morgenlicht schon rosig färbte, lag etwas Dunkles auf dem Meer. Es konnte die Küste von Korfu sein oder von einer Landzunge, Kap Gjuhëzës vielleicht...

Marco zögerte nicht lange. Er musste handeln, ehe man ihn wieder einschloss, und der Augenblick war günstig, weil die Ruder unter die Balken geklemmt waren wie zur Segelfahrt; es würde eine Weile dauern, ehe man ihn verfolgen konnte. Während alles noch ins Meer starrte, wo der Leichnam Dandolos verschwunden war, duckte sich Marco Polo in den Gang zwischen den Ruderbänken und lief nach hinten, auf den Achtersteven, wo nur die zurzeit leere Kapitänskajüte lag.

Die Ruderer, soweit sie nicht schliefen, sahen ihn, aber keiner von ihnen hätte den Genuesen den Gefallen erwiesen, einen Fliehenden zu verraten. Einer rief Marco Polo an: ein Mann aus Chioggia, der auf der *Orso Lipato* Dienst getan hatte und seinen Kapitän wiedererkannte.

»Psst...«, machte er. »Hierher, Capitano!«

Tatsächlich klaffte dort, wo der Mann saß, ein Loch in der Bordwand, ein Loch, das wohl ein Enterhaken gerissen hatte. Blitzschnell ließ sich Marco hier, wo niemand es sehen konnte, über Bord gleiten. Es machte kein Geräusch, als er eintauchte, und angesichts des kühlen Morgens umfing ihn das Meerwasser erstaunlich warm. September! Im April hätte er dergleichen nicht wagen dürfen...

Marco Polo schwamm unter Wasser, solange er es aushielt, tauchte kurz auf und schwamm dann wieder unter Wasser weiter. Hundert Meter, zweihundert. Das Meer war glatt wie ein Spiegel und die Sonne ging eben auf. Er musste als ein dunkler Punkt zu sehen sein, bis der Nebel ihn verschlang. Darum schwamm Marco weiter, so schwer ihm das Tauchen auch fiel und so wenig Luft er schon hatte. Erst als die Galeere nur noch unklar zu erkennen war, tauchte er für längere Zeit auf und entledigte sich der Kleidungsstücke, die er meinte entbehren zu können. Beim Versuch, die Stiefel auszuziehen, schluckte er eine Menge Wasser, aber dann war es so weit. In der Unterkleidung, die ihn nicht behinderte, schwamm er mit langen Stößen auf jenen dunklen Streifen zu, der vom Deck der Galeere aus viel deutlicher zu erkennen gewesen war.

Marco Polo fühlte beruhigend den Frieden dieses heimatlichen Meeres. Hier lauerten keine Raubfische auf ihn wie in der Malaya-See, und wenn er in einer, zwei oder drei Stunden an Land steigen würde, dann warteten nicht heidnische Völkerschaften darauf, ihn in ihre Kochtöpfe zu stecken, sondern man würde ihm helfen, so, wie vor Jahrtausenden hier Odysseus als Schiffbrüchiger an Land gespült worden war und bei Nausikaa und ihren Gespielinnen Hilfe gefunden hatte.

Zwei Stunden später, als Marco Polos Arme zu erlahmen drohten und er immer längere Erholungspausen einschieben musste, wurde er der Nausikaa, die ihm bestimmt war, zum ersten Mal ansichtig. Eine Strömung, deren gnädige Hilfe er schon seit einer Weile bemerkte, trug ihn in eine sanfte Bucht. Felsige Hänge, mit dem Grün der Olivenhaine bedeckt, fielen steil zum Meer hin ab und gaben einen schmalen Strandstreifen frei. Dort, im Sand, hatte eine Schar junger Frauen große Körbe aufgestellt, in die sie Muscheln warfen, die sie im seichten Wasser fanden. Und eine, die dickste, die offenbar die schärfsten Augen hatte, rief etwas, als sie Marco Polos Kopf auftauchen sah, und winkte ihre Gefährtinnen heran.

Wenn diese kräftigen Griechinnen mich für ein Seeungeheuer halten, ist es um mich geschehen!, dachte Marco Polo. Also hob er, so schwer es ihm auch schon fiel, den rechten Arm und winkte beruhigend. Sogleich zwitscherten erfreute Stimmen einen unverständlichen Willkommensgruß und die Jüngsten liefen ihm mit hoch geschürzten Röcken in das Wasser entgegen.

Diese Hilfe war nötig, denn nun, da er sich am Ziel fühlte, drohten ihn die Kräfte zu verlassen. Taumelnd versuchte er, im losen Sand des Ufers Fuß zu fassen, aber es gelang nicht. Kraftlos fiel er vornüber in die kühlen, nassen Arme seiner Retterinnen, dann verließ ihn das Bewusstsein.

Marco Polo fühlte einen Holzlöffel mit einer heißen Flüssigkeit an den Lippen. Und als er versuchte, diesen Löffel zu ergreifen, um selbst zu essen, da stellte er fest, dass er gefesselt war. Er war so enttäuscht, so verzweifelt, dass er die Augen am liebsten gar nicht aufgeschlagen hätte. Wer mochte ihm wohl diesen Streich gespielt haben? Er konnte doch nirgends anders sein als an den östlichen Gestaden der Adria und hier hatten die Genuesen nun einmal nichts zu suchen.

»Er kommt zu sich«, sagte jemand neben ihm, ein männlicher Jemand, und er sprach nicht venezianisch.

Marco Polo schlug die Augen auf. Er saß in einer großen, kahlen Stube, deren grelles Weiß seinen vom Meersalz geröteten Augen wehtat. An den Wänden lief eine Bank hin, auf der ein paar Männer und Frauen saßen, und neben ihm, der auf einen Stuhl gefesselt war, kniete die dicke Nausikaa und flößte ihm zärtlich eine heiße Milchsuppe ein.

Der Mann, der gesprochen hatte, gehörte aber offensichtlich nicht hierher; es war ein Soldat, wie er sie auf der genuesischen Galeere gesehen hatte.

»Verdammt!«, sagte Marco so laut, dass seine Wohltäterin erschrocken den Löffel in die Milchsuppe klatschen ließ. »Was habt ihr denn auf Korfu zu suchen?«

»Wir haben es erobert, wenn der Herr Admiral nichts dagegen haben.«

»Wer ist hier Admiral?«, wollte Marco wissen. Da sah er die bekümmerten Mienen der Männer und Frauen von Korfu, die, an den Wänden aufgereiht, den gefangenen Seehelden betrachteten, durchnässt, halb tot, gefesselt, in der Macht der Genuesen.

»Wir haben uns erlaubt, Eure Papiere zu prüfen, Herr«, erklärte der Soldat, »der Offizier ist unterwegs um einen Wagen, der Euch nach der Stadt bringt... Wir sind alle voll Hochachtung vor dem Mut, den Ihr mit Eurem Fluchtversuch bewiesen habt. Aber jetzt tut Ihr besser, aufzugeben. Die Schlacht von Curzola ist für Venedig verloren; Lamba Doria hat gesiegt...«

Marco nickte ergeben, sperrte den Mund auf und ließ sich weiterfüttern, worüber das Mädchen aus Korfu so glücklich war, als habe er ihr ein Geschenk gemacht. Ihr zuliebe, sagte sich Marco Polo, werde ich erst auf dem Schiff nach Genua erklären, dass ich nicht Andrea Dandolo bin, sondern nur seine Papiere an mich genommen habe. Ihr zuliebe, damit sie nicht um die größte Stunde ihres Lebens gebracht wird.

Als der Wagen kam, fing alles noch einmal von vorn an, nur noch um einen Grad höflicher, fürsorglicher beinahe, mitunter sogar ehrfurchtsvoll. Man hatte einen Dandolo gefangen, das war, da man Kaiser und Papst nicht gut aus der Adria fischen konnte, zweifellos ein einzigartiger Fang, vergleichbar nur mit dem sagenhaften goldenen Delfin.

Als die große Galeere, die im Hafen von Korfu gelegen hatte, die Straße von Messina erreichte, versuchte Marco Polo, dem Kapitän die Wahrheit zu entschleiern. Der *capitano genovese* lächelte nachsichtig, ließ ein Sonnensegel spannen, als habe ein allzu heißer Strahl des Tagesgestirns seinem Gefangenen die Sinne verwirrt, und befahl zwei Sklaven, mit großen Fächern kühlende

Meerluft über den Tisch zu wehen, an dem die beiden ihr Mahl eingenommen hatten.

Marco Polo ließ es auf sich beruhen. Er hatte das Seine getan, und wenn er auch nicht wusste, welche Unterschiede zwischen der Admirals- und der Kapitänsverpflegung bestanden, so konnte es doch nicht schaden, noch eine Weile den illustren Gefangenen zu spielen und einmal des Tages, beim Dessert, ein pflichtgemäßes Dementi loszulassen.

Erst auf der Höhe von Bastia, als sich zwischen Korsika und der Insel Elba die Fahrstraße verengte und damit eine unvermeidliche Versammlung der heimwärts fahrenden genuesischen Galeeren eintrat, kam die Stunde der Wahrheit: Marco Polos Kapitän entdeckte den Vierruderer des genuesischen Admirals Lamba Doria und signalisierte, dass er den Admiral der Venezianer als Gefangenen an Bord habe.

Im Beiboot an Bord des Flaggschiffes gerudert, beeilte sich Marco Polo, das Missverständnis aufzuklären, und sagte auch gleich, wer er sei und wie es zu der Verwechslung kommen konnte.

Lamba Doria lachte.

»*De mortuis nil nisi bene*« (Über die Toten sprich nur gut), sagte er und bat Marco Polo, in einem Deckstuhl Platz zu nehmen. »Dandolo hat sehr tapfer gekämpft, und hätte sich Morosini so sehr beeilt, in die Schlacht zu kommen, wie Dandolo, dann säße ich vermutlich jetzt nicht hier unter dem Sonnensegel, sondern in einem eurer Gefängnisse. Aber Dandolo wird es mir nicht verargen, wenn ich finde, dass ein lebendiger Asienreisender ein besserer Gesellschafter ist als ein noch so tapferer toter Admiral!«

Marco Polo schwieg, denn sowenig er Dandolo gekannt hatte, der Admiral war ihm in den wenigen Tagen ihres Beisammenseins doch sehr nahe gekommen.

»Mit dem Reisen, Ser Marco, wird es nun allerdings für eine Weile sein Bewenden haben«, fuhr Lamba Doria fort, »einen Gefangenen von solchem Wert lassen wir nicht frei, dafür werde ich persönlich sorgen.«

»Mein Wert, Admiral, ist aber durchaus nicht militärischer Natur. Ich bin ein Kaufmann, der mehr als andere von der Welt gesehen hat, das ist alles.«

»Und wir sind Kaufleute, die Krieg gegen andere Kaufleute führen. Krieg vor allem um den Osten, in dem die großen Möglichkeiten schlummern; denn im Osten, das wissen Sie besser als jeder andere, ist die Welt unendlich groß, während im Westen das Nebelmeer alle Seefahrt unmöglich macht. Niemand könnte uns von allen unseren Gefangenen daher wichtiger sein als gerade Sie, Ser Marco... Wir können es nicht zulassen, dass Sie nach Venedig heimkehren und dort neue Expeditionen vorbereiten, Expeditionen, die sich auf Ihre Kenntnis der Fürsten und der Länder des Ostens stützen. Wir müssen erst ebenso viel darüber wissen wie Sie selbst, ehe wir es verantworten können, Sie laufen zu lassen!«

Lamba Doria wachte auch weiterhin über Marco Polo. Schon als das Schiff im Hafen von Genua festmachte, war ein Adjutant des Admirals an der Seite Marcos und begleitete ihn auf die Festung. Und das war eine weite Reise, denn der düstere Bau, in dem die wichtigsten Gefangenen untergebracht werden sollten, lag westlich der Stadt auf einer Anhöhe über den Cave della Chiapella.

In diesen Steinbrüchen arbeiteten die Soldaten; die Ruderer taten Dienst auf genuesischen Galeeren; die höheren Offiziere aber saßen in der Festung in unterschiedlichen Verliesen.

Marco Polo hatte nun Zeit zu grübeln. Vor allem in den Nächten, wenn das bunte Bild des Hafens, das er durch die Gitterstäbe sah, ihn nicht ablenkte, musste er immer wieder an die letzten Worte des Admirals denken: »Wir müssen erst ebenso viel darüber wissen wie Sie selbst, ehe wir es verantworten können, Sie laufen zu lassen.«

Ebenso viel wie er selbst … Er konnte doch keinen Genuesen mitnehmen nach Katai und ihn beim Großkhan einführen … Das würde Jahre dauern und seine Kräfte überfordern, näherte er sich doch den Fünfzig. Er könnte es jemandem erzählen, so wie er es in Venedig erzählt hatte: jungen und alten Freunden, die ihn darum Messer Milione genannt hatten, weil sie ihm nicht glaubten oder nur zur Hälfte glaubten. Denn wenn man es aussprach, klang alles ein wenig unglaubwürdig.

Nein, das Sprechen, das war nicht das Richtige. Das Wort verwehte. Das Wort blieb an ihn gebunden, an ihn, Messer Milione, den Kaufmann, den Kapitän, den Gefangenen, den Venezianer. Er musste alles, was er wusste und was er erlebt hatte, niederschreiben oder einem ansagen, der es niederschrieb. Und dies musste in einer Form geschehen, in der es niemand mehr wegwischen konnte. Er konnte nicht Genuesisch und er konnte es Lamba Doria nicht in Venezianisch vorlegen lassen, in der Sprache des Feindes. Es durfte überhaupt kein italienisches Idiom sein, sondern eine der Sprachen, deren sich die Gelehrten bedienen, eine Sprache für alle Welt: Latein oder Französisch.

Nächtelang memorierte Marco Polo lateinische Sätze. Er fühlte, dass in dieser Sprache, in dieser ewigen Sprache, ein großes Dokument seines Lebens und Schauens zustande käme, wenn er sie genügend beherrschte. Das aber war nach so vielen Jahren unter Tataren, Kataiern und letztlich noch Venezianern nicht mehr der Fall.

Nach einigen Wochen – der Winter war schon nahe und die Zelle kühl – begehrte Marco Polo Papier und Schreibgerät und verfasste einen Brief an Seine Exzellenz, den Admiral Lamba Doria.

»Ich weiß nun«, schrieb er nach der Begrüßung, »wie ich dem Wunsche Eurer Exzellenz nachkommen kann, mein Wissen so zu fixieren, dass es auch den Genuesen und über Genua hinaus allen Gebildeten zugänglich werde und das Bild erweitere, das die Geografen zurzeit von der bekannten Welt haben. Ich werde alles, so ich gesehen und erlebt habe, getreulich zu Papier bringen. Aber ich bin nicht mehr jung und des Gebrauchs der Feder entwöhnt. So möchte ich es einem Helfer ansagen, den Eure Exzellenz für mich wohl finden werden. Ich möchte, um den Streit zwischen unseren Städten von den Blättern meiner Erinnerung fernzuhalten, den Versuch machen, das ganze Buch in französischer Sprache abzufassen. Sie ist mir hinreichend vertraut, besser jedenfalls als die Idiome von Genua oder aus der Toskana, und es ist eine Sprache, die in der ganzen gebildeten Welt verstanden wird. Wenn es sich machen ließe, wäre es gut, wenn der Schreiber, den ich von Eurer Exzellenz' Güte erhoffe, des Französischen mächtig wäre. Dann will ich, das verspreche ich, ohne etwas zurückzuhalten oder zu verfälschen, alles sagen, was ich von dem weiten Reiche meines guten Herrn Kublai-Khan in Erinnerung habe und von den langen Reisen, die ich dorthin machte und von dort hierher zurück...«

Die erste Reise

Eine Woche, nachdem dieser Brief geschrieben worden war, erhielt Marco Polo den Besuch eines gut gekleideten jungen Mannes, der sich als Sekretär der Familie Doria vorstellte und bedauerte, eine ungünstige Nachricht bringen zu müssen: Der Admiral sei bereits wieder auf See, er kreuze mit einem kleinen Geschwader vor Sardinien, weil dort maurische Seeräuber Überfälle verübt hätten. Aber die Familie Doria kenne die Sympathie, die der Admiral seinem berühmten Gefangenen entgegenbringe, und sei gerne bereit, das Menschenmögliche zur Erleichterung der Haft und zur Vollbringung jenes großen Vorhabens ins Werk zu setzen. Mithilfe des gewandten Sekretärs, der Genua kannte wie seine Westentasche und sich auch im Gefängnis frei bewegen durfte, erzielte Marco Polo einige nennenswerte Erfolge. Wichtiger als diese aber war, dass sein eigenes Vorhaben und die Vorbereitungen darauf ihn nach der Niederlage von Curzola mit neuem Lebensmut zu erfüllen begannen.

Der erste Erfolg bestand in der Erlaubnis, Besuche und Post zu empfangen und Boten abzufertigen. In Genua hatte sich inzwischen herumgesprochen, wer jener venezianische Kapitän, der über den Cave della Chiapella gefangen saß, wirklich sei, und die Herren der einflussreichsten und größten Handelshäuser der Stadt bemühten sich um die Erlaubnis, Marco Polo zu sprechen. Jeder dieser Männer aber hatte wiederum Sitz und Stimme in den Körperschaften der Republik Genua und konnte Marco in irgendeiner Weise dienlich sein. Ja nicht wenige unterhielten sogar – trotz der Feindschaft zwischen den Städten – über Mittelsmänner in Bergamo oder Bologna Verbindungen nach Venedig.

Es war für Marco Polo ein Leichtes, die Papiere des Admirals Dandolo mit einem Brief an dessen Witwe gelangen zu lassen. Der Brief schilderte die letzten Stunden des Admirals, aber auch die Begebenheiten in Ancona mit der Errichtung eines Testaments, das nun bei einem Notar in jener Stadt deponiert sei.

Ein zweites Schreiben fertigte Marco an seinen Vater ab. Darin versicherte er ihm und den anderen Angehörigen, dass er bis auf eine unerhebliche Verletzung das Debakel von Curzola gut überstanden habe und in recht erträglicher Haft gehalten werde. Marco bat aber auch, dem Boten jene Aufzeichnungen zu übergeben, die er auf den langen Reisen in den Ländern des Ostens geführt habe; er wolle die Muße der Gefangenschaft dazu benützen, aus all diesen Unterlagen einen großen Bericht zustande zu bringen, welcher den Kaufleuten aller Länder und der geografischen Wissenschaft dienen könne.

Ein drittes Schreiben galt Donata und bat sie, nach Genua zu kommen, sobald der Friede zwischen den beiden Städten geschlossen worden sei. Die Verhandlungen könnten ja nun nicht mehr lange auf sich warten lassen und Marco habe in Genua Freunde gewonnen, die, seine Frau für ein paar Wochen aufzunehmen, gerne bereit sein würden.

So war denn alles in die Wege geleitet, als der Sekretär der Familie Doria abermals bei Marco Polo erschien und ihm einen jungen Mann von intelligentem Aussehen präsentierte.

»Hier, Ser Marco«, sagte er dabei, »sehen Sie einen halben Landsmann, nämlich einen Bürger der mit Venedig verbündeten Stadt Pisa mit dem schönen Namen Marcantonio Rusticiano ...«

»Rustigiello, wenn Sie gestatten!«, unterbrach der Pisaner.

Der Sekretär lachte.

»Sie werden ihn berühmt machen, Ser Marco, aber ich ahne,

dass Sie das Dilemma der beiden Namen nicht werden lösen können. In den Listen des Gefängnisses heißt er nämlich Rusticiano di Pisa, und unter diesem Namen wird er nun Ihnen zur Verfügung gestellt; sein Französisch ist, soweit ich das beurteilen kann, einwandfrei, und er wird auch sehr gerne die Arbeit in den Steinbrüchen aufgeben, um für Sie und Ihr Werk die Feder zu führen!«

Marcantonio verbeugte sich tief, holte dann eilfertig Schreibgerät und Tinte aus der Tasche und sah sich in dem Zimmer, das Marco Polos Gefängnis war, nach einem geeigneten Tisch um.

»Nimm diesen Tisch«, sagte Marco, »ich gehe ohnedies lieber auf und ab, wenn ich diktiere, denn bei aller Erleichterung, die man mir hier zuteil werden lässt, an Bewegung fehlt es mir doch. Haben Sie Dank, Herr Sekretär, ich will es jetzt einmal mit Rusticiano oder -giello versuchen und denke, dass wir uns aneinander gewöhnen werden. Ich beginne mit der Einleitung über die erste Reise meines Vaters und dessen Bruders, an der ich ja noch nicht teilgenommen habe, und setze fort, sobald meine eigenen Aufzeichnungen aus Venedig zur Stelle sind. Gebe mir Gott ein gutes Gelingen!«

Marcantonio hatte sich inzwischen zurechtgesetzt, seine Feder gespitzt, die Tinte angefeuchtet. Es war, als sei es schon immer so gewesen, als werde nichts begonnen, sondern nur fortgesetzt. Marco Polo musste lachen.

»Du tust, als sei ich ein Dichter«, sagte er, »und als habest du nie etwas anderes getan, als nach dem Diktat niedergeschrieben. Aber ich sage dir, ich bin ein Kaufmann. Dutzende, vielleicht hunderte meinesgleichen haben große Reisen gemacht, wenn auch nicht ganz so weit nach Asien hinein wie ich. Sie sind aus Genua, aus Pisa, aus Venedig oder aus Athen nach Afrika, nach Arabien und in die Länder des Ostens gezogen mit ihren Waren.

Gewiss haben sie ihren Kindern und anderen Verwandten davon auch erzählt – nur niedergeschrieben haben sie alle nichts…«

»Ein Grund mehr, Herr, dass Ihr es tut, sonst wird man in fernen Zeiten dann nur noch das Gerücht kennen von einem Venezianer, der in Katai gewesen ist. Aber Genaueres würde niemand wissen«, antwortete Rustigiello und schien ungeduldig; vielleicht fürchtete er, das große Werk, zu dem man ihn gerufen hatte, werde niemals entstehen und er müsse in den Steinbruch zurückkehren.

»Die Nachwelt, Marcantonio, zählt für einen Kaufmann herzlich wenig, und Kinder mir zu schenken, hat Gott noch nicht gefallen, so alt ich auch schon bin. Nein, ich schreibe oder lasse dich schreiben, weil ich eine Welt gesehen habe, die zu seltsam ist, als dass man von ihr schweigen könnte, und zu gewaltig, als dass sie weiterhin unbeachtet bleiben dürfte. In unserem kleinen Europa, das wir für groß halten, gebärden wir uns, als seien wir die Herren der Erde – und doch sind wir nur ein Anhängsel ihrer eigentlichen Größe!«

»Sagt das nicht so laut, Herr«, bat Marcantonio und legte erschrocken die Finger an die Lippen, »habt Ihr vergessen, dass in Rom der Papst sitzt und der Kaiser gekrönt wird? Wo denn sonst sollte der Mittelpunkt, der Nabel der Welt sein, wenn nicht in Rom?«

»Ich sehe schon, dass es schwer werden wird«, sagte Marco Polo leise, mehr zu sich selbst als zu seinem Schreiber gewendet. »Erzählt man, so wird einem nicht geglaubt, und schreibt man es nieder, so wird es unversehens zur Ketzerei, und es ist doch immer nur die eine Wahrheit. Schreibe also den Vorspruch, Marcantonio, den Vorspruch, der sie alle versöhnen soll:

Ihr Herren und Kaiser, ihr Könige, Herzöge, Fürsten, Grafen

und Ritter, ihr Bürger und Priester, die ihr irgendwann lesen gelernt und seither den Wunsch empfunden habt, mehr über die Welt zu erfahren und über die Menschenrassen und Völker, die sie bewohnen, nehmt dieses Buch zur Hand, lest es oder lasst es euch vorlesen! Ihr werdet darin nicht nur viel von Sitten und Gebräuchen der verschiedenen Stämme und Städte und Landstriche finden, sondern auch etliches und nicht zuwenig von den Wundern des Großen und des Kleinen Armeniens, Persiens, der Türkei, der Tatarenländer und Indiens, aber auch noch anderer Länder, denen man begegnet, wenn man mit dem griechischen Wind oder der Tramontana von jenseits des Gebirges in den Osten segelt. Dieses Buch will dies alles erzählen, klar und in guter Ordnung. Messere Marco Polo, Handelsmann und vornehmer Bürger der Republik Venedig, wird es so beschreiben, wie er alles selbst gesehen hat.

Freilich wird er auch manches anführen müssen, was er nicht selbst gesehen hat, um keine Lücken entstehen zu lassen und ein rundes Bild zu geben; dann aber wird er genau und übersichtlich trennen, was er selbst gesehen und was er von vertrauenswürdigen Personen vernommen hat. Was er gesehen hat, wird als gesehen deutlich sein, und was er nur gehört hat, als Wissen vom Hörensagen; so soll dieses Buch keine Zweifel aufkommen lassen an der Wahrhaftigkeit seiner Schilderungen und Mitteilungen, damit man es nicht als ein Werk der Fabeleien ansehe oder gar als Lügenkram …«

Marco Polo unterbrach sich, ging zum Fenster und öffnete es. Durch die schwarzen Stäbe des Gitters fiel der Blick wie aus Turmeshöhe hinab auf Genua, seine gedrängten Häuser, das Becken des Hafens, die Mole, die Fülle der Schiffe mit Segeln und Masten.

»Das sind bittere Worte, Herr«, sagte Rustigiello, »sie klingen so, als habe man Euch in Eurer Heimatstadt der Lüge geziehen?«

»Das nicht gerade, aber doch der Übertreibung«, antwortete Marco. »Aber seit ich hier so viel allein mit mir bin und nachzudenken Zeit hatte, seitdem ist mir klar geworden, dass sie gar nicht anders konnten, als zumindest das Ausmaß des Neuen anzuzweifeln, das ich ihnen vor die Seele stellte. Denn hätten sie alles gesehen und erlebt, wie ich es sah und erlebte, wären sie über den Steuerrechnungen des Großkhans gesessen wie ich und hätten sie die Listen der Armeen, des Zolls, der Tribute gelesen, ja zum Teil selbst geführt, wie ich es für meinen Herrn Kublai-Khan tat, sie hätten sich die bestürzende Erkenntnis nicht verheimlichen können, dass wir hier in einem Gezänk der Zwerge dahinleben, in einem lächerlichen Kinderkrieg um ein paar Äpfel und Birnen, statt uns der Größe der Welt bewusst zu werden und dessen, was Not tut: der Ordnung des Staatswesens, der Zusammenarbeit der Fürsten, der Bildung großer Räume für das Leben unseres Handels und unserer Wirtschaft. Ich komme mir vor wie ein Sehender unter Blinden, aber da ich der Einzige bin, kann ich ihnen allen nicht begreiflich machen, wie dieses Sehen ist und wie dieses Alleinwissen schmerzt.«

»Vielleicht, Herr, sollte man ganz schlicht das aneinanderreihen, was sich begeben hat, von Venedig weg bis in den märchenhaften Osten. Nehmt Eure Leser an der Hand, so werden sie Euch folgen!«

Marco Polo antwortete nicht mehr. Vielleicht war er von sich aus auf denselben Gedanken gekommen und hatte die ersten Sätze ohnedies schon fertig. Jedenfalls trat er hinter Marcantonio und legte ihm die Hände auf die Schultern, als wolle er eine Verbindung schaffen, die seine Gedanken hinüberfließen ließe in den Schreiber. Und er begann:

Es mag im Jahr des Herrn 1250 oder 1252 gewesen sein, dass zwei vornehme Venezianer mit einem Schiff voll von Waren nach Konstantinopel aufbrachen, wo damals noch die lateinischen Kaiser herrschten. Die beiden Kaufleute hießen Maffeo und Niccolò Polo und entstammten einem reichen Haus. Der eine von ihnen, Niccolò, hatte kurz vor der Abreise geheiratet, und sein Weib trug ein Kind von ihm, als er Abschied nahm. Dieses Kind erhielt später den Namen Marco Polo und sollte seinen Vater erst kennenlernen, als er schon ein Jüngling war …

Maffeo und Niccolò Polo also segelten nach Konstantinopel auf einem Schiff, das nicht ihnen gehörte, nur die Ladung war die ihre. Konstantinopel war mit Venedig verbündet, ja in der großen Stadt am Eingang des Schwarzen Meeres herrschte nicht nur der Kaiser Balduin II., sondern auch Messere Ponte, Resident der Republik Venedig, der beinahe mehr Macht besaß als der byzantinische Kaiser selbst.

Maffeo und Niccolò bewegten sich also nicht in wirklich fremden Gebieten, sondern gleichsam in einem Handelsvorposten der venezianischen Republik. Es war daher nicht weiter zu verwundern, dass sie, wie viele andere ihrer Landsleute, ihre Ware ohne Schwierigkeiten losschlugen und einen beträchtlichen Gewinn einstrichen.

Dieser Erfolg aber, der so viele andere bereits befriedigt und nach einer ertragreichen Rast in der Fremde zu glücklicher Heimkehr zu bewegen pflegt, spornte Maffeo und Niccolò noch mehr an. Sie entschlossen sich, zu einem Tatarenkhan weiterzureisen, von dem die Sage ging, das er zumindest in seinem Herzen dem

Christentum zuneige und jedenfalls Besuch aus den christlichen Ländern gnädig aufzunehmen gewohnt sei.

Sie tauschten ihren Gewinn in Edelsteine und anderen Schmuck um, der sich leicht mitführen lässt, und begaben sich, ohne ihren Reichtum zu zeigen, an Bord eines Schiffes, das nach Sudak auslaufen sollte. Sudak, auf der Halbinsel Krim unweit von Kaffa, wird zwar mehr von Türken aufgesucht, die nach Norden weiterreisen wollen, aber auch die Venezianer sind dort seit Jahrzehnten keineswegs selten.

Nördlich der Gebirge, welche die Halbinsel durchziehen, beginnen die Karawanenstraßen durch die große Ebene, die sich von diesem Rand Europas bis zu den weiten Wüsten des innersten Asien erstreckt. Es ist eine endlose, meist trockene und gut gangbare Ebene und wird von Nord nach Süd von den russischen Flüssen durchzogen, von West nach Ost hingegen von den kaum sichtbaren Pfaden der Handelskarawanen und der Botschafter der Tatarenkhane.

Der große Fluss, an dem die westlichen Tataren hin und her ziehen – denn sie haben nicht wie wir einen einzigen festen Wohnsitz –, heißt Wolga, ist an manchen Stellen sehr breit und fällt meeresgleich unweit Sarai ins Kaspische Meer. Im Norden, wo die Wolga ein Knie macht und, aus dem Westen kommend, nach Süden biegt, dort liegt die alte Hauptstadt der Wolgabulgaren, Bolgar genannt. Im Süden, nahe der Mündung, ist Sarai der wichtigste Punkt für den Handel.

Diese beiden Städte sind die Residenzen des Nomadenfürsten Barka, der wiederum ein Enkel des furchtbaren Dschingis-Khan sein soll. Barka lebte im Winter in Sarai, im Sommer aber in Bolgar, und die beiden Venezianer waren gewiss nicht die ersten Christen, die ihn aufsuchten. Man hatte sie auch darauf vorbereitet, dass er es schätze, wenn man ihm Geschenke überreichte, und so schonten Maffeo und Niccolò Polo ihren Diamantenvorrat nicht. Sie überreichten dem Herrn über die westlichen Steppen neben etlichen besonders schönen und reinen Steinen auch kunstvolle Arbeiten aus den Werkstätten von Venedig, Korinth und Konstantinopel.

Barka freute sich ganz offensichtlich über die reichen Präsente, ließ alles einpacken und befahl seinem Schatzmeister, den beiden die Wahl der Gegengabe zu belassen. Als Kaufleute von Erfahrung und gewitzter Lebensart steckten die Venezianer dem Schatzmeister nicht nur zwei wunderschön geschnittene Gemmen aus Rosenquarz und Korund zu, sondern auch einen herrlichen Dolch aus Damaskus mit eingelegtem Griff. Darauf öffnete er ihnen das Gemach der schönsten Dinge, und Maffeo und Niccolò durften sich aus den Schalen mit den indischen Smaragden und Rubinen die Taschen füllen.

Da Barka Langeweile hatte und sich auf der großen Steppe und rund um ihn herum nichts ereignete als Weibergezänk, Kindergeschrei und einige kleine Diebstähle mit den darauf folgenden Hinrichtungen, bat der Fürst die beiden Venezianer, bei ihm zu bleiben, und sicherte ihnen freien Unterhalt zu. Maffeo und Niccolò willigten ein, um von den Sitten der Tataren einiges zu erfahren. Auch wollten sie die Sprache dieser Völker erlernen, von denen man sagte, dass sie die endlosen Steppen, aber auch das alte Zweistromland und die hohen Berge beherrschten, welche das Dach der Welt bilden sollen.

Dieses Vorhaben gelang zwar; sie lernten die raue Sprache der mongolischen Tataren, die jedenfalls ein Reitervolk waren und außer einer unbestreitbaren Kriegstüchtigkeit nicht sonderlich hohe Gaben an den Tag legten. Als aber ein Jahr verstrichen war und sich Barka und die Polo nicht mehr viel zu erzählen hatten, befürchteten die beiden Kaufleute, dass der Khan eines Tages aus purer Langeweile ihre Bäuche aufschneiden würde, um zu sehen, ob ein Christ dieselben Eingeweide habe wie ein Moslim oder ein Mongole. Und so erbaten sie sich die Erlaubnis zur Heimkehr.

Barka nickte nur zerstreut und ließ sie gehen, denn er hatte soeben die Nachricht erhalten, dass sein Vetter Hulagu-Khan mit einem großen Heer gegen ihn heranziehe. Hulagu war wie Barka ein Enkel des Dschingis-Khan, und da jener große Eroberer bereits die ganze östliche Welt unterworfen hatte, fanden seine Nachfahren keine anderen Gegner mehr in ihr vor als die eigenen Verwandten.

Während Barka die Seinen zu den Waffen rief, was bei den Tataren ungewöhnlich schnell geht, versuchten die beiden Venezianer mit einigen Dienern einen Weg zu finden, der sie von den beiden kämpfenden Khanen wegführe. Denn bei aller Großmut, die Barka ihnen bewiesen hatte, stand doch fest, dass bei einem Krieg zwischen den beiden Giganten, zwischen den Herren der westlichen und der östlichen Tataren, zwei Kaufleute aus Venedig zertreten würden wie Ameisen.

Sie waren nicht die einzigen Kaufleute in dieser Lage. Darum schlossen sie sich zunächst einigen Griechen, Syrern und Türken aus Kleinasien an, die ein Wolgaschiff fanden und von Bolgar nach Süden fuhren, bis sie eine kleine Stadt namens Okak erreichten. Diese schien außerhalb der Stoßrichtung des angreifenden Hulagu zu liegen, und die Kaufleute hofften, von dort nach Südwesten ziehen und das Schwarze Meer erreichen zu können.

Maffeo und Niccolò Polo jedoch glaubten nicht daran, dass dieser Weg quer über die Flüsse Don und Donez noch gelingen könne, ehe Hulagu-Khan mit seinen Streitscharen die Wolga überschreite. Sie hielten es für sicherer, in das Land zu reisen, das Hulagu bereits durchmessen hatte und in das der Krieg wohl nicht so bald zurückkehren werde, zumal Hulagu-Khan offensichtlich der stärkere der beiden verfeindeten Vettern war. Also fuhren sie die Wolga weiter abwärts, fanden ein Schiff, das sie an das östliche Ufer des Kaspischen Meeres brachte, und schlossen sich dort einer Karawane an, die nach Buchara ziehen wollte. Das war nicht nur ein weiter Weg, sondern er führte die beiden auch immer weiter von Venedig weg. Aber es war ein Weg durch friedliches Land, und die Venezianer wollten nicht um einer schnellen Heimkehr willen eine so große und bis dahin lohnende Reise abbrechen.

In Kriegszeiten sind die Kaufleute, sonst oft eifersüchtig aufeinander, doch darauf angewiesen zusammenzustehen, und so ergaben sich in den Karawansereien von Buchara allerlei Gespräche und der Austausch von Nachrichten. Dabei gerieten Maffeo und Niccolò Polo auch an einen sehr mächtigen Herrn, der mit großem Gefolge unterwegs war und wie ein Fürst auftrat. Man hatte ihm die beiden Christen gezeigt, denn in Buchara waren Venezianer – so viel andere Nationen sich hier auch trafen – doch eine Sehenswürdigkeit. Maffeo und Niccolò hatten, dank ihrer jungen Kenntnis des Tatarischen, dem Fürsten manches erzählen können, was ihn interessieren musste, denn er war noch nie über Syrien hinaus nach Westen gelangt. Und als sie gar vom römischen Kaiser berichteten und vom Papst in Rom, da sagte jener Herr:

»Ich führe eine Gesandtschaft von meinem Herrn Hulagu-Khan an den Hof des Großkhans nach Karakorum… Soviel ich weiß, hat noch kein Christ aus Europa Karakorum betreten, höchstens ein Nestorianer aus Indien. Der Großkhan wird euch empfangen und euch gestatten, in seiner Residenz Handel zu treiben. Damit habt ihr nicht nur einen Vorteil vor den anderen Kaufleuten, die diese Stadt und ihren Herrn nicht kennen, sondern ihr hebt euch auch heraus aus allen anderen Christen und könnt euren Herren, ob sie nun Kaiser heißen oder Papst, etwas berichten, was zu wissen sich lohnt: wer nämlich tatsächlich die Welt regiert.«

»Und wie sollen wir jetzt, inmitten so unruhiger Zeiten und Völker, eine so weite Reise in eine Residenz antreten, die wir gar nicht kennen?«, fragten etwas kleinlaut, wenn auch neugierig, die Brüder aus Venedig.

»Ihr reist in meinem Gefolge. Es ist schon jetzt fünfhundert Mann stark, da kommt es auf euch beide nicht mehr an, und ich schätze eure Gesellschaft. So sicher kommt ihr nie wieder nach Karakorum. Es ist eine Gelegenheit, die sich euch in eurem ganzen Leben nicht wieder bieten wird.«

Maffeo und Niccolò erbaten sich Bedenkzeit. Sie wurde gewährt, denn der Gesandte rastete noch wochenlang in Buchara. Schließlich aber siegte die Überlegung, dass an eine Heimkehr nach Venedig in diesem Augenblick ohnedies nicht zu denken sei, dass aber die sichere Reise an den Hof des Großkhans sehr viele Vorteile bringen könne: gewinnversprechenden Handel und auch einen Geleitbrief des obersten Herrn aller Tataren für die verspätete, dann aber umso weniger gefährliche Heimkehr.

So kam es, dass in der Mitte dieses dreizehnten Jahrhunderts zwei venezianische Kaufleute ohne Auftrag des Papstes oder des Kaisers den Weg nach Karakorum nahmen und sich dort dem Großkhan zu Füßen warfen, der damals Kublai-Khan hieß.

Es war eine Reise von etwa einem Jahr Dauer, was allen sehr lange erscheinen wird, die gewöhnt sind, zwischen Venedig und Bologna oder zwischen Genua und Livorno hin und her zu reisen. In diesen fernen Ländern aber gibt es gewaltige Gebirge, über die nur schmale Passstraßen führen, und es gibt weite Strecken unbewohnten Gebietes, in denen man auf die Jagd gehen muss, um den Lebensunterhalt für eine Karawane zu erlangen. Bedenkt man diese Umstände, so war ein Jahr eine durchaus nicht zu lange Zeit für diese Reise, und Maffeo wie Niccolò Polo schätzten sich glücklich, in diesem wilden Teil der Welt so sicher und so schnell gereist zu sein und Karakorum wohlbehalten erreicht zu haben.

Eine Botschaft und kein Papst

Obwohl der Fürst, der die Gesandtschaft von Buchara nach Karakorum führte, das Land des Großkhans kannte, mussten immer wieder einheimische Führer gedungen werden, denn die Dsungarische Pforte war zwar leicht zu finden, aber nachher mussten noch zwei ausgedehnte Gebirgszüge überschritten werden, ehe Karakorum vor den Reisenden lag.

In dieser Residenz mitten im Mongolenland stellte es sich dann heraus, dass Maffeo und Niccolò Polo nicht die ersten Europäer waren, die diese noch nicht allzu lange bestehende Stadt erreichten. Ein flämischer Mönch namens Wilhelm von Rubruk hatte diesen Weg in Friedenszeiten quer durch die Steppen schon bewältigt und vor ihm der italienische Mönch Giovanni dal Piano di Carpini: Beide Herren aber hatten in Karakorum noch nicht den großen Kublai-Khan angetroffen, der zu unserem Wohltäter wurde, sondern dessen älteren Bruder Mangu-Khan. Mangu-Khan aber war zwar ein großer Herrscher und Heerführer, aber ein verschlossener Mensch, der sich für die Welt außerhalb des vereinten

Mongolenreiches nicht sonderlich interessierte. Angesichts der vielen Gesandtschaften, die stets an seinem Hof weilten, widmete er den Gesandten aus Europa keine besondere Aufmerksamkeit. Auch war er misstrauisch geworden, weil die beiden erwähnten Mönche ihm von einer Religion erzählten, die allem zuwiderlief, was er als Herrscher tun und lassen musste, und weil sie sogar den Versuch machten, ihn als Verbündeten für einen europäischen Priesterkönig zu gewinnen, von dem er noch nie zuvor gehört hatte.

All das erzählten den beiden Venezianern die Zeremonienmeister in Karakorum, und Maffeo wie Niccolò Polo fragten sich verwundert, wer wohl von den europäischen Fürsten Gesandtschaften in so ferne Länder entsende, ohne einen vernünftigen Zweck wie den des Handels damit zu verbinden.

Der neue Herr der Mongolen hieß Kublai-Khan und war eben erst auf den Thron gelangt, als die beiden Venezianer Karakorum erreichten. Er empfing die beiden gnädig, zeigte sich sehr angenehm berührt, dass sie Kaufleute waren und keine Priester oder Diplomaten, und versprach ihnen, dafür zu sorgen, dass sich diese Reise für sie lohne. Zuvor aber sollten sie ihm, soweit es seine Zeit erlaube, Gesellschaft leisten und seine Fragen über die westlichen Länder beantworten.

In den darauf folgenden Wochen und Monaten wurden die Venezianer wiederholt zu Kublai-Khan gerufen, der ihnen oft in Gegenwart von Schreibern Fragen über die Länder Europas stellte, über den Kaiser, den Papst, die Bevölkerung und die Städte, über das Rechtswesen, die Strafen und die Religion. Er wollte alles wissen über die Macht der einzelnen Fürsten und ließ ihre Namen verzeichnen, und er fragte insbesondere auch nach den hohen Schulen und nach dem ganzen Unterrichtswesen im Abendlande.

Als der Großkhan schließlich genug erfahren hatte, entschloss er sich, eine Botschaft nach Europa zu schicken, und zwar nicht an den Kaiser, weil es doch einige Länder gab, die nicht auf den Kaiser hörten, sondern an den Papst, der in den Augen Kublai-Khans als eine Art Priesterkönig über alle Reiche der christlichen Welt herrschte. Die beiden Venezianer sollten einen Offizier des Großkhans namens Khogatal bis zum Heiligen Stuhl begleiten und dort zwischen Khogatal und dem Papst dolmetschen.

»Ich habe nämlich«, sagte Kublai-Khan, »den Eindruck gewonnen, dass die christliche Religion in einer besonders glücklichen Verbindung mit den Schulen steht. Ich kenne die großen Religionen der Welt; sie haben alle ihre Vorzüge und Nachteile. Aber meine Völker hängen einem Aberglauben an, der sie dümmer macht, als irgendein Götterglaube dies tun könnte; sie glauben an Geister und Dämonen und werfen sich vor Furcht zu Boden, wenn in einem Hochpass der Wind heult oder im Wald ein Käuzchen schreit. Darum will ich den Herrn Papst bitten, dass er mir hundert Lehrer senden möge, Lehrer, die nicht nur eure Religion kennen, sondern auch wohlbewandert sind in den sieben Wissenschaften, die an euren Hohen Schulen gelehrt werden. Diese hundert Lehrer sollen die klügsten Männer aus meinen Völkern unterrichten, sodass ich bald hundert mal hundert Lehrer für die armen, unwissenden und in der Dämonenfurcht befangenen Tataren und Türken und Hunnen habe.«

»Und für Euch, Majestät, was soll der Gesandte für Euch selbst mitbringen?«, erkundigte sich Niccolò Polo.

»Für mich wünschte ich ein Fläschchen von dem heiligen Öl, das ewig über dem Grab eures Herrn Jesus Christus brennt.«

Daraus erkannten die Venezianer zwar, dass auch der weise Kublai-Khan nicht völlig frei vom Aberglauben sei und wohl annahm, dieses Öl habe wunderbare Kraft gegen gewisse Krankheiten der

Glieder und Muskeln. Aber sie freuten sich über sein Interesse am Christentum und seinen Einrichtungen und brachen mit den Briefen und dem Offizier auf. Zur größeren Sicherheit auf dem weiten Weg hatte Kublai-Khan ihnen einen Kin-Pai mitgegeben, das ist eine kleine goldene Tafel mit tatarischen Schriftzeichen, die jeden Untertanen des Großkhans – und wer in Asien war nicht sein Untertan? – verpflichtete, dem Inhaber der Tafel die bestmögliche Hilfe zuteil werden zu lassen und ihn zu schützen.

Indessen stand über dieser Rückreise nicht der glückliche Stern wie über der Hinreise der beiden Venezianer. Schon drei Wochen, nachdem die kleine Gesandtschaft Karakorum verlassen hatte, noch mitten im zentralasiatischen Gebirge, wurde Khogatal von einer unerklärlichen Krankheit befallen und konnte die Reise nicht fortsetzen. Es wurde mit seinem Einverständnis beschlossen, dass die Venezianer allein reisen und an seiner Stelle die Botschaft an den Papst überbringen sollten.

In der Folge erwies es sich als sehr günstig, dass die beiden Kaufleute den Kin-Pai hatten und vorzeigen konnten; ja ohne die beinahe zauberische Wirkung dieser goldenen Tafel hätten sie ihre Heimat wohl niemals wiedergesehen. Denn was immer ihnen in die Quere kam, verschneite Hochpässe, die zu langem Verweilen im Talort zwangen, oder hochgehende Flüsse, die alle Brücken weggerissen hatten und keine Fähre in ihren Wellen duldeten, Maffeo und Niccolò zeigten nur ihr Täfelchen, und wenn das heilige Gold des Großkhans blinkte, war sofort eine warme Unterkunft vorhanden, in der sie verköstigt wurden, oder frische Pferde, mit denen sie zur nächsten Brücke reiten konnten. Da aber die Natur ihnen mancherlei Schwierigkeiten bereitete, dauerte diese Rückreise schließlich drei Jahre, woraus man erkennen kann, dass die Hinreise verhältnismäßig schnell vonstatten gegangen war. Erst zu Beginn des Jahres 1269 kamen sie in dem Städtchen Ajas an, das unweit des Meeres in jenem Winkel Kleinasiens liegt, auf den der Sporn der Insel Cypern hinzuweisen scheint.

An den Gestaden des Mittelmeeres waren die Venezianer nun wieder in schon beinahe heimatlichen Gefilden und überlegten, welchem Würdenträger der Kirche sie sich eröffnen könnten, da ihre Reise doch in erster Linie der Zustellung der Briefe an den Papst galt.

Ihre Wahl fiel auf die Stadt Akkon im Heiligen Land, wo der Papst einen ständigen Residenten unterhielt, um die Verbindung zwischen der Erde Christi und dem Stuhl Petri möglichst eng zu gestalten. Von Ajas nach Akkon zu reisen, war weiteres nicht schwierig, denn viele Schiffe fuhren hin, und so standen unsere beiden Reisenden im Monat April vor Tebaldo Visconti, ehemals Erzdiakon von Lüttich. Er hatte in dieser Eigenschaft den Prinzen Eduard von Wales ins Heilige Land begleitet und war dann im Dienste der Kirche in Akkon geblieben. Der Legat Tebaldo empfing die beiden weit gereisten venezianischen Kaufleute sehr gnädig, hatte aber eine bestürzende Nachricht für sie: Papst Clemens IV. war in Viterbo am 23. November 1268 gestorben und ein neuer Papst war noch nicht gewählt. Es gab also im Augenblick niemanden, dem die wichtigen Briefe des Großkhans überreicht werden konnten…

Darüber waren die beiden Venezianer mit Recht sehr betroffen, denn kein Christ denkt an die Möglichkeit, dass der Stuhl Petri so lange verwaist sein könne. Tebaldo Visconti aber bat die beiden, unbedingt die Wahl eines neuen Papstes abzuwarten und diesem dann die wichtigen Briefe des Großkhans auszuhändigen. Solch eine Angelegenheit könne nicht mit einem Kardinal oder einer Kanzlei geregelt werden, es bedürfe der Entscheidung des

Heiligen Vaters. Es gehe schließlich – der Legat sah das vielleicht klarer als Maffeo und Niccolò – um eine Weltentscheidung, um den ersten Versuch einer Verbindung zwischen den Herrschern des Abend- und des Morgenlandes und ihren Völkern. Was immer daraus folgen würde, könne niemand anderer in Europa verantworten als der durch die göttliche Weisheit dazu berufene Heilige Vater in Rom.

Vorsichtiger, nur in halben Worten, deutete der Legat den Kaufleuten an, dass es noch eine Weile währen könne, ehe sich die Kardinäle in Rom auf einen neuen Papst einigten. Es gebe mächtige und etwa gleich starke Parteien, von denen keine der anderen das Übergewicht dadurch zugestehen wolle, dass jene den Papst stelle. Maffeo wie Niccolò täten gut daran, die Wartezeit zu nützen und ihre Familien in Venedig aufzusuchen, die gewiss schon in großer Sorge seien wegen der langen Abwesenheit.

So bestiegen die Brüder also ein Schiff, das von Akkon aus nach Negropont segelte, einer Insel, welche die Griechen Euböa nennen. Von dort war es nicht schwer, Schiffsgelegenheit nach Venedig zu erhalten, und so kehrten die beiden, die man bereits totgesagt, etwa siebzehn Jahre nach ihrer Ausreise wieder in ihre Heimatstadt an der großen Lagune zurück.

Wenn es etwas gab, was die Freude dieser ersten Heimkehr im Sommer des Jahres 1269 trübte, so war es die Nachricht, die Niccolò sogleich erfuhr, als er das Haus der Polo in San Giovanni Chrisostomo betrat: Sein Weib, das er in der Kraft der Jugend zurückgelassen hatte, war gestorben, nachdem sie ihm einen Knaben geboren hatte. Dieser Knabe, ein Fremder für Niccolò, umarmte den Mann, in dem er fortan wenigstens den Vater wiederhaben durfte, nach einer Kindheit, die weder Vater noch Mutter gekannt hatte.

Marco Polo unterbrach das Diktat, dem er eine Woche lang beinahe jeden Tag gewidmet hatte, denn der Gefängniswärter meldete ihm einen Boten aus Venedig.

»Ich danke dir, Marcantonio«, sagte Marco Polo warm und drückte dem Pisaner die Hand, »du bist ein guter Gefährte bei der Arbeit. Sicherlich hat mein Vater diesem Boten die Aufzeichnungen mitgegeben, die ich nun für den Hauptteil meines Buches brauche. Was ich dir bisher ansagte, war ja nur eine Einleitung, so wichtig es auch ist zum Verständnis des Ganzen. Ich denke, wir machen eine Pause von zwei Tagen oder drei. Ich werde dich rufen lassen, wenn ich die Aufzeichnungen geordnet habe und mir klar darüber geworden bin, wie es nun weitergehen soll, denn fortan bin ich selbst im Spiel.«

»Das, Ser Marco, würde ich aber nicht sagen«, meinte Marcantonio.

»Und warum nicht?«

»Weil Ihr doch ein Lehrwerk schreiben wollt, ein Buch der Wahrheit und des Wissens. Darin könnt Ihr wohl von Marco Polo sprechen als einem Reisenden; aber Ihr solltet nicht sagen ›Ich bin...‹ oder ›Ich habe...‹ oder ›Mir widerfuhr...‹; das, glaube ich, ziemt sich nicht in einem Buch von solcher Bedeutung, in dem es um die Länder und die Völker mehr geht als um Euch selbst.«

»Ich will es mir überlegen«, versprach Marco, »vielleicht hast du Recht, vielleicht klingt es auch besser. Und gib Acht, dass dir im Steinbruch kein Brocken auf die Hand fällt!«

Das war, gestand sich Marco, ein wenig boshaft. Man hätte ihn nicht daran erinnern dürfen, dass die Schreibarbeit eine Vergünstigung war. Und daran erkannte Marco, dass er sich darüber geärgert hatte, dass er sein Ich verschweigen und nur von Marco

Polo sprechen sollte. Denn waren nicht schon andere nach Karakorum gereist und wiedergekehrt, ohne mehr mitzubringen als Berichte über das Essen, Trinken, Lieben und Beten der Tataren? Er, Marco, aber hatte anders als Rubruk oder del Carpini über Zentralasien hinaus den ganzen Osten jenes gewaltigen Kontinents bereist, Seefahrten nach und um Indien herum unternommen, um von Zipangu zu berichten, von dem kein anderer je gehört hatte.

Der Bote aus Venedig riss Marco Polo aus seinem Sinnen. Es war ein ganzes Paket, das er aus seinem Reisesack hob und wie eine chinesische Vase, die jederzeit zerbrechen könne, auf den Tisch des Turmzimmers legte. Marco, der wünschte, mit den Briefschaften allein zu sein, zog aus dem Gürtel eine Belohnung und bat den Mann, sich in der Küche des Gefängnisses eine Mahlzeit auf seine Kosten reichen zu lassen.

»Kehrst du wieder nach Venedig zurück?«

»Nein, Herr, ich bin aus Nervi und hatte Verwandte in Chioggia besucht. Ich esse jetzt mit Verlaub und mache mich dann auf das letzte Stück meines Weges.«

Marco Polo hörte schon kaum mehr, was der Mann sagte. Ungeduldig schob er den Tisch zum Licht und zerbrach die Siegel. Dann löste er die Schnüre und griff zuerst nach dem Schreiben, auf dem er die Schriftzüge seiner Frau erkannte. Sie war glücklich, von ihm Nachricht zu haben, und glaubte, gehört zu haben, dass man mit dem Friedensschluss zwischen Genua und Venedig noch im Lauf des Jahres 1299 rechnen könne; dürften dann die Gefangenen noch immer nicht heimkehren, so werde sie sich auf den Weg nach Genua machen …

Die Gefangenen, dachte Marco, die wird man wohl heimkehren lassen, aber mich? Lamba Doria wird alles wissen wollen, was ich weiß, aus gutem Grund, sind doch die genuesischen Kaufleute schon bis tief nach Armenien hinein vorgedrungen, ein gut Stück Weges zum Großkhan. Für mich schlägt die Stunde der Heimkehr erst, wenn ich das große Buch beendet habe…

Vater Niccolò schrieb bekümmert, er sei nun schon über siebzig und sehe noch immer keine Enkel. Marco sei gefangen, selbst schon ein hoher Vierziger, seine junge Frau allein in Venedig. Wer sollte den Stamm der Polo fortsetzen? Sollte der ganze Besitz an eine Nebenlinie fallen? »Wenn du nicht bald heimkehrst, mein Sohn«, schrieb Niccolò Polo, »dann, wahrlich, werde ich ein Weib freien müssen und Kinder in die Welt setzen, Kinder, die deine Söhne oder gar Enkel sein könnten, wenn wir bescheiden wie die anderen zu Hause geblieben wären…«

Das war keine sehr gute Nachricht, denn ein Sohn Niccolòs, ein Halbbruder aus einer späteren Verbindung, musste Marcos Vatererbe beträchtlich schmälern, vor allem aber auch eine junge Witwe, die wohl noch ihn, Marco, überleben würde. Das alles verdankte er dem Krieg mit Genua und der Tatsache, dass er ihn mitgemacht hatte. Er kannte genug andere seines Alters, die wohlweislich zu Hause geblieben waren und all seine Sorgen nicht hatten.

Das dickste Paket aber waren die Reiseaufzeichnungen. Seit der Heimkehr vor nunmehr drei Jahren hatte er diese Schriften nicht mehr angesehen, Schriften auf chinesischem Papier und Pergamenten, auf Holztäfelchen und Seidenrollen. Es würde eine Weile dauern, bis er Ordnung in das alles gebracht hatte, aber Zeit hatte er ja, viel Zeit…

Viel Zeit hatten sich auch die Herren Kardinäle genommen, ehe sie Clemens IV. einen Nachfolger zu geben geruhten. Sie hatten sich in Viterbo versammelt, der schönen alten Stadt in Mittelitalien, in der Clemens in den Himmel abberufen worden war, und hatten dort einen langen Streit zwischen der französischen und der italienischen Partei begonnen. Monatelang begaben sie sich in die Kathedrale von Viterbo, in der die Wahl stattfinden sollte, und kehrten unverrichteter Dinge wieder in ihre Quartiere zurück: Die Italiener wollten keinen französischen Kandidaten und die Franzosen keinem italienischen ihre Stimme geben.

Nach langem Warten der ganzen Christenheit und aller Fürsten verfiel der Bürgermeister von Viterbo auf den Gedanken, die Kardinäle einzuschließen. Er durfte dies nur wagen, weil es einem heiligen Zweck galt. Er verschärfte das Konklave noch dadurch, dass er den Herren von einem bestimmten Zeitpunkt an täglich etwas weniger Nahrung und Wein in ihre Abschließung bringen ließ. So würden sie bald vor der Wahl stehen, Hungers zu sterben oder sich auf einen Kandidaten zu einigen.

Als schließlich noch, zur Unterstützung ihrer Parteien, die Könige von Frankreich und von Sizilien nach Viterbo gereist kamen, ahnte die ganze christliche Welt, dass nun eine Entscheidung fallen würde. Es drohte sonst der Kirche eine Spaltung, ein Schisma, eine jener unseligen und verwirrenden Epochen, in denen zwei Päpste einander Bannflüche zuschleudern und die Gläubigen aller Länder in Unsicherheit versinken.

Dass es so weit dann doch nicht kam, war nicht so sehr das Verdienst der beiden Könige, die sich nach Viterbo begeben hatten, als des heiligen Bonaventura, der ein halbes Jahrhundert zuvor als Giovanni Fidanza in Bagnoreggio bei Viterbo das Licht der Welt erblickt hatte.

Dieser begnadete Theologe hatte in Paris studiert und gelehrt und war wegen der hinreißenden Beredsamkeit mit dem Ehrennamen Doctor seraphicus ausgezeichnet worden, was so viel heißt wie: Seine Worte kamen allen, die ihn hörten, wie vom Himmel herab. Als General des Franziskanerordens hatte er Verfassung und Organisation dieser wichtigen Institution von Grund auf erneuert und vollendet und galt schon seinen Zeitgenossen als der gelehrteste Theologe seit Thomas von Aquin.

Bonaventura nun gab den Kardinälen, obwohl diese damals noch über ihm standen, zu verstehen, welche Schande sie mit dem Parteiengezänk auf sich nähmen, und schlug zugleich eine Lösung vor, die niemandem wirklich schaden oder eine Niederlage bringen konnte: Das ganze hohe Kollegium der Kardinäle solle seine Stimmen auf sechs Auserwählte übertragen, auf Männer, die über jeden Verdacht der Käuflichkeit erhaben seien. Und diese sechs erfahrenen Wahlmänner wiederum sollten aus dem ganzen Umkreis der Priesterschaft einen Würdigen wählen, der keiner der beiden großen Parteien des Kollegiums nahestand. Konnte jeder Priester Papst werden, so musste es doch möglich sein, auch unter jenen, die noch keine Kardinäle waren, einen Würdigen zu finden.

Das war ein echter Ausweg. Die sechs machten sich auf die Suche nach einem erfahrenen und in den weltlichen Geschäften der Kirche hinreichend bewanderten Mann, denn die Zeiten waren zu schwierig für einen Papst, der sich ganz der frommen Forschung und Erbauung ergeben hätte. Im Bestreben, einen Würdenträger zu finden, der möglichst weit weg von Viterbo und Rom weilte, sodass er an keiner Intrige teilgenommen haben konnte, verfielen die sechs Kardinäle auf den päpstlichen Legaten Tebaldo Visconti aus Piacenza, Archidiakon von Lüttich. Er befand sich auf einer Reise von Ptolemais nach Jerusalem, und seine Überraschung über die Erhebung auf den Stuhl Petri konnte nicht vollständiger sein.

Er verkündete den Christen von Ptolemais noch die frohe Botschaft, dass ein zum Papst Erkorener zu ihnen spreche, und machte sich dann mit einem schnellen Schiff auf den Weg nach Rom. Am 27. März 1272 wurde er zum Papst geweiht und nahm den Namen Gregor X. an. Seit dem Tod Clemens IV. waren dreieinhalb Jahre vergangen...

An die zwei Venezianer, die ihn im April 1269 in Akkon aufgesucht und Briefe aus der Tatarei gezeigt hatten, dachte der Legat erst, eine Weile nachdem ihm die frohe Kunde zugekommen war. Hätte er 1269 schon gewusst, welche Ehre ihn erwartete, oder hätten die Kardinäle nicht so lange gezaudert, Maffeo und Niccolò Polo hätten ihm gleich in Akkon die Briefe übersetzen und Antwort bekommen können, ohne sich zuerst nach Venedig zu begeben.

So aber vergingen Jahre, in denen Kublai-Khan, der Herr der vereinigten Tatarenreiche, auf Antwort vom Papst wartete und schon glaubte, die beiden Venezianer, die er so reich beschenkt hatte, seien undankbare und wortbrüchige Männer.

Nach Armenien und zurück

Eine Woche verging, ehe Marco Polo seine Papiere so weit gesichtet und geordnet hatte, dass sie dem Reiseverlauf entsprachen, wie er ihn im Kopf hatte. Einfach war es nicht gewesen, das zeigte schon der Anfang, der eigentlich ein zweimaliger Beginn der großen Reise war, mit zwei kleinen Reisen, deren jede beschwerlich genug genannt werden konnte.

»Jetzt aber«, sagte Ser Marco, »jetzt, lieber Marcantonio, bin ich so weit. Ich halte die Zettelchen und Notizen in der Hand, sie werden mir helfen, zwanzig Jahre zurückzudenken und alles noch einmal zu erleben. Und ich werde deinem Rat folgen und von mir selbst sprechen, als sei ich mir ein Fremder, oder sagen wir besser: ein Freund...!« Und er begann sein Diktat:

Als auch im Jahr 1271 noch kein Papst gewählt worden war, befürchteten Maffeo und Niccolò Polo ernsthaft die Ungnade des Großkhans. Er war zwar fern, aber sie gedachten ja doch, in seine Länder zurückzukehren, und so wollten sie ihn nicht länger warten lassen, sondern ihm ganz ehrlich sagen, wie es stand und dass keine Hoffnung auf einen neuen Papst bestehe.

Der Entschluss zur Abreise war wohl auch darin begründet, dass sie ja Kaufleute waren und nicht Gesandte des Papstes und sich dachten, wenn sie alles dem Legaten berichteten, könnte dieser ja in ihrem Sinn handeln und die gewünschten Lehrer vielleicht nachkommen lassen.

Dass der junge Marco, Sohn Niccolò Polos, diesmal die Reise mitmachen sollte, war zwar eine Weile zweifelhaft. Aber wenn sich Niccolò ernsthaft fragte, ob er im Stande sei, seinen Sohn, den eben gefundenen, nun wieder für Jahre, vielleicht gar für ein Jahrzehnt allein zu lassen, dann vermochte er sich keine andere Antwort zu geben als: Marco reist mit.

Auch versprachen sich die beiden Männer, die um die fünfzig Jahre alt waren, von der unverbrauchten Jugend Marco Polos eine gewisse Entlastung und den Erben ihres Wissens, wenn sie, was leicht möglich war, die Strapazen dieser neuerlichen Reise nicht überstehen sollten.

Sie schifften sich also zu dritt in Venedig ein. Ihr erstes Ziel war das Heilige Land, und schon kurze Zeit, nachdem sie in Akkon gelandet waren, begaben sie sich zum Heiligen Grab in Jerusalem und erstanden eine kleine Menge des Öls aus der Lampe, die über dem Grab Christi brennt, um wenigstens diesen Wunsch des Großkhans zu erfüllen.

Danach suchten sie Tebaldo Visconti, zu jener Zeit noch Legat des Papstes, in Akkon auf und ließen sich von ihm bestätigen, dass sie das Menschenmögliche getan hätten, um die Briefe des Großkhans zuzustellen; es sei aber nicht möglich gewesen. Als dieses besiegelt war, brachen sie zur See nach Ajas auf und von dort aus auf der Karawanenroute nach Armenien.

Für Marco kam diese Begegnung mit dem Orient, so früh sie auch erfolgte, eben recht. Noch war er kein Mann, aber eine Jugend in Venedig musste das Fernweh wecken und das Interesse für fremde Länder, denn selbst während der Kreuzzüge und anderer kriegerischer Verwicklungen verging kein Tag, an dem nicht mindestens ein Schiff aus dem östlichen Mittelmeer, aus Ägypten, Griechenland, einem armenischen Hafen oder mit syrischen Kaufleuten an der Riva degli Schiavoni festmachte.

Dieser lange Liegeplatz war so sehr Herz der Stadt Venedig geworden, dass sich die Jugend nichts Schöneres denken konnte, als dort den Anlegemanövern zuzusehen, dem Anbringen der Laufstege und dem Entladen der Waren. Jener gemauerte Uferstreifen schien gar nicht mehr zu Europa zu gehören, so seltsam war das Volk, das dort an Land ging, und so merkwürdig waren die Dinge, die man aus den Schiffen heraustrug und auf der Riva in malerischen Hügeln stapelte.

Seit er vierzehn war, hatte Marco versucht, mit jüngeren Seeleuten ins Gespräch zu kommen. Er hatte gute Lehrer gehabt und beherrschte neben Venezianisch von Kind auf Französisch und Latein. Aber er erkannte sehr schnell, dass mit diesen Sprachen nicht allzu viel anzufangen war. Nur die Männer, die aus Dalmatien kamen, die Schiffe aus Ragusa, aus Zara und aus dem südlichen Italien boten sich als Betätigungsfeld für seinen Drang nach dem Gespräch, dem Lernen, der Erfahrung. Bei Schiffen aus der Levante hätte Marco Arabisch oder Armenisch oder zumindest jene Lingua franca des Mittelmeeres beherrschen müssen, die man auf Malta sprach und von der ihm die Seeleute sagten, sie würde in allen Hafenstädten von Cartagena bis Alexandria verstanden.

Nach Akkon waren die drei Reisenden aus der Familie Polo mit einem Pilgerschiff gefahren. Das war nicht nur die erste größere Seereise für den jungen Marco gewesen, sondern auch ein beinahe erschreckender Einblick in eine Welt, für die er sich als Kaufmannssohn bis dahin nicht sonderlich interessiert hatte.

Dass man reiste, um Handel zu treiben, hatten ihm seine Lehrer schon erzählt, als er noch ein Kind gewesen war. Nun aber lernte er die Pilger kennen, Deutsche, Flamen, Franzosen und Briten, die meist gerade so viel Geld hatten, um die Überfahrt zu bezahlen, und daher nicht wussten, wie sie sich unterwegs ernähren sollten. Das aber war auf allen Schiffen Sache des Passagiers: Was man aß und trank, musste man sich mit an Bord bringen, auch das Bett, auf dem man schlafen, und die Decke, mit der man sich zudecken wollte.

Als Marco mit Vater und Onkel den Palast verließ, hatten sie so viel Gepäck, dass er es kaum für möglich hielt, dafür auf einem Pilgerschiff Platz zu finden, auf dem sich ohnedies stets die Menschen drängten. Aber Niccolò Polo kannte den Kapitän; ein gutes Plätzchen, geschützt und ein wenig gegen den Trubel abgeschirmt, war den dreien vorbehalten. Dort stellten die Diener die Truhen und Reisesäcke ab.

Tagelang hatte Marco es überwachen müssen, wie die Mägde Wasser durch saubere Tücher gossen, dann abkochten und hernach mit doppelt so viel Wein mischten. Das gab einen Reisevorrat an Getränk, der nicht verdarb und schal wurde und dennoch nicht trunken machte oder hitzte. In der Truhe aber waren weiche Pfühle, die man einfach auf die harten Dielen des Decks breitete. Somit konnte man einigermaßen schlafen.

»Meinst du nicht, Vater, dass diese dicken Deckbetten entbehrlich gewesen wären? Wir wären doch mit guten Wolldecken oder Schaffellen ebenfalls ausgekommen?«

»Warum sollten wir das tun, Marco?«, antwortete Vater Polo gut gelaunt, »bis wir Venedig wieder sehen, sind diese Betten ohnedies nur noch zerfallende Fasern und flatternde Federn. Warum den Basen etwas schenken? Lieber verkaufe ich das Ganze in Akkon oder in Ajas an Reisende, die nichts mitgebracht haben. Und bedenke, wir sind ganz bestimmt drei Wochen unterwegs, und es ist ein Unterschied, ob man drei Wochen lang gut oder schlecht schläft. Es werden harte und kalte Nachtlager noch genug kommen, wenn wir erst in den Bergen sind!«

Dank dieser Vorsorge war die Reise bis Akkon ohne Fährnis verlaufen; sie ruhten gut, mitunter auch tagsüber. Marco erhielt nun, da Niccolò wie Maffeo Zeit hatten, den ersten Unterricht im Tatarischen und die erste Unterweisung über das Benehmen gegenüber dem Legaten in Akkon und dem König in Kleinarmenien, den ersten fürstlichen Personen, denen sie gegenübertreten würden.

In Ajas, das in Kleinarmenien auch Giazza genannt wurde, erinnerte Marco manches an Venedig, wie auch schon in Akkon. Nur sah man in Venedig die großen Festungen nicht, weil sie draußen auf den Laguneninseln lagen, während die Hafenbecken von Akkon und Ajas durch dräuende Türme und Bastionen geschützt waren, damit sich keine Flotte, und sei sie noch so groß, die Einfahrt erzwingen könne. Das Treiben in den Häfen und an den Kais war trotz der Festungen und ihrer Drohung aber womöglich noch bunter als an der Riva degli Schiavoni.

Es war zweierlei, die Waren des Orients, in Ballen geschnürt, in Venedig ankommen zu sehen und hier, in den Bazaren von Ajas, die Herrlichkeit dieser Waren leibhaftig vor sich zu haben: die blinkenden Waffen, die hier geschmiedet wurden, die gleißenden Seidenstoffe, die kunstvoll geknüpften Teppiche.

Die drei Polo waren keineswegs die einzigen Venezianer hier. Neben den Landsleuten gingen hier Genuesen durch den Bazar, prüften die Gewürze, die feilgeboten wurden, und ließen sich die Wollwaren zeigen, die aus der feinen Schafwolle des Hochlands hergestellt worden waren.

Niccolò Polo war in der Karawanserei geblieben, um sich nach einer Reisegelegenheit nach Sis zu erkundigen, der Hauptstadt Kleinarmeniens. Also fragte Marco Onkel Maffeo, denn er meinte, es müsse ihm das Herz abdrücken:

»Onkel, ist es hier nicht wunderbar – nicht schöner als in Venedig?«

»Die Luft soll hier nicht sehr gesund sein, Marco, es gibt Krankheiten, die vor allem Fremde leicht bekommen. Und die Leute, die hier leben, gefallen mir auch nicht sehr: Es geht ihnen zu gut. Sie sollen früher gute Soldaten gewesen sein, bescheiden und ordentlich. Jetzt, seit ihnen der Handel den Reichtum ins Haus bringt, haben sie sich einem Leben ergeben, bei dem man weder gesund bleiben noch alt werden kann. Sie schlagen sich die Bäuche voll und bringen ihre Tage auf Kissen und Teppichen zu … Nein, Marco, ich glaube, du hättest bald genug von Ajas.«

In Sis, von den Griechen Sebastos genannt, residierte König Leo III. von Kleinarmenien, ein christlicher Monarch. Er empfing die Reisenden gnädig und ließ sich über den Zweck ihrer Reise berichten. War dies auch mehr ein Höflichkeitsbesuch, von dem die drei Venezianer zunächst keinen Nutzen erwarten durften, so sollte sich doch sehr bald erweisen, dass er Bedeutung erlangen konnte.

Zunächst aber reisten die drei von Kleinarmenien, das noch dem Mittelmeer und dem Christentum zugewandt ist, nach Großarmenien weiter, das unter der Oberhoheit der Tataren steht und ihnen Tribute bezahlt. Im Winter, wenn die Herden der Tataren keine Nahrung finden, ist das Land weitgehend frei von diesen Eroberern; im Frühjahr jedoch, wenn sich der Schnee auflöst, kommen sie mit Pferden, Vieh und Wagen wieder. Die Bewohner sind dennoch Christen, meistens Armenier, und haben einen Erzbischof in der Stadt Erzingan.

Das Merkwürdigste an diesem Land sind die vielen warmen Quellen und die Feuer speienden Berge, deren manche so hoch sind, dass sie trotz des inneren Feuers eine Kappe aus Schnee tragen. Wo die warmen Quellen aus dem Boden treten, sind kleine Badeorte entstanden, in denen viele Menschen aus nah und fern Heilung suchen. Die Vulkane jedoch bilden eine ständige Drohung über dem Land, wiewohl sie nicht sehr oft ihre Lava zu Tal schicken.

Der höchste dieser Berge ist der Ararat, den Marco schon aus dem Bibelunterricht kannte. Der Priester von San Giovanni Chrisostomo hatte ihm erzählt, dass die große Arche, in der Noah und das Getier der Erde vor der Sintflut errettet wurden, auf dem Berg Ararat auflief, als die Wasser zu sinken begannen. Und da der Ararat der höchste Berg weit und breit sei, könne man daraus ermessen, um welch fürchterliche Hochflut es sich gehandelt haben müsse.

Als sie in Bajasid, am Fuße des Ararat, weilten, bat Marco um die Erlaubnis, den Berg zu besteigen.

»Hast du je einen Berg bestiegen, in den Görzer Alpen oder im nahen Tirol?«, erkundigte sich Niccolò Polo.

»Nnnein – eben darum möchte ich auf den Ararat, wir sind doch so nahe und er liegt so herrlich vor uns. Das Land an seinen Hängen ist fruchtbar, es wird an Schatten nicht fehlen, und ich bin ja jung!«

»Jung bist du«, gab Maffeo zu, »aber auch reichlich unerfahren. Es ist zweierlei, ob man in Friaul, ein paar Wegstunden von zu Hause, im vertrauten Land auf einen Berg steigt oder hier in der Fremde einen der höchsten und geheimnisvollsten Gipfel der Erde erklimmt, vielleicht den höchsten überhaupt. Denn warum hätte Gott sonst gerade hier die Arche stranden lassen?«

»Ich füge mich«, sagte Marco nach einer Weile des Überlegens, »aber ich bitte um einen Tag, damit ich ein paar Stunden weit hinanklimmen kann, so weit, bis ich einen Blick auf das umliegende Land habe. Ihr wolltet beide ohnedies in Bajasid rasten!«

Niccolò ließ sich Vorsicht und pünktliche Rückkehr versprechen, dann machte Marco sich auf den Weg zum Südhang des Ararat. Die Kuppe des Berges lag riesenhaft und weiß leuchtend vor ihm, schien in der heißen Luft zu zittern und zog ihn magisch an.

Tiefgrüne Täler öffneten sich wie mächtige Spalten in dem ganzen Massiv, zuerst in sanftem Anstieg, dann dunkler und steiler. Der Pflanzenwuchs zu beiden Seiten des schmalen Weges war üppig wie in Italien, doch anders. Die Zypressen fehlten, dafür gediehen wilde Feigen und blutrote Granatbäume, und zahlreiche

Weinreben kündeten von früheren Kulturen an den jetzt verwilderten Hängen. Da und dort lag grün überwachsen Mauerwerk an Marcos Weg und das eine oder andere einsame Haus mochte erst seit einigen Jahren leer stehen.

Trotz der Hitze schritt Marco Polo kräftig aus und erreichte nach einigen Stunden eine Biegung, an der sein Weg sich aus dem üppigen Pflanzenwuchs heraus- und in die Felswildnis hineinwand. Hier war der Blick frei und ging nach Süden zu über das Hochland hinweg bis zu einer ganzen Kette blauer Berge. Der Araratgipfel vor ihm aber zeigte sich nun deutlicher in zweierlei Farben, im blassen, schimmernden Bläulichweiß der Schneeflächen und im tieferen, satten Blau der Felspartien dazwischen.

Lebte *ich* hier, dachte sich Marco, ich hätte nicht geruht, ehe ich den Gipfel bezwungen hätte. Man braucht doch immer nur weiterzugehen!

Schon beim nächsten Schritt aber bereute er den vermessenen Gedanken, denn er hatte im trockenen Geröll eine Schlange aufgestört, die in blitzschnellen Zickzackwindungen auf ihn zukam.

Marco hatte keine Zeit, sich zu fragen, ob das Reptil wohl giftig sei oder gutartig; er sprang an den erhöhten Rand des Weges und schleuderte mit seinem Bergstock die Schlange weit von sich ins Gebüsch. Jeder weitere Schritt konnte ihm ähnliche oder noch gefährlichere Begegnungen bringen, er kannte ja weder die Landschaft noch ihre Tiere, und er war schließlich auch nicht hierhergekommen, um sie kennenzulernen: Die Reise seines Vaters und seines Onkels hatte einen ganz bestimmten hohen Zweck.

Das gab den Ausschlag. Gesenkten Kopfes kehrte Marco um; den unbezwungenen Ararat hatte er nun im Rücken, die blauen Berge des armenischen Hochlands vor sich. Am frühen Nachmittag schon war er wieder in Bajasid und fand in der Karawanserei Maffeo und Niccolò emsig beim Packen.

»Wir wollten doch erst übermorgen weiterreisen?«, fragte er verwundert.

»Wir haben eine Nachricht aus Sis. Der König von Kleinarmenien ruft uns zurück, im Auftrag des neuen Papstes ...«, sagte Maffeo, während Niccolò die Bündel prüfte, welche die Diener verschnürt hatten. »König Leo hat uns eine Eskorte geschickt, die uns sicher nach Sis bringen wird, darum brechen wir jetzt noch auf, obwohl es in fünf Stunden dunkel wird. Eile dich, wir müssen den ganzen Weg zurück, und dennoch ist es ein Glück, dass uns die Nachricht noch erreicht hat.«

In Sis wurde alles klar, was die Boten nur unvollständig ausgerichtet hatten. Legat Tebaldo Visconti hatte sich, als ihm die Nachricht von seiner Erhebung auf den Heiligen Stuhl zugekommen war, der drei Venezianer erinnert, von denen er die beiden älteren ja nun schon seit Jahren kannte. Und da er wusste, dass sie über Ajas und Sis nach Großarmenien reisen wollten, hatte er den christlichen König Leo III., dessen Verehrung für den Papst bekannt war, um seine Hilfe gebeten, falls sich die drei Venezianer noch in seinem Herrschaftsbereich aufhalten sollten.

Das war zwar streng genommen nicht mehr der Fall gewesen, aber die kleine Gruppe der Boten mit der Eskorte hatte die Handelsroute nach Bajasid unbeanstandet passiert. König Leo bat die Venezianer, eine Gesandtschaft mit Geschenken mitzunehmen, die dem neuen Papst die Glückwünsche des Königs von Kleinarmenien bringen solle. Also reisten die drei wiederum in schützender Begleitung zu Tebaldo Visconti.

Dieser umarmte sie erfreut, hatte er selbst doch keinen Augenblick mit der Erhebung zum Papst gerechnet als Archidiakon und nicht sonderlich gelehrter Priester. Eilends verfertigte und unterzeichnete er die Briefe, die nun das Entschuldigungsschreiben an den Großkhan ersetzen konnten, und versprach, Priester und Lehrer nach Karakorum zu entsenden. Da er aber eben erst die höchste Würde der Christenheit übernommen habe, stünden ihm noch nicht viele Priester für eine so gefahrvolle und schwierige Verwendung zur Verfügung, also bäte er den Großkhan, zunächst mit zwei wohl unterrichteten geistlichen Herren vorliebzunehmen, nämlich Fra Niccolò da Vicenza und Fra Guglielmo da Tripoli.

Wie sehr Tebaldo Visconti schon als Papst dachte, ging daraus hervor, dass er diesen beiden Mönchen weitgehende Vollmachten übertrug. Sie durften, sobald sie in der Residenz des Großkhans weilten, Priester weihen und sogar Bischöfe ernennen, konnten also für sich allein schon eine Keimzelle des Christentums im Fernen Osten bilden. Zugleich überreichte er ihnen einige wunderschöne Vasen aus Kristall, die sie als Geschenke Seiner Heiligkeit dem Großkhan übergeben sollten; auch erhielten die beiden Mönche den Auftrag, den Segen Seiner Heiligkeit jenem fernen tatarischen Fürsten zu überbringen, den in Europa niemand kannte, so mächtig er auch war.

Sehr erleichtert, dem Wunsch ihres Gönners in Karakorum in letzter Minute doch noch nachkommen zu können, brach die nun verstärkte Gruppe der Reisenden abermals nach Ajas auf. Frohgemut gingen sie von Bord und wollten das vertraute Quartier aufsuchen, als ihnen auffiel, dass in dieser sonst so fröhlichen und lebhaften Stadt nicht so viel Leben herrschte wie sonst. Auf den Straßen waren viel weniger Menschen als vor einigen Monaten, die Läden waren zu einem Gutteil geschlossen, obwohl es noch früh am Tage war, und viele Familien zogen hoch bepackte Karren durch die Straßen, als sei eine plötzliche und allgemeine Wanderlust ausgebrochen.

Die beiden Mönche, die Ajas noch nie betreten hatten, nahmen all das weit weniger zur Kenntnis als Maffeo und Niccolò Polo, die viele Handelsstädte kannten und sich die Zeichen zu deuten suchten.

»Es sieht aus«, sagte Maffeo, »als sei eine Seuche ausgebrochen. Es wäre nicht das erste Mal in diesem Winkel des Mittelmeers. Lass uns jemanden fragen, Bruder, ehe wir weiter in die Stadt hineingehen!«

»Von einer Seuche hätte der Kapitän doch gewusst«, widersprach Niccolò, »derlei bricht nicht von heute auf morgen aus, vor allem die Schiffer erzählen sich das schneller als sonst jemand, zu ihrem eigenen Schutz.«

Inzwischen hatte Marco einen Genuesen, den man an seiner Tracht erkannte, um Auskunft gebeten.

Der maß die Venezianer und ihre geistliche Gefolgschaft höhnisch vom Kopf bis zu den Füßen und sagte dann:

»Hier seid ihr einmal zu spät gekommen, ihr stolzen Kaufleute aus Venedig, hier ist nichts mehr zu holen!«

»Wegen der Pest?«

»So kann man's auch nennen. Habt ihr schon von Beibars gehört, dem furchtbaren Sultan von Ägypten? Man sagt, er soll vom Sklaven bis zum Emir der Mamelucken aufgestiegen sein. Und dann griff er nach der Macht. Kein schwaches Söhnchen eines Monarchen also, sondern ein Thronräuber mit wilder Kraft ... Er ist mit seinen Scharen aufgebrochen, Antiochia hat er schon genommen, er bedroht das Königreich Jerusalem und die armenischen Reiche ... Er soll vor Sis stehen, der Hauptstadt, und man fürchtet, dass er sich von dort aus gegen das Meer wendet, darum packt hier alles und flieht.«

»Die Mamelucken!«, seufzte Maffeo Polo, »die haben schon vor zehn Jahren die Tataren besiegt, und jetzt geht es wieder los. Mit den Tataren können wir reden; wenn wir ihnen sagen, wohin wir reisen, helfen sie uns noch und legen uns gewiss nichts in den Weg – aber die Mamelucken ...!«

Der Genuese hatte achselzuckend sein Gepäck wieder aufgenommen und den Weg zum Hafen fortgesetzt. Die beiden Mönche blickten ihm nach und tuschelten aufgeregt lateinisch.

»Von Sis bis Ajas braucht auch ein Mameluckenheer eine Weile«, erklärte Maffeo. »Wir sind hier am Meer und im Nu auf einem Schiff. Besser die Mamelucken als die Pest, möchte ich meinen. Wir gehen in die Karawanserei und schlafen eine Nacht dort. Gewiss erfahren wir dort auch Genaueres. Vielleicht hat dieser Genuese uns auch nur aus altem Neid einen Bären aufgebunden.«

»Und all die Leute, die offensichtlich die Stadt verlassen wollen?«, erkundigte sich unruhig Fra Guglielmo. »Aber auf der Straße können wir nicht stehen bleiben. Ich bin einverstanden, wir suchen die Herberge auf.«

Die Venezianer mit den Mönchen und den Dienern waren die Letzten, die der Wirt einließ, und auch nur, weil er sie kannte und von ihrem Missgeschick, von der Rückkehr vom Ararat, erfahren hatte. Denn der weite viereckige Hof mit den vielen Verschlägen für Tiere und Waren war voll von Flüchtlingen aus dem Land um Ajas. Vor allem waren es Franken, die sich hier versammelt hatten, christliche Kaufleute aus verschiedenen Ländern, die bis dahin im Orient wenig Hindernisse vorgefunden und sich auch mit den Herrschern vertragen hatten, die unter tatarischer Oberhoheit standen. Von den Mamelucken hingegen wurde erzählt, dass sie das ganze Christentum aus dem Orient verjagen, das Heilige Land erobern und Armenien den Tataren abnehmen wollten.

»Wenn dieses Großägypten unter dem wilden Beibars Wirklichkeit wird«, sagte soeben ein alter Kaufmann in der Tracht der Neapolitaner, »dann haben wir alle, wie wir hier sind, nichts mehr zu bestellen. Selbst Konstantinopel wird sich eines Tages den Moslems ergeben müssen, und dann gute Nacht, Osthandel. Dann werden die Venezianer an die Neapolitaner verkaufen und die Genuesen an die Pisaner ...«

»Malt den Teufel nicht an die Wand, Ser Gennaro«, widersprach ein anderer, »wir haben einen neuen, energischen Papst. Er heißt Gregor X. und kennt das Heilige Land, in dem er lange geweilt hat. Gegen die vereinte Kraft der Christenheit in einem neuen Kreuzzug wird auch der Mameluckensultan Beibars schließlich kapitulieren ...«

»Und wir werden auf Bergen von Pilgerleichen und dank des Heldenmuts der Kreuzritter wieder in Akkon und Ajas Geschäfte machen!«, schloss Gennaro trocken. »So seht Ihr die Welt, aber so ist sie denn doch nicht. Ich habe alles um einen Pappenstiel verkauft und kehre zurück nach Neapel. Was ich für den kargen Rest meines Lebens noch brauche, das habe ich gerettet, und meine Söhne haben glücklicherweise ein Handwerk gelernt, mit dem sie zu Hause bleiben konnten.«

Marco Polo hatte angestrengt gelauscht und das meiste verstanden, sosehr sich auch das neapolitanische Italienisch vom Venezianischen unterschied. Traurig ließ er sich in der Ecke nieder, in die sein Vater das Gepäck gestellt hatte. Die Diener gingen hinaus in den Hof, um etwas zu essen und zu trinken zu besorgen, die beiden Mönche aber hatten sich zurückgezogen, so gut dies in dem Gewimmel möglich war. Man konnte jedoch erkennen, dass Fra Guglielmo aufgeregt auf Fra Niccolò einredete, um ihn zu einem Entschluss zu bringen.

»Ist für uns hier auch alles zu Ende?«, wollte Marco wissen. »Werden wir, nachdem wir schon in Bajasid umgekehrt sind, nun auch hier umkehren und wieder nach Venedig fahren müssen?«

»Keinesfalls«, beruhigte ihn Niccolò. »Außer unserem ältesten Bruder, der auf der Krim seine Handlung tat, haben wir drei keine anderen Angehörigen und sind niemandem verpflichtet, keiner Frau, keinen Kindern – wohl aber dem Papst und dem Großkhan. Und danach werden wir handeln!«

»Ich bin deiner Meinung, Bruder, pflichtete Maffeo ihm bei. »Wir haben schon manches Land im Krieg durchquert. Wirklicher Frieden ist ohnedies nirgends und der Dolch eines Bravo kann dich auch am Canal Grande treffen!«

»Am Canal Grande vielleicht«, sagte in diesem Augenblick Fra Guglielmo, »nicht aber im kleinen Tripoli oder in Vicenza. Ihr seid reisende Kaufleute und Männer des Abenteuers, und ihr kennt den Weg, den ihr einschlagen wollt, von einer früheren Reise. Das alles trifft für uns nicht zu. Sind wir auch Priester und in Gottes Hand, so soll man den Allmächtigen doch nicht herausfordern ...!«

»Mit anderen Worten«, unterbrach Niccolò Polo die wohlgesetzte Rede, »ihr habt Angst?«

»Aber ich bitte Sie, Ser Niccolò, wir sind doch Männer, wir können offen sprechen. Gegen uns marschiert eine Armee, die durch ihre Grausamkeit gegenüber den Christen bekannt ist. Euch wird man vielleicht dennoch ungeschoren lassen, denn Kaufleute stehen stets ein wenig zwischen den Fronten. Aber was glaubt ihr, wird man mit uns machen?«

»Ihr werdet«, sagte Niccolò Polo, »die Kristallvasen Seiner Heiligkeit verspeisen müssen, das ist das Mindeste!«

»Das ist freilich schade um die Vasen«, meinte Maffeo Polo, »und das muss vermieden werden. Ich habe im Hafen ein Schiff der Malteserritter gesehen, eine große Galeere mit einer Menge Soldaten an Bord. Auf so einem Schiff seid ihr sicherer als in den Vorzimmern des Vatikans, und euch als Abgesandten des Papstes wird man die Aufnahme an Bord auch dann nicht verweigern können, wenn ihr nicht ganz genau in der Richtung reist, die der Heilige Vater euch gewiesen hat!«

»Es ist falsch, Ser Maffeo, unser zu spotten. Aber wir nehmen es euch nicht übel. Die ganze Welt weiß, was für schlechte Christen die Venezianer sind. Wir suchen jetzt die Geschenke aus unserem Gepäck und die Briefschaften für den Großkhan. Freut euch doch, dass auf diese Weise ihr die Ehre einer solchen Gesandtschaft ganz allein für euch habt!«

Die Vasen waren schnell gefunden, die Briefe schnell übergeben. Selbst von einem Teil des Reisegeldes trennten sich die beiden Mönche, damit ihnen niemand nachsagen könne, sie hätten die Venezianer in einer Stunde der Not übers Ohr gehauen.

»Und ihr wollt also wirklich weiter, quer durch die Mamelucken?«, erkundigten sie sich mit höflicher Sorge, schon unter dem Tor der Karawanserei.

»Darum braucht ihr euch nicht zu bekümmern«, antwortete Niccolò Polo, der es offenbar eilig hatte, die beiden Schwarzseher loszuwerden und seine Ruhe zu finden, »bestellt Seiner Heiligkeit unsere Verehrung und Dankbarkeit und sagt dem Papst, dass Maffeo, Niccolò und Marco Polo gewiss jahrelang fort sein werden, dass sie aber nicht daran zweifeln, ihr Ziel zu erreichen!«

Durch Kurdistan nach Täbris

Als sich die beiden Mönche entfernt hatten, warfen sich die drei Venezianer müde auf die ausgebreiteten Decken und begannen ihr Mahl. Gesprochen wurde nicht viel, und Marco sah, dass sich sein Vater und dessen Bruder über den weiteren Weg mehr Sorgen machten, als sie den Gesandten des Papstes gezeigt hatten. Vor allem aber waren sie missmutig wegen der übergroßen Vorsicht der beiden, denn umkehren, sagte Maffeo, könne man immer noch, das sei nicht das Erste, was ein Reisender tue, sondern das Letzte.

Die Diener hatten in der Küche auch nach Gerüchten gehorcht, und das, was sie erzählten, klang einleuchtend. Danach hätten die Mameluckenheere in Syrien den mittleren Euphrat erreicht, aber niemand rechne ernsthaft damit, dass sie ins Hochgebirge nördlich von Malatya oder Dyarbakir vordrängen, dorthin, wo der Euphrat noch aus zwei Quellflüssen bestehe.

»Es ist eine große Streitmacht, die aus Ägypten heranzieht«, erzählte Maffeos Diener, »aber sie haben zu viel Tross und zu große Beute, um sich damit ins weglose Hochgebirge zu wagen; auch haben sie Pferde, keine Maultiere, und viel zu viel Belagerungsgerät.«

»Wenn das richtig ist, und es klingt verständig«, überlegte Maffeo Polo, »dann könnten wir ziemlich unbesorgt unseren früheren Weg hart unter dem Ararat nach Täbris einschlagen. Nur Sis müssen wir natürlich vermeiden, um nicht zugleich mit den Vorhuten des Mameluckensultans dort einzutreffen.«

»Und hier in Ajas«, ergänzte Niccolò Polo, »dürfen wir uns nur so lange aufhalten, wie es unbedingt notwendig ist für unsere

Einkäufe und für die Vervollständigung der Ausrüstung. Es kommt jetzt auf jeden Tag an. Ich glaube, dass wir erst in Täbris sicher sind. Dort können wir rasten!«

Die Nacht war unruhig; in der Karawanserei herrschte ein ständiges Kommen und Gehen, und die Flüchtlinge, die aus Syrien mit dem Schiff gekommen waren, schreckten immer wieder aus dem Schlaf auf und meinten, das Haus sei bereits umstellt und der grausame Sultan lasse sie alle hinschlachten.

Am Morgen gingen die drei Venezianer durch die Straßen von Ajas. Es war ein seltsamer Einkauf. Manches war überhaupt nicht mehr zu bekommen, anderes erhielten sie so gut wie geschenkt, überall aber sah man sie wie Gespenster an, wenn sie erzählten, dass sie nach Täbris reisen wollten, also ins Innere des Landes.

»Ja, wisst ihr denn nicht…?«

»Wir wissen«, antworteten die Venezianer, »aber was sollen wir machen? Wollte man in dieser Welt auf Frieden warten, so käme man überhaupt nicht mehr hinter seinem Ofen hervor. Und in der Hand Gottes sind wir dort wie hier!«

Als sie sich am frühen Morgen des übernächsten Tages dann aber vor das Osttor der Stadt begaben, waren sie doch nicht die einzigen, die abreisten. Eine Karawane von etwa dreißig Tieren befand sich eben im Aufbruch. Man band den Kamelen die Füße los, andere belud man noch unter einigem Geschrei. Maffeo begab sich zum Führer des Kaufmannszuges und stellte sich vor, dann reihten sie sich an den Schluss des Zuges, da sie keine Kamele, sondern nur Maultiere und einige Reitesel hatten, die ungern mit den Kamelen gehen.

Da niemand gewagt hatte, einen Aufenthalt in Sis vorzusehen, und alle Reisenden mit Umwegen durch unbewohnte Gebiete rechneten, führte die Karawane zahlreiche Packtiere mit Vorräten mit; auch sah man mehr Waffen als sonst bei Handelskarawanen üblich.

»Warum die Waffen, Vater?«, erkundigte sich Marco halblaut, um von den anderen nicht gehört zu werden. »Wäre es nicht klüger, als friedliche Handelskarawane zu reisen, da wir dem Heer der Mamelucken doch auf jeden Fall unterlegen sind?«

»Dem Heer schon«, antwortete Niccolò Polo, »diesem weichen wir ja auch nach Norden aus, sonst könnten wir einfach den Euphrat abwärts und zur See nach Ormuz reisen. Aber in unruhigen Zeiten ist es um die Sicherheit der Wege stets besonders schlecht bestellt. Bauern, die ihre Gehöfte verlassen mussten, Soldaten, die ihre Truppe verloren haben, lichtscheues Gesindel, das die Abwesenheit der Obrigkeit nutzen möchte – all das wirft sich auf die Handelswege, da die Städte zu gut geschützt sind. Und diesen Wegelagerern muss man gewachsen sein!«

In den ersten Tagen sah der Weg freilich nicht so aus, als böte er irgendjemandem Platz für einen Hinterhalt. In dunklen Schluchten zogen sie an stark rauschenden Gebirgsbächen hin. Es war kühl, mitunter trotz der sommerlichen Reisezeit beinahe kalt. Weitete das Tal sich, dann wurde gelagert, und die Kamel- und Maultiertreiber verwandelten sich blitzschnell in kundige Forellenfischer. Nach einer halben Stunde, noch ehe die Reisenden alle Tiere angepflockt und bequeme Rastplätze gefunden hatten, kamen sie schon mit großen grünen Lattichblättern, auf denen frisch gefangene Forellen lagen. Brot führte man mit, der Wein schmeckte mit dem klaren Wasser der Bergbäche noch einmal so gut: Es waren Mähler, die Marco Polo vorgaukelten, dass das Reisen zu den angenehmsten und genussreichsten Tätigkeiten des Menschen gehöre.

Wichen die Talwände zurück, so gewahrte man die hohen, oft schneebedeckten Berge der taurischen Gebirge und eine Bläue des Himmels, die Marco an Italien erinnerte. Da und dort klebten auch dunkle Mauernester in den Felsen, unbesetzte Befestigungen früherer Herrscher.

Nach einem langen Ritt über sanfte Höhen geriet die Karawane an einen Steilabfall, von dem aus der Euphrat bereits zu sehen war. Die Führer und die Reisenden begrüßten den Fluss mit lauten Freudenrufen und versuchten zu erkennen, ob der Übergang noch frei vom Feinde sei. Das zu sehen, war jedoch aus dieser Höhe nicht möglich. Während des darauf folgenden langen Abstiegs durch eine Felsschlucht, in der kein Hälmchen wuchs, sahen sie den Fluss nicht mehr und auch sonst nicht viel. Statt der Pflanzen beschäftigten die Steine die Augen, denn die Wände glänzten bald in feuchtklarem Blau, bald in düsterem Rot, bald tiefschwarz vor den Augen der Reisenden.

Endlich tauchte der Fluss wieder auf, noch immer tief unten und unendlich wild. Marco begriff, dass die Römer ihn als die Ostgrenze ihres Reiches aufgefasst hatten, denn man meinte tatsächlich, an seinen Ufern sei die bewohnbare Welt zu Ende, so urweltlich und lebensfeindlich stiegen die kahlen Felsen um ihn auf.

Am Ende der Schluchten, im Tal, erblickten die Reisenden dann aber ein friedliches Dorf, eine kleine Gruppe von Häusern, deren Bewohner offensichtlich von der Fähre lebten, denn eine Brücke war weit und breit nicht zu sehen. Hier strömten die Quellflüsse des Euphrat zusammen, der westliche von Erzerum kommend, der östliche von den Abhängen des Ararat.

Nun galt es, abzusteigen, denn für die Reit- und Tragtiere gab es eine eigene Fähre, die wegen ihrer Gefährlichkeit nur von den einheimischen Lotsen bedient wurde; die Reisenden stiegen mit ihrem Handgepäck in absonderlich geformte Boote. Auf diese Weise legten sie die etwa vierhundert Meter, die der Strom hier breit war, ohne Gefahr zurück. Was auf der Fähre geschah, entlockte aber den Kaufleuten, die diesen Übersetzort noch nicht kannten, Schreie des Entsetzens: zusammengepfercht auf einem floßähnlichen Gestell, kurz angebunden und mit verhängten Köpfen, so standen die Kamele nebeneinander, als sich der reißende Fluss der Fähre bemächtigte und sie in atemberaubender Schnelligkeit zu Tal trug. Alle gaben die Tiere und ihre Traglasten bereits verloren, als plötzlich aus einer Biegung ein Gegenstrom hervorschoss, der die Fähre erfasste und sanft auf das jenseitige Ufer lenkte. Um die Maultiere sorgte sich dann niemand mehr, und da wäre beinahe das Unglück passiert: Eines der Tiere scheute und drängte den vorn sitzenden Lotsen in die schäumenden Wellen. Der Mann aber ergriff geistesgegenwärtig die am Floß hängende Ruderstange und zog sich daran wieder an Bord. Nach einem bösen Blick auf das störrische Tier nahm er, nass wie er war, seinen Posten wieder ein, sodass auch die Tragtiere der Venezianer gut das andere Ufer erreichten.

Es war noch hell, als sich der Führer der Karawane Maffeo näherte, um über die nächste Rast zu beraten.

»Vor uns«, sagte er, »liegt jetzt das Hochland der Kurden. Es gibt dort zwar Häuser, sie sind sogar leidlich sauber und warm. Aber es ist doch nicht ratsam, im Dunkeln Einzug in ein kurdisches Dorf zu halten. Wir sollten hier über Nacht bleiben, die Leute von Kjeban Maaden sind wegen der Überfuhr an Fremde gewöhnt.«

Die Polo wollten nicht Schuld an einem nächtlichen Scharmützel tragen, und so bereitete man sich unweit des rauschenden Stromes zur Nachtruhe. Nur Marco ging noch eine Wegstunde den Fluss stromauf, um den Zusammenfluss zu sehen, wie er sagte. In Wahrheit aber war es, um den Bergbach zu grüßen, der vom Ararat herkam, denn dieser mächtige Berg war Marco besonders ans Herz gewachsen.

Als Marco zurückkehrte, durchzog kräftiger Bratenduft das ganze Dorf. Nach den vielen Forellen hatten die Kaufleute die Gelegenheit ergriffen und den Dorfbewohnern zwei fette Hammel abgehandelt. Maffeo und Niccolò hatten aber noch andere Dinge erstanden: hübsche Brüche von Silbererz und kleine, kunstreiche Silberarbeiten.

»Wenn ihr an jedem Ort so viele Andenken mitnehmt«, sagte Marco und biss herzhaft in ein großes Stück Hammelkeule, »dann werden wir mit unseren Tragtieren nicht lange auskommen!«

Maffeo lachte, dass er sich die Seiten halten musste.

»Hast du gehört, Bruder – Andenken! Und aus dem Jungen willst du einen Kaufmann machen?«

Niccolò lachte auch, aber nur über das Wort Andenken, nicht über die Bemerkung seines Bruders.

»Ich bin sicher, dass Marco dennoch ein guter Kaufmann wird«, sagte er ernst, »woher soll er wissen, dass wir zwei alten Pfeffersäcke schon auf der ersten Station mit unserer Handelei anfangen? Vielleicht ist es ohnedies sinnlos! Aber es geht nun einmal nicht anders: Wenn Kaufleute reisen, müssen sie in dem einen Ort einkaufen und im nächsten verkaufen; von dem Gewinn leben sie dann. Wie sollten wir sonst die jahrelange Reise durchhalten? Wir müssten ein Vermögen mit uns führen. Das haben wir erstens nicht, und zweitens wäre es viel zu gefährlich!«

»Wenn das so ist«, erkundigte sich Marco gekränkt, »warum habt ihr mich dann nicht mithandeln lassen?«

»Deine Zeit kommt noch«, beruhigte ihn Maffeo, »wir werden dich noch sehr oft brauchen, denn du bist jung und hast einen guten Kopf für die Sprachen. Lass das Kaufen und Verkaufen lieber unsere Sache sein, einen Jungen versuchen alle Händler der Welt zunächst einmal zu betrügen, und das wollen wir dir gern ersparen. Es ist nicht schön, zu erkennen, dass man betrogen wurde; es gibt weniges im Leben, was einen so niederdrückt und so mutlos macht!«

Kjeban Maaden musste ziemlich hoch liegen, denn alle Reisenden, die nach den warmen Küstenebenen oben im Euphrat-Hochtal genächtigt hatten, waren am Morgen klamm vor Kälte und Feuchtigkeit und bereiteten sich erst heiß dampfenden Wein, ehe sie weiterritten.

Es ging stundenlang aufwärts, nicht mehr durch enge Schluchten, sondern durch hügeliges Hochland mit kurdischen Dörfern, die man oft erst im letzten Augenblick bemerkte, denn die aus Erde errichteten Häuser duckten sich in den Boden und waren mit ausgestochenen Rasenstücken bedeckt. Schmutzige Kinder liefen ein Stück hinter den Reisenden her, die Frauen ließen sich überhaupt nicht blicken.

Nach festerem Weg, auf dem zahlreiche Basaltblöcke lagen, wurden die Dörfer freundlicher; an den Hängen gedieh Wein, und lange Reihen von Pappeln und kleine Haine von Nussbäumen erfreuten die Augen. In dieser Landschaft ließ sich gut reisen. Vom Feind war keine Spur, nur vor einer Woche hatte sich eine kleine Streifschar gezeigt, war aber angesichts der dünn besiedelten Gegend und der armseligen Dörfer wieder umgekehrt, ohne viel Schaden zu stiften.

»Ein paar Ziegen haben sie sich gefangen«, erzählte ein zahnloser Kurde, der am Weg saß und die Karawane um ein Almosen bat, »ein paar Ziegen, die zufälligerweise dem reichsten Mann im Dorf gehörten. Sie seien ihnen gegönnt. Ich bin sehr alt, aber ich habe in diesen Dörfern hier noch keinen Krieg erlebt, haben doch kaum wir genug zu essen!«

Eine Woche später durften die Reisenden dann tatsächlich aufatmen. Der Führer der Karawane sagte ihnen, seiner Meinung nach sei die Gefahr nun vorüber. Es habe sich gelohnt, den mühsamen und entbehrlichen Weg am oberen Euphrat zu nehmen und nicht die große Karawanenstraße über Sis und Erzerum.

»Der See, den ihr vor uns in jener Mulde liegen seht, ist der Vansee, noch mitten im kurdischen Gebiet; aber schon jenseits des Sees erwartet uns die Stadt Bajasid, in welcher die Ilkhane der Tataren herrschen. Sie sind nicht nur dem Handel insgesamt freundlich gesinnt, sondern vor allem – er verneigte sich gegen die Venezianer – den Kaufleuten aus den christlichen Ländern.

Die Polo waren nun wieder auf ihrer alten Route, die sie bereits einmal bereist hatten. Diesmal freilich ließen sie sich weder zu längeren Rasten noch gar zur Umkehr verleiten. Marco Polo sammelte zwar an Berichten und Informationen, was er aus der Reisegesellschaft und in den Karawansereien aufschnappen konnte, aber weder sein Vater noch sein Oheim machten Miene, ihm Umwege zu gestatten.

»Im Norden unseres Weges«, sagte Marco, als sie in Bajasid ihr Nachtquartier bezogen hatten, »liegt jener Pass, den selbst Alexander der Große mit seinen sieggewohnten Makedoniern nicht bezwingen konnte.«

»Und was *er* nicht konnte«, antwortete Niccolò, »das braucht *uns* erst recht nicht zu kümmern.«

Ob das Eiserne Tor noch steht, die Pforte in der großen Mauer, die Alexander am Eingang des Passes aufstellen ließ, um sein Reich zu sichern? Marco Polo hätte es zu gerne gewusst, er hätte auch gern die Stadt Derbend besucht, die Alexander der Große gegründet hatte; aber er sah ein, dass die Welt zu groß sei für seine Wünsche, und tröstete sich mit dem Gedanken, dass er auch ohne diese lehrreichen Exkursionen noch immer sehr viel mehr von der Welt sehen werde als seine Altersgenossen in Venedig oder in anderen italienischen Städten ...

Wenige Tage darauf hielt die kleine Karawane, die auch auf der sicheren Handelsstraße beisammengeblieben war, ihren Einzug in der Stadt Täbris, und da kam die Zuversicht Marco Polos ein wenig ins Wanken. Denn sehr bald, schon beim ersten Ritt durch die Hauptstraße und aus den ersten Gesprächen in den Karawansereien, erkannte er, dass er hier, in dieser persischen Stadt, dutzende, ja vielleicht hunderte von Italienern treffen werde. Die Genuesen waren zwar in der Überzahl, aber es gab auch Venezianer, von denen einige sogar seinen Vater und dessen Bruder kannten, der auf der Krim Handel trieb. Und ein Mädchen, das Marco vorgestellt wurde, sagte nach ihrem Knicks in schönstem Toskanisch: »Ser Polo, ich heiße Lovisa und bin eine Jungfrau aus Pisa.«

Dass dies alles in Täbris möglich sei, jenseits des Euphrat und somit doch tief drinnen in Asien, das gab Marco eine ganz neue Idee von der Macht des Handels und der Geschäfte; denn nichts anderes als der Wunsch, mehr Geld zu verdienen als die anderen, hatte jene Händler aus Syrien, Griechenland und Italien hier zusammengeführt.

Die Stätten dieses Handelns waren in Täbris große Märkte, über denen sich Laubengänge und Vordächer wölbten, sodass sie im Schatten lagen und wie endlose unterirdische Gänge durch ein wahres Zauberreich führten. So viele Menschen standen hier hinter den Ladentischen oder liefen an ihnen vorbei, dass Marco überzeugt war, sich in der größten, herrlichsten und volkreichsten Stadt von Persien zu befinden.

Die vielen Menschen lebten alle von den Geschäften, von den Handwerksbetrieben, die vom großen Knüpfteppich bis zur kunstvoll gehämmerten Silberschale alles erzeugten, und von der Sicherheit der Wege in dem großen Reichsverband der Ilkhane. Denn die Tataren, das sah man hier, waren im Frieden so duldsam, wie sie im Krieg furchtbar waren. Die Religionen der unterworfenen Völker waren ihnen völlig gleichgültig. Den Handel schätzten sie, denn von ihm nahmen sie ihre Abgaben.

Man sagte von Täbris, dass es allein so viel an Abgaben erbringe wie ganz Frankreich. Das vermochte Marco zwar nicht ganz zu glauben; dass hier aber sehr viel umgesetzt werde, das war ihm klar, denn hierher kamen die Karawanen von Ormuz, also vom Persischen Golf, ebenso wie vom Schwarzen Meer oder von der Kaspischen See. Hier fanden sich – in friedlicheren Zeiten – die Syrer ein, die durch das Zweistromland herangereist kamen, aber auch die Chorasmier und sogar die Inder.

Marco wusste gar nicht, wohin er zuerst blicken sollte. Funkelnde Edelsteine lagen in großen Schalen auf den Tischen; gleißende Seiden hingen von langen, glatten Stangen und einige dieser Seidenbahnen waren kunstvoll mit Gold durchwirkt; auch schwere Damaste und kostbarer Samt wurden feilgeboten.

Gegen die Zinn-, Gold- und Silberwaren, die Korallen, die Gewürze und das Räucherwerk kamen Marco die Waren, die Europa anzubieten hatte, ärmlich vor. Es waren vor allem Baumwollgewebe, aber auch schwere flandrische Tuche.

»Ich wollte einen alten Venezianer aufsuchen, der hier leben soll«, berichtete Maffeo Polo, als sie sich abends in der Karawanserei trafen. »Ich kenne auch seinen Namen, er heißt Pietro Viglioni und lebt schon seit langem hier. Ja, er soll der erste Italiener gewesen sein, der sich nach den großen Tatarenkriegen hier niederließ. Aber er ist vor acht Jahren gestorben. Man sollte sich hier niederlassen, damit die Genuesen nicht unter sich sind. Gewiss könnten wir uns hier halten und würden reich ...!«

»Reich werden ist ein Ding, dem Papst dienen ein anderes«, unterbrach Niccolò Polo diese träumerischen Erörterungen. »Und da wir auch noch dem Großkhan dienen wollen, haben wir nichts anderes zu erwarten als seine Gnade für unsere Mühe. Die Reichtümer wird höchstens Marco erwerben, mit all dem Wissen, das ihm auf dieser Reise zufliegt!«

In Täbris aber war Marco gar nicht so sehr nach Wissen zumute. In den gewaltigen und weihevoll stimmenden Einöden des armenischen Hochlands zwischen Vansee und Ararat hatte er oft die Versuchung empfunden, weise zu werden und viel zu erfahren und über die Rätsel der Welt nachzugrübeln. Hier aber, in Täbris, umfing ihn das Leben wieder verlockend und so bunt wie zu Hause in Venedig. Wie vielgestaltig, wie herrlich schön war doch die Welt, in der die Menschen beisammenlebten und sich trafen, in der sich Menschen aus allen Zonen mit einem Mal gegenüberstanden und über einen winzigen Gegenstand einigten oder über einen anderen entzweiten.

Nur zu gut verstand er Oheim Maffeo, der hier leben wollte und das Weiterziehen für unnütz hielt.

Als der Abend hereinbrach und die Hitze nachließ, wanderte Marco nach seiner Art noch ein wenig aus der Stadt hinaus. Er entdeckte ausgedehnte Gärten, hinter deren Baumkronen die prächtigsten Häuser lagen, Villen wie im Umkreis der großen Städte Florenz und Rom, nur viel verschwiegener. Sie waren kleine, freundliche Burgen für jene Familien, die in Täbris ihr Glück bereits gefunden hatten.

»Gibt es eigentlich«, erkundigte sich Marco nach der Heimkehr in die Unterkunft, »in diesem Paradies auch Schlangen?«

»Und ob!«, antwortete Niccolò Polo. »Nicht wenige! Armenier, Nestorianer, Griechen, Syrer, Juden und sogar Venezianer und Genuesen leben hier miteinander und in Frieden. Für die mohammedanischen Bewohner von Täbris aber sind wir alle – alle, die ich dir ebenfalls genannt habe – nichts anderes als ungläubige Hunde, und es gilt als Verdienst, einen von uns zu bestehlen oder gar zu ermorden. Wehe uns allen, wenn eines Tages die Araber oder die Mamelucken nach Täbris kommen!«

Der Alte vom Berge

Von Täbris aus hatten Niccolò und Maffeo die Stadt Buchara erreichen wollen, wo sie auf ihrer ersten Reise die glückhafte Begegnung mit der Gesandtschaft an den Großkhan gehabt hatten und von wo aus sie vermutlich wieder eine sichere Route bis zur Residenz Kublai-Khans vorgefunden hätten. Aber der Weg nach Osten und Nordosten war versperrt durch ausgedehnte Kämpfe, welche die Tatarenfürsten einander lieferten. Weit davon entfernt, den Frieden zu halten, wie es unter Verwandten die Regel sein sollte, bekriegten die persischen Ilkhane die Nachfolger Dschagatais wegen einiger Grenzen, Städte und Fürstentümer. So blieb Maffeo, Niccolò und Marco kein anderer Weg, als durch ganz Persien bis zur Stadt Ormuz zu reisen, wo man sich nach Indien und auch weiter in den Osten einschiffen konnte. Nach Ormuz kamen nämlich die arabischen Kapitäne aus aller Welt mit ihren Handelsfahrzeugen. Von der Stadt Täbris bis ins eigentliche Persien rechnete man zwölf Tagesreisen. Sie brachten keine besonderen Ereignisse, doch erfuhren die Polo von einem Kloster der Karmeliter, die hier seit geraumer Zeit in Frieden lebten.

»Wenn es hier Klöster gibt, denen niemand etwas zuleide tut, hätten unsere zwei Mönche doch immerhin bis hierher mitkommen können!«, stellte Marco fest.

»Und was wäre uns damit geholfen?«, fragte sein Vater. »Jetzt, wo uns abermals ein Krieg zu einer Änderung unseres Reiseweges zwingt, würden sie doch wieder klein beigeben und uns noch Vorwürfe machen, dass wir sie bis hierher mitgeschleppt hätten. Es ist schon besser so!«

Bis zur Stadt Abhar verliefen die Wege nach Innerasien und nach dem südlichen Persien noch auf ein und demselben Karawanenpfad. Dann aber ließen die Polo Quazwin östlich liegen und wandten sich über Buyin nach Saweh.

Marco war auf diesem ganzen Weg in einer merkwürdigen Erregung. Bis Täbris hatte er immer noch den Eindruck gehabt, dass zwar nicht gerade sein Vater, jedoch eine Reihe anderer Kaufleute aus den christlichen Ländern den Weg und sein Ziel kannten. Über Täbris hinaus aber war von all den Genuesen, Pisanern und Griechen, die er in dieser großen Stadt gesprochen hatte, nie einer gereist; dort war die Welt des europäischen Kaufmanns zu Ende. Ganz Persien, hatte man Marco erklärt, wimmle von Räubern. Auch sei dieses einst große und mächtige Reich seit seiner Eroberung durch die Tataren nur noch ein Schatten seines früheren Daseins, und es gebe für den Kaufmann zwischen Täbris und Ormuz herzlich wenig zu holen, jedenfalls nichts, was die beschwerliche und gefährliche Reise wirklich lohne.

»Jetzt«, sagte Marco Polo, aus seinen Gedanken aufschreckend, »sind wir erst wirklich in der Fremde… Nun werden wir jahrelang niemanden mehr treffen, der unsere Sprache spricht und mit dem wir von San Marco, von der Piazzetta, von der Guidecca und vom Canal Grande plaudern können…«

»Ich wäre da nicht so sicher!«, widersprach Maffeo. »Als wir beim Großkhan weilten, erzählte er uns von einem ganzen Dorf siebenbürgischer Bergleute, das er aus dem Ungarland habe in die Berge seines Reiches schaffen lassen; Männer, Frauen und Kinder, die ihr Arbeitsgerät mitnehmen durften, ja sogar die Pfannen, mit denen sie zu kochen gewohnt waren. Unserem Herrn Kublai-Khan ging es ja nur um die Kenntnisse und die Arbeit jener Hauer. Sie holen aus den Bergen im Innern Asiens nun genauso das Erz heraus, wie sie das in Siebenbürgen getan hatten. Sie sprechen ihre angestammte Sprache und ihre Religion haben sie behalten.«

»Venezianer aber sind keine Bergleute!«, beharrte Marco. »Ihr werdet sehen: Wären wir nicht zu dritt, wir würden das Italienische noch verlernen!«

Der Weg führte durch raues Hochland, war aber gut ausgetreten und nicht so einsam, wie sie befürchtet hatten. Nur verschwanden die Weggefährten bald wieder, es war niemand unter ihnen, der weitere Reisen unternahm. Die kuppelförmigen Hügel wichen bald ausgedehnten Flächen, auf denen nur wenige und kümmerliche Bäume aufwuchsen, dazwischen kennzeichneten Sträucher den Weg bis zum Schiblipass.

Vor dem Anstieg rasteten die Reisenden in einer sehr einfachen Karawanserei, in der sie beinahe die einzigen Gäste waren und so bitteres Wasser erhielten, dass es selbst die Tiere nur widerwillig zu sich nahmen. Am Morgen dann ging es in vielen Windungen den Pass hinan, zur Rechten die tiefe Schlucht, zur Linken die in öder Wildnis aufwachsende Bergwand. Auch nach dem Pass ging es noch oft auf und ab. Kleine, ärmliche Dörfer boten keine Möglichkeit, etwas zu erwerben oder loszuschlagen, aber hin und wieder kamen sie an kleine Tümpel oder Bergseen, an denen es leicht war, einen fetten Wasservogel zu fangen und zu braten.

Längere Rast machten sie erst in dem Städtchen Mijaneh, was so viel heißt wie Mittlerer Ort. Einige Karawanen trafen sich dort, die einen aus Täbris, die anderen vom Persischen Golf kommend; denn Mijaneh ist der übliche Rastplatz zwischen den Hochpässen Schibli, den die Venezianer schon passiert hatten, und Quaflankuh, der noch vor ihnen lag. Hier blieben sie auch einige Tage, nicht so sehr, weil sie ermüdet gewesen wären, als vielmehr in der Absicht, über den Weg, der vor ihnen lag, mehr zu erfahren.

In einem großen Gasthof, in dem sie untergekommen waren, trafen sie auf einen Syrer, der in Ormuz vom Mameluckenkrieg vernommen hatte.

»Ein Glück, dass die Nachricht schon bis dorthin gedrungen war!«, sagte der schwere Mann und lehnte sich genussvoll in den Sessel zurück. »Ich wäre doch tatsächlich mit all meinen indischen Waren dem Sultan in die Arme gelaufen!«

Der Syrer sprach leidlich italienisch, sodass Marco der Unterhaltung der Männer folgen konnte. Er spitzte die Ohren, denn der Kaufmann aus Aleppo war nicht mehr jung und reiste seit vielen Jahren zwischen Calicut, dem großen indischen Gewürzhafen, und seiner Heimatstadt am Mittelmeer hin und her.

»In Friedenszeiten ist das keine Hexerei«, sagte er, und die beiden Kaufleute aus Venedig nickten verständnisvoll. »Bis Ormuz gibt es immer Schiffsgelegenheiten aus Indien, und von Ormuz nach Basrah ist es auch nicht sehr schwierig. Dann geht es im

Zweistromland flussaufwärts und der Euphrat führt bis hart an Aleppo heran … Schon mein Vater ist so gereist. Dann kam – vor vierzehn, fünfzehn Jahren muss das gewesen sein – Hulagu-Khan mit seinen Tataren, und es war zu Ende mit der Herrlichkeit Bagdads, das nicht seinesgleichen hatte an Pracht und Reichtum. Die letzten Kalifen herrschten über ein glückliches Volk, das fleißig war in seinen Werkstätten und tüchtig in seinem Handel. Wie viele Moscheen, Paläste, aber auch Fabriken und Mühlen gab es in Bagdad, ehe die Mongolen alles kurz und klein schlugen …!«

Er unterbrach sich, um dem allen nachzusinnen, nahm einen Schluck Wein und starrte vor sich hin, bis Maffeo ihm wieder den Faden reichte:

»Und damals, als Krieg um Bagdad war, da habt Ihr den Weg über Täbris genommen und damit kennengelernt?«

»So war es. Ein Kaufmann muss viele Wege kennen. Damals aber, als ich Hulagu auswich, um über Täbris sicher nach Hause zu kommen, da war der Weg durch das südliche Persien noch sehr gefährlich; ich durchquerte das Reich des Alten vom Berge, der damals noch achtzig oder hundert Burgen hatte und dessen Anhänger bis hin nach Syrien ihre Gemeinden bildeten … Niemand hätte diesen Mann vernichten können, außer Hulagu-Khan, und auch er hat lange Zeit gebraucht, bis er über die Festung Alamut endlich triumphierte …!«

Marco zitterte vor Begierde, mehr zu erfahren. Es war, als habe mit dem Auszug aus der Stadt Täbris schlagartig eine Zeit der Wunder, eine Wegstrecke der seltsamen Ereignisse und unbegreiflichen Zwischenfälle begonnen: zuerst das einsame Kloster, von dessen Mönchen man sich erzählte, dass sie Wollgürtel strickten, die das Kreuzweh zu heilen imstande wären; danach hatte man ihnen Legenden über die Heiligen Drei Könige erzählt, die angeblich aus Persien stammen sollten; schließlich waren sie noch an jenem mächtigen, einsamen Baum vorübergekommen, von dem man sagte, er stünde seit der Zeit Alexanders des Großen und trüge keine Frucht seit dem Tage, da Alexander und Darius einander im Umkreis dieses Baumes eine blutige Schlacht geliefert hätten.

Geheimnisvoller als all dies aber klang, was der Syrer vom Alten vom Berge erzählte, von einem einsamen Fürsten über einen Räuberstaat, der selbst den Tatarenkhanen Trotz zu bieten imstande war.

»Wenn es Euch nicht langweilt, Herr«, bat Marco, »dann erzählt mir die ganze Gesichte. Seht, dies ist meine erste Reise. Ich habe in Venedig jahrelang auf die Heimkehr meines Vaters gewartet in der Hoffnung, dass er mich mitnehmen würde. Und nun, da es so weit ist, möchte ich nicht nur schauen, sondern auch verstehen!«

»Es ist genau genommen keine Geschichte für Kinder«, sagte der Syrer, »aber ein Kind bist du ja nicht mehr, und vermutlich wirst du bald deinen Mann stehen müssen, wenn ihr tiefer nach Asien hineinwollt. Diesen Alten vom Berge, musst du wissen, gibt es – oder richtiger gab es seit etwa zweihundert Jahren ...«

»Ihr bindet mir einen Bären auf, Herr!«

»Nicht ein und denselben, aber gleichsam das Amt. Denn es handelt sich um eine Art Sekte, um eine Strömung der Mohammedaner, die sich aus sehr viel Mohammed und ein wenig persischen und indischen Gewürzen eine feine fromme Suppe gebraut haben, die manchem besser mundete als die strenge Lehre von Mekka und Medina. Diese Sekte ist vermutlich nicht völlig ausgerottet, sie nennt sich die Ismaeliten. Ihre Gegner aber nannten sie verächtlich Haschischijan oder Hanffresser, und das war nicht völlig aus der

Luft gegriffen. Im Hanf schlummert nämlich ein Traumgift; wenn man das zu sich nimmt, so hat man Gesichte, glaubt man, Dinge zu sehen, die man in Wirklichkeit gar nicht sieht, und man wird für eine gewisse kurze Zeit beinahe zu einem anderen Menschen, wagemutig, grausam, wild, je nach der geheimen Natur tief in unserem Inneren … Vor etwa zweihundert Jahren lebte nun also ein Mann, der hieß oder nannte sich Hassan Ben Sabbah, war von persischen Eltern geboren und bereiste die ganze islamische Welt. Er war sehr ehrgeizig und verstand, gut zu predigen, sodass die Macht seines Wortes und seiner Persönlichkeit ihm Anhänger schuf, in Syrien, in Ägypten, vor allem aber in Persien selbst.

Als er nach seinen erfolgreichen Reisen einen festen Wohnsitz suchte, verfiel er auf eine Felsenburg namens Alamut, die nach ihrer Lage schwer einnehmbar war und die Hassan noch stärker machen ließ, sodass sie als uneinnehmbar gelten durfte. Dieses Felsennest in einer bergigen Einöde trug ihm den Namen ›Der Alte vom Berge‹ ein, obwohl er durchaus noch nicht alt war.

Gestützt auf seine Abart des Islam, auf Predigten und selbst verfasste Schriften, von denen sich auch einiges erhalten hat, sammelte Hassan Ben Sabbah nun seine Anhänger rund um Alamut um sich. Es war eine große Tat, denn diese gläubigen Menschen machten das Land fruchtbar, er zeigte ihnen, wie man es bewässern müsse, und sie lebten glücklich unter seiner Führung. Er war ihnen das, was die Mohammedaner am meisten suchten, seit ihr Prophet nicht mehr lebt: ein zugleich geistliches und weltliches Oberhaupt.«

»Wie der Papst!«, fuhr es Marco heraus, aber der Syrer belehrte ihn sogleich eines Besseren:

»Es gibt gute und weniger gute Päpste, *mio caro*, aber gewiss hat noch keiner von ihnen auch nur die Hälfte der Verbrechen begangen, die der Alte vom Berge selbst ausführte, ausführen ließ oder seinen Anhängern abverlangte. Denn als seine Macht wuchs und zu seiner Burg Alamut immer neue Burgen und Dörfer kamen, da wähnte Hassan Ben Sabbah sich als ein Fürst. Er begann, allen anderen Fürsten, soweit sie gegen ihn und seine Lehre eingestellt waren, nach dem Leben zu trachten. Kriege konnte er außerhalb seines persischen Wohngebietes nicht führen, aber er hatte ja eine große Anzahl von ihm blind ergebenen Untertanen. Unter diesen bildete er einige zu tüchtigen Mördern aus und entsandte sie in ferne Länder, wo sie in seinem Auftrag Verbrechen begehen mussten!«

»Und das taten sie, selbst in der Ferne, wo der Alte vom Berge dies nicht überwachen konnte?«

»Sie taten es, um ins Paradies zu kommen, und dieses Paradies hatte Hassan ihnen vorher gezeigt...«

»Durch das Rauschgift im Hanf?«

»Nicht nur dadurch. Er war sehr viel verschlagener und er hatte ein unfehlbares Mittel: Er täuschte durch Wirklichkeit!«

»Das verstehe ich nicht«, sagte Marco Polo ein wenig hilflos.

»Er hatte im Schutz seiner Burg Alamut einen großen, herrlichen Garten anlegen lassen, der wohlverwahrt war, sodass kein Mensch sich heimlich einschleichen konnte. In diesem Garten wuchsen nicht nur die schönsten Blumen, sondern auch seltsame Bäume und Sträucher, die köstliche Früchte trugen; Bäche sprudelten, kleine Lusthäuser spendeten Schatten, Haine und Wiesen luden zum Liegen ein. Es gab dort niedliche, harmlose Tiere, ganz so, wie im Paradies vor dem Sündenfall kein Wesen einem anderen etwas zuleide tat. Und es gab natürlich auch Evastöchter, jung und schön, die in leichten Gewändern über den Rasen liefen oder die Füßchen ins Quellwasser hängen ließen.

Hatte Hassan nun einen neuen Plan ausgeheckt, dann schläferte er eine kleine Schar ausgesuchter Kämpfer mittels des Hanfs ein, ließ sie in den Garten bringen und dort erwachen. Sie glaubten im Paradies zu sein; denn woher sollten mitten im steinigen Persien all die Bäche, Blumen, Früchte und die vielen schönen Mädchen kommen, die nach dem Glauben der Mohammedaner den Abgeschiedenen Gesellschaft leisten. Hassan ließ seine Jünglinge ein paar Tage in jenem irdischen Paradies; dann wurden sie abermals eingeschläfert, und wenn sie erwachten, sagte er ihnen: Ich habe durch meine Macht euch ein paar Tage ins Paradies versetzt. Dieser Lohn, das ewige Leben in solch einem Garten, erwartet euch, wenn ihr den Fürsten Soundso tötet, denn er ist mein Feind!«

»Wurden auf diese Weise tatsächlich Fürsten getötet?«

»Von einem weiß ich es gewiss: es war der König von Jerusalem, Konrad von Montferrat, ein tapferer Ritter, der Tyros gegen den furchtbaren Saladin gehalten hatte, Schwiegersohn des Königs Amalrich von Jerusalem. Diesen Konrad von Montferrat haben zwei Anhänger des Alten vom Berge im Jahr 1192 ermordet. Als die Christen wissen wollten, ob die Mörder Mohammedaner seien, antwortete man ihnen verächtlich: Nein, das sind Haschischijan, Hanffresser. Die Christen, die dieses Wort nie gehört hatten und sich nichts darunter vorstellen konnten, machten aus Haschischijan dann das ähnlich klingende Assassinen, denn Assassino ist der Mörder, Assassinen konnte ein Mörderbund sehr wohl sich nennen oder genannt werden.«

»Und nahmen die Christen Rache für diesen Mord?«

»Sie hatten damals andere Sorgen. Das Heilige Land war wieder einmal in Not und der Alte vom Berge war zu weit weg. Er hatte sich mit einem ganzen Kranz von Burgen umgeben; die südlichste lag bei Isfahan, die nordwestlichste Burg tief in Kurdistan. In diesem Reich war er schwer angreifbar und das galt auch noch für seine Nachfolger.«

»Trugen sie auch den Namen eines Alten vom Berge?«

»Nicht ausdrücklich, aber einzelne von ihnen, die tüchtigsten Führer der Assassinen, verschmolzen mit dem Bild jenes Gründers eines eigenen Assassinenlandes, und da sie alle das gleiche uneinnehmbare Felsennest als ihre Residenz erwählten, hießen auch sie dann jeweils ›Der Alte vom Berge‹. Es gab schwächere unter ihnen, aber auch zumindest einen, der noch sehr viel von sich reden machte. Er nannte sich Hassan II. und herrschte vierzig Jahre nach dem Tod des ersten. Er hatte den Mut, sich selbst als Imam zu bezeichnen, also als eine Art später Nachfolger des Propheten. Dank seiner hohen Gaben genoss dieser Hassan II. bald tatsächlich göttliche Verehrung. Er verkündete einen ganz neuen Glauben, der viel freiheitlicher war als die strengen Gebote Mohammeds selbst. Er gestattete seinen Untergebenen rund um die Festung von Alamut jeden Genuss, den sie sich nur ermöglichen konnten, und veranstalteten mit ihnen in den paradiesischen Gärten Hassans I. ausgelassene Freudenfeste, die er ›Feste der Auferstehung‹ nannte.«

»Und woher kamen die Mittel zu diesem fröhlichen Treiben mitten in einem armen Land?«, wollte Maffeo Polo wissen, der bis dahin nur stumm und interessiert zugehört hatte.

»Eine sehr berechtigte Frage, Ser Maffeo«, antwortete der Syrer lachend. »Und damit sind wir auch wieder beim Ausgangspunkt unserer Geschichte. Hassan I. hat allem Anschein nach eine Menge von der Landwirtschaft verstanden und es zuwege gebracht, dass seine Untertanen in frommem Fleiß tatsächlich aus einer Wüste fruchtbares Land machten. Das war die eine Grundlage des Lebens im Reich der Assassinen. Die andere aber waren die ausgedehnten und rücksichtlosen Raubzüge, welche die Männer der Sekte überall durchführten, wo man sie hinschickte, zeitweise sogar im Jordantal, am häufigsten aber wohl in Persien selbst.

Die Erträge dieser Raubzüge kamen zum größten Teil natürlich dem Alten vom Berge zugute. Er hortete in seiner Burg Alamut die unglaublichsten Schätze. Aber auch in den anderen Raubburgen sammelte sich ein Gutteil jenes Reichtums an, der damals, also über annähernd zwei Jahrhunderte, auf den Karawanenstraßen des Orients geraubt wurde und zunächst als verschwunden galt, denn nicht alle dieser Unterhäuptlinge führten den ganzen Raub an den Alten vom Berge ab.«

»Und wann kam das alles zum Vorschein, oder handelt es sich nur um eines der vielen Gerüchte über geraubte Schätze, die in allen Ländern des Orients umgehen?«

»Sie glauben mir noch nicht, Ser Maffeo«, sagte der Syrer lächelnd. »Ihr Europäer seid doch alle Skeptiker. Wir Orientalen haben die herrliche Fähigkeit, glauben zu können. Ich glaube das alles, denn hier im Orient ist das Wunderbare sehr oft das Wahrscheinlichste. Außerdem liegen die Ereignisse, die diese Geheimnisse und verborgenen Schätze ans Tageslicht brachten, ja nicht so weit zurück wie die Jahrzehnte, in denen die Schätze angehäuft wurden.«

»Die Tataren?«

»Natürlich! Hier wie überall. Wie meint ihr, würde es in Buchara und Samarkand, in Bagdad und Chiwa aussehen, wären die Tataren nicht gekommen? Die Augen würden euch aus dem Kopf fallen. Aber dieses alte Morgenland, das wahre Morgenland, das Reich der Kalifen, der Gelehrten und Dichter, es ist tot und dahin. Der Alte vom Berge soll Omar Khayyam, den Dichter, noch gekannt haben, aber der war nur einer unter jenen zahllosen Genies, die Gedichte schrieben, Geschichten erzählten, Traktate über den Himmel, die Mathematik, die Erdkunde, die Medizin verfassten. Es war ein Reich des Geistes, das es mit dem der alten Griechen aufnehmen konnte. Nun, die großen Eroberer der Tataren von Dschingis-Khan bis Mangu haben dies alles vernichtet, zertrampelt, in den Steppenwind gestreut. Für sie war jedes beschriebene Papier wertlos, sie konnten ja nicht lesen, und jeder schöne Bau, ob kirchlich oder weltlich, bedeutete den Nomaden so viel wie eine Herausforderung.«

»Aber im Fall der Assassinen hatte die Eroberung durch die Tataren doch ihr Gutes?«, warf Marco ein, der schon fürchtete, der Syrer würde nun etwas gegen den großen Kublai-Khan sagen, den sein Vater doch so verehrte.

»Wenn man will, ja«, gab der Syrer zu, »obwohl die letzten Führer der Assassinen ohnedies nicht mehr die gnadenlose Wildheit früherer Herrscher von Alamut hatten. Hulagu jedenfalls ließ sich Zeit, die vielen festen Burgen verhießen ihm eine Unmenge harter Kämpfe, und er glaubte offenbar nicht so recht an die Schätze. Erst auf ausdrücklichen Befehl des Großkhans Mangu zog Hulagu gegen den Alten vom Berge, der zu jener Zeit Rukn Ad Din hieß. Wie lange sich Alamut, die Felsenburg über der engen Schlucht des Alamutflusses, gegen die Tataren hielt, weiß man nicht genau, manche sagen, sie hätte sich volle drei Jahre gewehrt, aber das scheint mir dann doch etwas lange, wenn ein Hulagu die Belagerung kommandiert.«

»Und als die Burg gestürmt wurde – fand man dann tatsächlich Schätze?«, fragte Marco.

»Schätze und Vorräte wie auch in den anderen Burgen. Berichte über Schatzfunde werden ja stets übertrieben, aber in diesem Fall scheint wirklich sehr viel zum Vorschein gekommen zu sein und ist danach auf Nimmerwiedersehen in den Zelten der Tataren verschwunden. Was Hulagu-Khan aber offensichtlich mehr interessierte als Gold und Seide waren die Anlage und der Bau der Bergfestung selbst. Er ließ sie angeblich nur niederreißen, um zu sehen, wie sie gebaut worden sei und mit welchem Mörtel, denn sein schwerstes Belagerungsgeschütz, die besten Steinschleudern und die mächtigsten Rammböcke hatte nie so geringe Wirkungen gezeigt wie vor Alamut. Die Soldaten Hulagus aber waren vor allem von der Fülle der Vorräte beeindruckt, die sich in der Festung noch vorfanden und allesamt unverdorben waren. Den Honig, von dem es sehr viel gab, konnte man noch essen und den Wein noch mit Genuss trinken. Darin sehen die abergläubischen Menschen rund um die Festung einen sicheren Beweis für den göttlichen Charakter der Imame, deren einer eben stets ›Der Alte vom Berge‹ genannt wurde.«

»Und was geschah mit seinen Anhängern nach dem Ende der Burg?«

»Hulagu hätte sie ungeschoren gelassen. Er brauchte Bauern und bestellte Felder, ihm hätte es genügt, die Burgen zu zerstören. Aber der abergläubische Mangu-Khan fürchtete die Assassinen und sah wohl für sich ein ähnliches Schicksal voraus wie für jenen unglücklichen Konrad von Montferrat. Er befahl, die Dörfer der Sekte mit Männern, Frauen und Kindern vom Erdboden zu vertilgen, und die Tataren befolgten diesen grausamen Befehl wörtlich. Das Wunderwerk des Alten vom Berge, die Burg mit ihren Zisternen, Wasserleitungen und gut belüfteten Vorratskammer, ist ebenso vernichtet worden wie die Menschen, die mit ihrem unbändigen Glauben und in ihrer schrankenlosen Verehrung für den Alten vom Berge dies alles nach seiner Anleitung und für ihn geschaffen haben. Sie waren zum Teil Mörder, zum größeren Teil Räuber, und sie sind nicht mehr. Aber sie sind immerhin wert, dass man sich ihres Glaubens erinnert!«

Enttäuschung in Ormuz

Auch die angenehmste Gesellschaft ließ es aber nicht zu, noch länger in der Mittleren Stadt zu verweilen. Die Reisenden aus Venedig zogen mit ihren Dienern, ihren Tragtieren und einem kleinen Anhang anderer Kaufleute weiter über den zweiten Pass.

Als sie ihn glücklich überwunden hatten, gelangten sie in weites Land, in dem alle Dörfer, auch die kleinsten, stark befestigt waren und an allen Stadttoren genaue Überprüfungen der Reisenden stattfanden, ehe man sie einließ. Im Übrigen aber hatte das Land ein freundliches Ansehen, war reich bestellt mit Weizen- und Reisfeldern, und es gab viele jagdbare Vögel wie Fasanen oder Birkhühner. Die Birkhühner, die wiederholt die Mahlzeit der drei Polo bereicherten, haben hier rote Schnäbel und rote Beine; fand man keine, so ließen sich Tauben leicht erlegen, die hier in dichten Schwärmen in den Obstpflanzungen hausten.

In den Dörfern, die sie durchquerten, erfuhren die Venezianer, dass die Landschaft Rudbar heiße. Die vielen Befestigungen und die übergroße Vorsicht der Stadtwachen habe ihren Grund in den Karaunas, einer großen Räuberbande, die an sich im östlichen Persien ihre Stammquartiere hat, aber immer wieder in den Raum nördlich von Ormuz ausschwärmt, weil in diesem die meisten Kaufmannszüge anzutreffen sind.

Über die Karaunas erhielten die Venezianer in den Städten verschiedene Berichte, die nicht ganz zusammenstimmten, vielleicht auch, weil diese Räuber in allen größeren Orten Späher und Zuträger beschäftigten. Wegen dieser Allgegenwart eines bösen Volkes wagen aber die ehrlichen Leute kaum, irgendetwas über sie zu sagen.

Mit Hulagu-Khan, so erzählte man den Venezianern, kam auch ein mongolischer Prinz namens Täküdar ins Land Persien. Man musste ihm als einem Verwandten auch einen Teil der Eroberungen ablassen, und so setzte man ihn über einen Landstrich in Georgien, wo er dem Ilkhan Abaqa unterstand. Dieser Täküdar erwies sich aber als hochfahrend und unbotmäßig; er zog sich eine gute, aber wilde Armee heran, für die er in jenem Bergland eine Menge erprobter Männer fand, und versuchte mit ihnen einen Aufstand gegen Abaqa. Dieser Aufstand schlug fehl, der Prinz selbst wurde in die Gegend von Bagdad geschickt, wo man ihn besser überwachen konnte, seine Soldaten aber suchten als Versprengte bald ganz Persien heim.

Nach anderen Berichten sollten die Karaunas keine Georgier sein, sondern Mischlinge aus den Mongolen mit den Balotschen, dunkelhäutigen Stämmen indischen Blutes. Die Mongolen pflegten aber, wenn ihnen ein dunkelhäutiges Kind geboren wurde, dieses Karaun (kara = schwarz) zu nennen.

In jedem Falle, wie auch ihre Herkunft sei, sind die Karaunas ein richtiges und großes Räubervolk, das mit Weibern und Kindern von diesen Untaten lebt. Manche Reisende, die mit ihnen zu tun hatten, sind sogar der Meinung, dass die Karaunas auch gefährliche Zauberer seien. Nicht selten hat sich nämlich, bevor die Räuber angegriffen, das Tageslicht verdunkelt und eine Art trockenen Nebels über die Landschaft gelegt, sodass die Sicht behindert war. Das nützten die Räuber zu ihren schnellen Angriffen.

Es lässt sich denken, dass solche Nachrichten nicht dazu beitrugen, die Reisenden in der Karawane der Venezianer zu beruhigen, und wären die beiden Mönche noch in dieser Gesellschaft gewesen, sie hätten sich zweifellos durch nichts bewegen lassen, die wohnlichen Gasthöfe der Mittleren Stadt zwischen den beiden Pässen zu verlassen. Das aber war nun einmal geschehen, man war unterwegs nach Ormuz, wo ein Schiff nach Indien bestiegen werden sollte, und die Venezianer sagten sich zum Trost, dass dieser nächste Abschnitt ihrer Reise dafür umso angenehmer sein werde.

Überdies wussten sie, und das trug ein wenig dazu bei, ihnen Mut zu machen, dass die Tatarenkhane sehr daran interessiert waren, den Handel zu schützen und zu fördern. Es gab sehr strenge Verordnungen gegen das Räuberunwesen. Die Dörfer waren verpflichtet, Reisende aufzunehmen, die bei Tageslicht nicht mehr den nächsten sicheren Ort erreichen konnten. Das ist ein gewisser Schutz, wenn auch nicht der sicherste, denn auch in den Dörfern leben Menschen, die nur zu gerne über die Reisenden herfallen würden und dies nur unterlassen, weil sie die Rache der Tataren fürchten, und das mit Recht.

Eine weitere Vorschrift zum Schutze der Reisenden bestimmt, dass aus jedem Ort einige kräftige und in den Waffen geübte Männer die Karawanen bis zum nächsten Ort begleiten müssen und dafür Anspruch auf Entlohnung haben, die sich nach der Zahl der Lasttiere und nach der Entfernung zwischen den Ortschaften richtet. Solche Vorschriften kennt man in Europa nicht, obwohl sie an manchen Orten, wie etwa in den Abruzzen oder in manchen Gegenden Spaniens, Frankreichs und Deutschlands, gewiss sehr nützlich wären. In Persien, auf dem Weg nach Ormuz, zeigten sie freilich, dass die Straßen unpassierbar wären ohne solche Vorkehrungen; so übermächtig ist dort das Räuberunwesen.

Wie wenig sich die Karaunas um die Gesetze der Tataren kümmerten, sollten die Venezianer und ihre Reisegesellschaft sehr bald am eigenen Leib erfahren. Sie hatten mittags in einem Dorf gerastet, die Begleiter bis dorthin entlohnt und die neue Begleitmannschaft gedungen, als diese Männer erklärten, ohne ihr gewohntes Essen und Trinken nicht aufbrechen zu wollen. Also kehrten alle, wiewohl man bereits reisefertig war, in den Dorfkrug ein, und die Fremden tranken mit den Männern, die sie schützen sollten, einen heißen, süßen und mit Kräutern versetzten Wein, mit dem es folgende Bewandtnis hat: Den Moslems ist der Wein, wie wir ihn kennen und lieben, durch ihren Propheten verboten worden. Da sie ihn aber dennoch zu trinken wünschen, so erhitzen sie ihn und mischen ihn mit Zimt, Nelken, Zitronenschalen, Honig und anderem, sodass er nicht gleich als Wein zu erkennen ist, aber mindestens ebenso schnell trunken macht wie der natürliche Wein aus Italien oder Frankreich.

Das ungewohnte Getränk und die große Hitze des Tages hatten die Reisenden schläfrig gemacht. Sie hingen mehr, als sie saßen, auf ihren Tieren, die ebenso müde dahintrotteten, als ob auch sie von dem verfälschten Wein getrunken hätten.

Das ging so eine Weile; doch als sie sich zwei Stunden von dem letzten Dorf entfernt hatten, verdunkelte sich plötzlich der Himmel, zunächst wie von einer großen Wolke, gleich darauf aber wie in einem schweren Gewitter. Obwohl kein Tropfen vom Himmel fiel, wurde das ganze Himmelsrund gewitterschwarz, und ein stechender Reiz im Hals erschwerte Tier wie Mensch das Atmen.

»Ein Sandsturm!«, rief Maffeo. »Wir müssen Schutz suchen,

einen Felsvorsprung, eine Höhle, zumindest irgendeine Ruine, die uns den Sand abhält!«

Die Treiber schlugen auf die Kamele ein, die Esel begannen, hurtiger zu traben, jeder ahnte die Gefahr, die über der Karawane stand. Aber sie war ganz anderer Art, als man vermutete, sie kam nicht vom Himmel!

Aus einem Winkel am Horizont, wo er am dunkelsten war, löste sich eine dicke schwarze Kugel aus Staub und kam wie vom Winde herangerollt auf die Reisenden zu.

»Die Karaunas!«, schrie einer der Männer, die aus dem letzten Dorf mitgekommen waren. Nun hörten auch die anderen das Dröhnen ferner Hufe, das Heranreiten einer großen Schar, die so viel Staub hochwirbelte.«

»Rettet euch!«, riefen die Männer der Begleitmannschaft. »Vor uns, zur linken Seite des Weges, liegt das Schloss Kon Salmy, vielleicht könnt ihr es erreichen. Wir werden versuchen, die Karaunas aufzuhalten!«

Die Venezianer und die anderen Kaufleute zauderten nicht. Zu langen Verhandlungen fehlte die Zeit, auch war zu hoffen, dass die Räuber jenen Einheimischen, die nichts bei sich trugen als ihre Waffen, nicht viel zuleide tun würden. Sollte das Opfer der tapferen Männer einen Sinn haben, dann mussten sich die Reisenden beeilen.

Ohne zu wissen, wo jenes Schloss lag, wie weit es noch entfernt sei und wie es aussah, gaben sie den Tieren die Sporen und jagten durch die immer dichter werdende Finsternis dahin. Die Kameltreiber blieben mit ihren Tieren zurück und verstreuten sich zu beiden Seiten der Straße in der Hoffnung, auf diese Weise zu entkommen. Die schnellen Reitesel aber gaben ihr Bestes.

Eben in dem Augenblick, da die Karaunas herannahten und

ausschwärmten, um der eng zusammengebliebenen Gruppe um die Venezianer den Weg zu verlegen, tauchte das feste Schloss aus den Staubwirbeln auf. Mit einer letzten Anstrengung, bei der die Esel, die man sonst als die dümmsten Tiere anspricht, sich ganz so verhielten, als hätten sie begriffen, worum es ging, mit einer letzten Anstrengung also preschten die Kaufleute durch das weit offen stehende Schlosstor, das sich schon in Bewegung setzte, als der Letzte noch zwischen den Angeln war, und krachend vor dem ersten der Verfolger zuschlug. Schauerlich zu hören war das Wutgeheul der Karaunas draußen unter den Mauern; wie eine Meute enttäuschter Teufel, die man um eine Seele geprellt hat, jaulten und schrien sie. Die Kaufleute aber waren halb tot vor Erschöpfung und der ausgestandenen Angst und fielen zu Boden, wo ihre Tiere stehen geblieben waren.

Das Schloss Kon Salmy unterstand einem Tatarenhetman; wem es vor der Eroberung Persiens durch Hulagu-Khan gehört hatte, war nicht zu erfahren. Die Reisenden fanden nur geringe Bequemlichkeit vor, denn die Tataren sind in diesen Dingen nicht so erfahren wie die Araber, die sich auf Reisen gern mit einem gewissen Luxus umgeben. Dafür aber durfte man sich im Schutz der tatarischen Wache und der dicken Schlossmauern unbesorgt zur Ruhe begeben.

Am nächsten Tag ritten die Kaufleute, begleitet von bewaffneten Wachen, aus dem Schloss, auf die Suche nach den versprengten Lasttieren und deren Treibern. Was noch zustande zu bringen war, machte niemanden reich: zwei Kamele mit Teppichen und zwei Packesel mit der persönlichen Habe einiger Kaufleute. Das meiste war den Karaunas in die Hände gefallen oder von den Treibern bei dieser guten Gelegenheit veruntreut worden.

Die drei Venezianer hatten, nach der Gewohnheit der erfahrenen Reisenden Maffeo und Niccolò Polo, alles, was irgend Wert besaß, unter ihrer Kleidung auf dem Leib getragen und somit gerettet. Anderes befand sich in den Satteltaschen der Diener. So beliefen sich die Verluste auf einen Tragsattel mit Silbererz und einen zweiten mit allerlei Ausrüstungsgegenständen; das durfte man schon verschmerzen in einem Augenblick, da man aus Todesgefahr gerettet worden war.

Da das Schloss Kon Salmy schlecht versorgt war und die Reisenden die Speisen der Tataren nicht mit diesen teilen mochten, war die zusammengeschmolzene Karawane bald wieder auf der großen Straße nach Ormuz. Je näher diese Stadt kam, desto dichter wurde die Folge der Karawanen, und die aus Räuberangst Erretteten begrüßten jeden Kaufmannszug, der in Sicht kam, mit fühlbarer Erleichterung.

Auch das Land zu beiden Seiten der Handelsstraße belebte sich nun auf die angenehmste Weise. In großen Koppeln und Weiden war sehr viel Last- und Reitvieh zu sehen; das waren die Tiere jener Reisenden, die in Ormuz das Schiff bestiegen hatten und ihre Karawanen wieder zusammenstellen wollten, wenn sie aus Indien oder Arabien zurückkehrten. Freilich ist es schon vorgekommen, dass die Räuber, die an den letzten Berghängen vor Ormuz besonders zahlreich sind, einzelne dieser Koppeln überfielen und die Tiere wegtrieben. Die Stadt selbst oder die Handelsstraße in unmittelbarer Nähe der Stadt durfte aber als sicher gelten.

Den Venezianern weitete sich das Herz auf diesen letzten Tagesreisen durch die Ebene von Ormuz. Zwar war es sehr heiß und bisweilen schwül, weil die Nähe des Meeres die Luft mit Feuchtigkeit sättigte. Aber der freundliche Anblick des Landes nach so weiten öden und bergigen Strecken auf dem Weg durch Persien entschädigte für allen Schweiß.

Große Haine von Dattelpalmen begleiteten den Weg; allerlei Vögel lärmten im Geäst, und das Ganze sah schon recht nach den Tropen aus, von denen man in Venedig stets nur sprechen hörte, wenn ein Schiff aus Mauretanien oder Alexandria an der Riva festmachte. So ritten sie wohlgemut unter Palmen dahin, bis sie an ausgedehnte Ruinenfelder und leere Gebäude kamen, in denen nur noch ein paar Hunde und sehr viele Ratten ihr Unwesen trieben. Das war, wie man den Venezianern erklärte, das alte Hormuz, einst lieblich an einer kleinen Bucht gelegen und schon dem weisen Griechen Ptolemaios bekannt. Diese zweitausendjährige Geschichte einer berühmten Hafenstadt des Ostens hatte die Tataren aber nicht gehindert, sie ebenso zu zerstören wie alle anderen Kulturstätten des Orients. Und so war als neues Ormuz eine Inselstadt entstanden, vor Eroberern vom Lande ein wenig besser gesichert als das alte Hormuz.

Die drei Venezianer fühlten sich natürlich an ihre eigene Stadt erinnert, die entstand, als die Hunnen, zweifellos die Vorväter der Tataren, Aquileja bedrohten und die Bevölkerung auf die Inseln floh, die durch Meeresarme vor dem Reitersturm gesichert waren. Allen schlug das Herz höher, als sie am Ziel einer beschwerlichen Etappe in die Hafenstadt Ormuz Einzug hielten und wieder die Luft eines großen Hafens atmeten. Hier gab es die vertrauten Gerüche von Tauwerk und Dichtpech, von brackigem Wasser und nassem Holz.

Nicht wenige Handelsstädte liegen auf einer Insel, weil die Kaufleute lieber auf kleinen Inseln landen als an einer Festlandsküste, deren Hinterland man nicht kennt und folglich fürchten muss. Im Altertum waren die Inseln die größten Handelsplätze, und in Ormuz schien man es nach den bitteren Erfahrungen mit den Tataren nun wieder so halten zu wollen, wie man besser gleich von Anfang an getan hätte.

Dass die Stadt in wenigen Jahrzehnten nach der Eroberung bereits wieder zu einem bunten und üppigen Leben aufgeblüht war, verdankte sie ihrer Lage. Ormuz war schlechthin nicht zu entbehren für alle, die aus Indien kamen oder nach Indien wollten, denn hier konnte man die günstigen Monsune abwarten, etwa auf halbem Wege zwischen Syrien, dem großen Umschlagplatz im Westen, und Calicut in Vorderindien, dem Umschlagplatz im Osten.

Als der Abend ein wenig Kühlung brachte, ergingen sich die Venezianer in den Bazaren der Stadt und konnten sich nicht satt sehen an dem Angebot an edlen Steinen, die Maffeo und Niccolò Polo besonders interessierten. Aber da gab es auch Spezereien aus Arabien, Gewürze von den hinterindischen Inseln, Perlen, die man aus dem Meere herauftaucht, Schnitzereien aus Elefantenzähnen und gold- und silberdurchwirkte Seidenstoffe von größter Pracht.

Wegen der unerträglichen Hitze schliefen die Reisenden in einem Gasthof nahe am Meer, durch dessen Schilfdächer ein wenig Kühlung hereinstrich. Der Wirt erzählte entschuldigend, dass Ormuz eine sehr angenehme Stadt sei, nur eben nicht in der Zeit dieser absonderlichen Hitzen. »In dieser Zeit«, sagte der Mann, »bleibt niemand in der Stadt, der es sich leisten kann, einen Sommersitz aufzusuchen. Diese Sommersitze liegen landeinwärts in den Tälern der Flüsse, die auf den Persischen Golf zufließen; das Flusswasser ist kühler und sauberer als das Meer hier, und die Villen jener reichen Leute liegen ganz nahe am Wasser. Das hat seinen besonderen Grund. Wenn nämlich der heiße Wind kommt, dann bleiben die Menschen nicht in ihren Häusern, sondern treten bis ans Kinn ins Wasser und verharren so, bis der Wind, der meist nur einen Tag weht, sich wieder gelegt hat.

Unser Herr in Ormuz ist der mächtige Rukn Ad Din, der die Stadt wieder reich und glücklich gemacht hat. Die Tataren lassen ihn gewähren, weil er einen guten Tribut zahlt, so halten sie es mit vielen einheimischen Fürsten. Einmal aber war er mit dem Tribut im Rückstand, und die Tataren entsandten eine Streitmacht von eintausendsechshundert Reitern und nicht weniger als fünftausend Fußsoldaten. Sie gedachten, der Stadt umso leichter eine Lektion zu erteilen, als die vornehmsten Bürger im Sommer ja gar nicht in ihr weilten. Aber es kam ganz anders.

Die einheimischen Führer, die sie gedungen und gezwungen hatten, leiteten sie in die Irre, sodass sie kurz vor der Stadt Ormuz noch ein Nachtlager aufschlagen mussten. In dieser Nacht aber überfiel sie der heiße Wind, zu einer Zeit, wo sie weit und breit kein Wasser hatten und keinen Schutz. Am Morgen waren sie alle erstickt, verdorrt von der nächtlichen und ihnen unbekannten Hitze, und es blieb nicht einmal einer übrig, der die Nachricht zu dem Tatarenkhan gebracht hätte.

Als die Leute von Ormuz davon erfuhren, entsandten sie schnell Männer, welche die Toten bestatten sollten, damit in der Hitze keine Seuche ausbreche. Denn Seuchen sind Ormuz eine große Gefahr. Diese Männer konnten die Toten nicht wegtragen und in einen Fluss werfen, denn wenn sie sie anfassten, so lösten sich sogleich die Glieder, und die Köpfe fielen vom Rumpf, so sehr hatte die Hitze des Windes alles aufgelöst. Man musste Gräber schaufeln, wo die Tatarenarmee genächtigt hatte, und alle zusammenwerfen …«

Das war nun keine sehr tröstliche Erzählung für Fremde, die im Sommer nach Ormuz kamen. Die Venezianer suchten auch schon am nächsten Tag nach einem Fahrzeug, das sie sicher nach Indien bringen sollte. Auf ihrem Gang durch den Hafen fanden sie auch nicht wenige Segler, aber beim näheren Betrachten stellte sich heraus, dass kaum einer von ihnen einem Sturm auf dem Meer standgehalten hätte. Offensichtlich verstanden die Schiffbauer dieser Gegend nicht zu nageln, oder das Holz war wegen der großen Hitze und der trockenen Winde so spröde, dass es die Nägel nicht hielt.

Was die Nägel nicht leisten konnten, sollten Garne tun, die man aus Kokosfasern zusammendreht. Sie werden um die Planken gewunden, die man nicht wie in Italien oder Portugal mit Harz abdichtet, sondern lediglich mit einem Fischöl bestreicht. Die Schiffe sind zudem meist offen. Unten in den Laderaum kommen die Waren, darauf werden dann Tierhäute gelegt, und auf diesen Häuten liegen die Reisenden oder stehen die Pferde, die man in großer Zahl aus Persien und aus den Steppenländern nach Indien einführt.

Am schlimmsten aber ist es um die Anker bestellt. Viele Schiffe führen überhaupt nur einen Schleppanker aus Segeltuch, andere wieder hölzerne Anker, die sie mit Steinen beschweren. Bei unruhiger See löst sich solch ein Anker oft auf, die Schiffe werden im Hafen gegeneinandergetrieben oder sie treiben auf das Land zu und zerschellen. Wäre Ormuz nicht ein so guter und geschützter Hafen, diese kläglichen Schiffe würden in einem fort zu Bruch gehen.

Am Abend dieses Tages, den die Venezianer am Hafen verbracht und an dem sie mit vielen Schiffern gesprochen hatten, sah Marco den beiden Älteren ihre Enttäuschung und Unentschlossenheit deutlich genug an. Als Bürger einer Seestadt verstanden sie genug von Schiffen und von der Schiffsführung, um zu zaudern. Sollten sie sich solchen Fahrzeugen und solchen Schiffern anvertrauen, die – vielleicht! – ehrlich waren, aber doch auf jeden

Fall sehr große Gefahr liefen, schon im Golf von Oman, spätestens aber im Arabischen Meer zugrunde zu gehen? Andererseits lockte der lange Landweg durch das nordöstliche Persien mit neuen Räubergefahren und zahlreichen Wüsten und Passstrecken ebenso wenig.

Es war wider Willen Marco, der die Entscheidung brachte und Vater wie Oheim aller weiteren Überlegungen enthob: War es die Nacht am Wasser gewesen, war es die ungewohnte Hitze, jedenfalls musste er sich am Abend dieses Tages mit hohem Fieber und Schüttelfrösten auf das Zimmer begeben, das die drei gemietet hatten, und der arabische Arzt, der am anderen Morgen gerufen wurde, zeigte sich sehr besorgt.

Er hob die Lider Marcos, zählte den Puls und maß das Fieber. Er hatte auch ein Tränklein dabei, das er dem Kranken einzuflößen riet, konnte im Übrigen aber keine Hoffnung machen: wenn der Jüngling nicht schnell aus dem heißen Ormuz weggebracht würde in die reine Luft hoher Berge, sei an seinem Aufkommen zu zweifeln. Er kenne die Krankheit, sie sei häufig am Wasser und dort, wo viel Schilf stehe und Stechmücken die Menschen plagten. Es handle sich um ein böses Fieber, das manchen ein Leben lang heimsuche und immer wiederkehre. Er könne nur dringend raten, Ormuz zu verlassen, hier sei mit einer Genesung des jungen und nicht sonderlich kräftigen Kranken keinesfalls zu rechnen.

Durch das trockene Herz Persiens

Als die erste und heftigste Attacke des Fiebers vorüber war, begannen die Mittel des arabischen Arztes zu wirken, und Marco kam wieder ein wenig zu Kräften. Aber die Nächte blieben unruhig, die Hitze trieb ihm den Schweiß aus allen Poren, er verlor weiter an Gewicht, und es war zu erkennen, dass er sich in Ormuz tatsächlich nicht erholen würde.

»Mich dürft ihr nicht fragen, was wir tun sollen«, sagte Marco schwach, als die beiden anderen abends bekümmert an seinem Bett saßen, ihm Obst brachten, das sie eingehandelt hatten, und ihn durch ihre Erzählungen von den Bazaren und vom Hafen aufzuheitern suchten. »Ich kann euch nicht sagen, ob mir die Fahrt auf dem Meer besser bekommen wird als eine neuerliche Reise durch die Wüsten und über die Berge.«

»Wären wir doch nie nach Ormuz gekommen!«, seufzte Niccolò Polo. »Hätten wir uns doch besser unterrichtet über das, was uns hier erwartet. Zwar ist im Norden Krieg, aber die Küstengebirge zweimal zu überqueren, auf der Reise hierher und nun auf dem Weg nach Norden noch einmal, das hätten wir uns tatsächlich ersparen können, indem wir von Yesd nach Tabas gereist oder wenigstens in Kirman umgekehrt wären ...!«

»Das alles hilft nun nichts mehr«, sagte Maffeo. »Mach dem Jungen das Herz nicht schwer. Er glaubt womöglich gar, dass er schuld sei an diesem Umweg. Umwege haben Kaufleute schon oft Glück gebracht; ohne den Umweg nach Buchara hätten wir den Großkhan niemals kennengelernt – und jener Umweg auf unserer ersten Reise war, weiß Gott, beträchtlicher als dieser Ausflug nach Ormuz ... Nein, schlimm ist nur die Krankheit, und sie allein muss unseren Entschluss bestimmen. Wirst du dich im Sattel halten können, Marco?«

»Besser als in den stinkenden und heißen Kojen dieser lächerlichen Schiffe!«, antwortete Marco entschieden. »Wonach mich verlangt, das ist Luft und Bewegung. Ich bin zwar matt und fühle mich wie zerschlagen, aber ich fühle auch, dass dieses Lager hier mir keine Kräfte gibt. Lasst uns reisen, sobald es euch recht ist!«

Erleichtert erhoben sich die beiden Männer.

»Du sagtest, wir dürften dich nicht fragen«, meinte Maffeo lächelnd, »aber wie sollen wir wissen, wie dir zumute ist? Ein Kranker hat meistens so eine Ahnung, und das, wonach ihn verlangt, das hilft ihm dann auch. Und so verlockend fand ich die Schiffe, auf denen man uns Passagen nach Indien angeboten hat, auch wiederum nicht. Wir brechen bald auf, und wenn wir in eine Stadt kommen, in der du dich wohlfühlst, dann bleiben wir, bis du völlig wiederhergestellt bist, und sei es ein Jahr!«

Am nächsten Morgen berieten sich Maffeo und Niccolò mit dem Herbergsvater über die Route in den Nordosten und fragten ihn, wo sich die Karawanen sammelten, die in diese Richtung zogen.

»Das ist zunächst nicht schwierig«, antwortete ihnen der erfahrene Mann, »denn bis Kirman habt ihr alle gemeinsamen Weg, erst dort teilen sich die Pfade nach Nordwesten über Yesd und Qumm nach Täbris oder nach Nordosten durch die Wüste Bahabad über Tabas, Tun und Qain.«

Da die Brüder Polo in Ormuz doch ein paar kleinere Geschäfte hatten abwickeln können, bereitete es ihnen keine Schwierigkeit, sich die nötigen Vorräte und Ausrüstungen für die langen Wüstenstrecken zu besorgen. Ein persischer Reeder, dem sie wertvolle Auskünfte über das Zweistromland, Syrien und das Schwarze

Meer gegeben hatten, zeigte sich erkenntlich durch ein Geschenk von zehn Wasserschläuchen. So brach man dann an einem Tag auf, der sich durch eine leichte Brise ein wenig angenehmer anließ als die drückenden Tage zuvor.

Schon in der Ebene nördlich von Ormuz, dem freundlichen Land mit dem reichen Baumbestand und den ausgedehnten Weiden, erklärte Marco, sich besser zu fühlen. Wenn er auch noch nicht kräftig genug war, um an der Reise Anteil zu nehmen wie sonst, so hielt er die täglichen Strecken der Karawane doch durch. Zurückzubleiben wäre nämlich gefährlich gewesen, der Räuber und des Verirrens wegen.

Als der Grüngürtel des Küstenlandes hinter den Reisenden lag und die Berge erstiegen werden mussten, wurden auch die täglichen Strecken kürzer und die Hitze geringer, und nach der Überquerung der Küstenkette, auf dem Weg nach Kirman, kehrte auch Marcos Appetit wieder. Nun aber fehlte es an schmackhafter und bekömmlicher Kost. Das Wasser, auf das man stieß, war grünlich und bitter und von widerlichem Geruch. Die Perser taten ein wenig Mehl hinein und gaben es so den Tieren. Menschen aber konnten es nicht trinken, ohne sehr unangenehme Folgen befürchten zu müssen. Und das Brot, das in dieser Landschaft gebacken wurde, sah zwar gut aus und war frisch, schmeckte aber so bitter, als habe man es mit dem eklen Wasser aus den Tränken zubereitet. Der Führer der Karawane allerdings sagte, das Brot sei nicht vom Wasser so bitter, sondern von der Faulheit der Bauern: Zwischen dem Weizen wachse ein Schädling mit bitteren Ähren. Würde man diese heraussuchen und dann erst mit dem Dreschen beginnen, dann wäre das Brot so gut wie überall auf der Welt. Das aber sei den Landleuten zu mühsam. Sie selbst hätten sich an den bitteren Geschmack im Laufe der Generationen gewöhnt, weil sie nie anderes Brot zu essen erhielten; und ob das Brot den durchziehenden Fremden schmecke oder nicht, das sei diesem stumpfsinnigen Volk völlig gleichgültig.

Da man Marco unterwegs nur wenig Erleichterung gewähren konnte, wurde in der Stadt Kirman eine längere Rast eingeschoben. Aus den großen Gärten rund um die Stadt kam viel Obst auf die Märkte und die erfrischende Nahrung tat dem Genesenden wohl. Maffeo und Niccolò, die sich auf jeder ihrer Reisen besonders für Edelsteine interessiert hatten, fanden hier in Kirman herrliche Türkise. Diese stammten aus den nahen Bergen, und von den schönsten unter ihnen behauptete man sogar, sie besäßen die Kraft, das Unglück abzuwenden und die Gunst der Fürsten auf den Besitzer des Steines zu lenken.

»Auf unserem ersten Halt in Kirman habt ihr nichts dergleichen gekauft«, sagte Marco, »sicherlich seid ihr abergläubisch genug, den Türkisen nun meine Heilung abzuverlangen!«

Niccolò lächelte. Der Gedanke war ihm tatsächlich durch den Kopf gehuscht, aber dann hatte die Vernunft gesiegt, und er hatte die Steine nicht nach ihrer angeblichen Wunderkraft ausgesucht, sondern nach Reinheit und sonstiger Beschaffenheit.

»Wir haben auf der Reise nach Ormuz nichts gekauft, weil sich niemand mit Edelsteinen behängt, wenn er zur See fährt«, wehrte Niccolò ab. »Auch wollten wir unsere Barmittel für Ormuz schonen, es wäre ja die Überfahrt für drei Mann und unsere Diener zu bezahlen gewesen. Auf der Weiterreise werden wir nicht so viel Geld brauchen und auch ein paar Geschäftchen machen können, denn wir kommen aus einem Land, in dem man alles kaufen kann, in sehr abgelegene Gegenden, in die sich nicht viele Händler verirren. Balch ist der letzte große Handelsplatz, danach wird es still werden auf den Straßen, du wirst sehen ...!«

Obwohl der Sommer sich seinem Ende zuneigte, erwies sich die Durchquerung der Wüste Bahabad als eine sehr beschwerliche Aufgabe. Der großen Hitze wegen wurde nur nachts geritten, tagsüber hätten Tiere wie Menschen mehr Wasser gebraucht, als irgendjemand mitzuführen imstande gewesen wäre. Sieben Tagesreisen erstreckte sich der erste Abschnitt des langen Weges, noch nicht völlig trocken, aber im Grunde doch wasserlos, weil es nur jene abführenden Quellen und Tümpel gab, die unsere Reisenden schon zur Genüge kannten. Nur einmal brachte der unterirdische Strom, der in die Oberfläche der Erde ein paar gewaltige Löcher gerissen hatte, wirkliche Erleichterung. Sein süßes Wasser konnte von Mensch und Tier nach Herzenslust getrunken werden und auch das alte Wasser in den Schläuchen ersetzen.

Dank dieser Erquickung erreichten die drei Venezianer die mitten zwischen der südlichen und der nördlichen Bahabadwüste liegende Stadt Kuhbanan. Von unfruchtbarem Land umgeben, verdanken die Einwohner von Kuhbanan ihr Dasein den Schätzen der Erde. Nirgends sahen die drei Venezianer schönere Stahlspiegel, als sie hier verfertigt werden. Nicht minder bedeutend ist die Herstellung einer Kupferverbindung, Tutie genannt. Damit wird die furchtbare Augenkrankheit geheilt, die im ganzen Orient bis hin ans Mittelmeer so viele Menschen schon im Kindesalter erblinden lässt. Das Tutie aus Kuhbanan soll das beste der Welt sein und wird denn auch von hier aus in alle Länder verschickt. Dafür soll Kuhbanan schon seit alters bekannt sein: Maffeo berichtete, er habe sogar am Hofe des Großkhans erzählen hören, dass arabische Kapitäne dieses heilsame Mittel auf ihren Schiffen bis in die Hafenorte des chinesischen Meeres bringen.

Verlässt man Kuhbanan, so beginnt bald der schlimmere Teil der Wüste. Nun stößt man auf keine unterirdischen Süßwasserflüsse mehr, sondern muss alles Wasser für sieben Tage mit sich führen. Das Vieh trinkt, weil es keine Vernunft hat und vor allem weil es nicht genug gutes Wasser erhalten kann, auch aus den salzig bitteren und oft grünlichen Tümpeln. Die Treiber machen das schlechte Wasser für die Esel dadurch ein wenig schmackhafter, dass sie Blumen hineinstreuen und andere Kräuter; die Kamele trinken das Wasser, wie es ist.

Der Zwang zu den anstrengenden nächtlichen Ritten endete erst, als man jenseits der Bahabadwüste wieder ins Bergland eintrat und die große Karawanenstraße über Tun und Qain nach Balch gewann. Auch sie verlief zwar durch stellenweise wüstenhaftes Gebiet am Rande der Karakumwüste, die hier Murghab heißt. Aber die hohen afghanischen Gebirge schützten gegen die heißen Winde aus dem Süden, und die großen Flüsse, deren Lauf man queren musste, führten gutes, genießbares Wasser in großen Mengen.

Maffeo und Niccolò wurden besserer Laune, als Persien hinter ihnen lag, und machten auch Marco gegenüber kein Hehl aus ihrer Befriedigung.

»Man soll keinem Volk Übles nachsagen«, erklärte Maffeo unterwegs, als sie nebeneinanderritten, »aber von allen Menschen, mit denen wir Kaufleute zu tun haben, sind die Mohammedaner die gefährlichsten. Mit den Syrern, den Juden und vor allem den Armeniern hast du als Kaufmann deine liebe Not, und nichts ist schwerer, als mit einem Armenier ein gutes Geschäft zu machen. Aber er wird dich nie hassen, bedrohen, beschimpfen oder dir gar nach dem Leben trachten. Er wird dich nur durch seine Hartnäckigkeit zur Verzweiflung bringen. Für die Mohammedaner aber sind wir Feinde, noch ehe wir den Mund aufgemacht und unsere Ware gezeigt haben, als dürften auf der ganzen Welt nur Araber Handel treiben …!«

Die bessere Stimmung der kleinen Gruppe von Reisenden kam aber auch daher, dass sie sich nun immer mehr dem eigentlichen Herrschaftsgebiet des Großkhans näherten. Zwar anerkannten die anderen Fürsten der Tataren von der Weichsel und der Theiß im Westen bis zum chinesischen Meer im Osten allesamt die Oberherrschaft ihres Herrn Kublai-Khan. Aber hier, im Herzen Asiens, war die eigentliche Hochburg der Tatarenmacht, und Maffeo wie Niccolò fühlten mehr, als dass sie es tatsächlich sehen konnten, die Nähe der Macht dieses weisen Herrschers und die vertrauten Verhältnisse des Reisens im Bereich der Tatarenpost.

»Würden wir von hier aus dem Großkhan Botschaft schicken, gewiss kämen uns seine Reiter entgegen, um uns nach Karakorum zu geleiten«, sagte Niccolò Polo. Aber Maffeo riet, nichts zu übereilen:

»Du kennst die Tataren. Sind sie erst zu uns gestoßen, dann geht es wie der Wirbelwind über Stock und Stein, bei schmaler Kost und mit endlos langen Reisetagen … Dem ist Marco noch nicht gewachsen und auch uns tut die Geruhsamkeit der Karawanenreise besser. Lasst uns in Balch rasten und dann weitersehen!«

Balch war tatsächlich eine Rast wert. Die Araber nannten Balch nicht mit Unrecht Amu Al Bulad, die Mutter der Städte. Dabei war sie, dem Vernehmen nach, schon lange vor den Arabern eine große und bedeutende Stadt gewesen. Die griechischen Autoren sprechen von ihr; Kaiser Alexander der Große soll hier, in Balch, eine Tochter des Darius zur Frau genommen und eine große Hochzeit festlich ausgerichtet haben, und danach war Balch ein Mittelpunkt der buddhistischen Religion mit großen Tempeln dieses Glaubens.

Seit etwa dem Jahr 700 kamen die Mohammedaner auch in dieses Land, und wiewohl sich die Einwohner von Balch in vielen Erhebungen mannhaft verteidigten, regierten doch bald die Moslems in den dicken Mauern und zerstörten, wie das unter diesen unduldsamen Menschen so Sitte ist, das herrliche Heiligtum der Buddhisten.

Der Neid aber muss es den Arabern lassen, dass unter ihrer Herrschaft überall der Handel blüht, und so hatte auch die alte Stadt Balch ihre beste Zeit nun, nach der Niederwerfung der Aufstände, etwa dreihundert Jahre lang zwischen der Eroberung durch die Araber und der Eroberung durch Dschingis-Khan.

Wer immer aus Persien, Turkmenien, Indien oder China mit Waren kam, legte sie hier nieder, im Schutze der Mauern, und blieb eine Weile, bis entweder die Pässe ins Innere Asiens frei waren oder die Wege nach Persien sicher. Die Stadt mit ihren ausgedehnten Vorstädten war von reichen Gärten umgeben, die mühelos die großen Menschenmengen ernährten, und in den Straßen herrschte ein Treiben wie in wenigen anderen Städten, obwohl Balch eigentlich keinem Reiche zugehörte und keines Landes Hauptstadt war. Sie war die Karawanenstadt schlechthin, der Treffpunkt des Handels zwischen den höchsten Gebirgen und den drei Meeren, als da sind der Aralsee, das Kaspische Meer und das Arabische Meer. Und dass davon allein, nicht vom Bergbau und nicht von der Landwirtschaft, die Stadt so lange und so prächtig lebte, das – so meinte Maffeo – sei einer der sichersten Beweise dafür, dass die Kaufleute aus der Levante seit Jahrtausenden nach Asien reisten. Und es sei höchste Zeit, dass auch Männer aus Europa diese uralten Handelswege beschritten.

Hatten sich die drei Venezianer der Stadt Balch mit hohen Erwartungen genähert, so wurden sie beim Einzug in das Herz der Stadt doch ein wenig enttäuscht. Allenthalben sah man, dass diese

Stadt ein zu großes Gehäuse war für die Menschen, die noch in ihr lebten. Das kam daher, dass im Jahr 1220 der furchtbare Dschingis-Khan mit seinen Truppen vor der Stadt erschienen war. Da Balch reich war, gedachten die Bürger die Tataren zu versöhnen und zogen ihnen bis weit vor die Mauern mit den herrlichsten Geschenken entgegen zum Zeichen, dass sie nicht zu widerstehen wünschten, sondern milde Herrschaft erbaten.

Aber Dschingis-Khan hatte zu viel von den Reichtümern der Stadt Balch gehört, und seine Truppen hatten zu lange durch unwirtliche Gegenden reiten müssen, um nun eine offen daliegende große Handelsstadt zu schonen. Obwohl die Menschen von Balch sich ergeben hatten, begann die Plünderung und ein fürchterliches Morden. Von diesen Untaten in der Stadt, denen tausende von Menschen zum Opfer fielen, hat Balch sich nicht mehr erholt. Zwar gab es wieder Handel und es gab wieder Läden, Unterkünfte und bewohnte Häuser in großer Menge. Aber – das versicherten alle, mit denen die Venezianer sprachen – das frühere Leben, das Leben vor Dschingis-Khan, das alte große Balch war es nicht mehr. Schon darum nicht, weil der Eroberer auch die riesige Moschee, eine der schönsten Moscheen der Welt, hatte niederbrennen lassen. Damit sei der Segen von der Stadt Balch gewichen …

Auch Marco schien zu empfinden, dass hier eine Stätte des Unheils sei. Vielleicht auch hatten ihn die Anstrengungen der letzten Tage zu sehr mitgenommen, er fühlte sich jedenfalls in Balch schlechter als selbst in Kirman und erlitt einen Rückfall. Maffeo und Niccolò waren ratlos, denn auf Balch hatten sie viel Hoffnung gesetzt, brauchten sie doch nach langem und furchtlosem Reisen auch ihrer Reisekasse wegen eine richtige Stadt, um ihre Mittel ergänzen zu können.

Auf der Suche nach heilsamen Tränken und kräftiger Nahrung für Marco gerieten Maffeo und Niccolò an einen Griechen, der behauptete, seine Vorfahren seien mit Alexander ins Land gekommen und unter den Nachfolgern des großen Makedonen bedeutende Männer in Balch gewesen. Das störte die Venezianer nicht, sie freuten sich, mit einem Menschen ihres Glaubens sprechen zu können und ihm ihre Nöte anvertrauen zu dürfen.

»Wenn hier in Balch jemand krank wird«, sagte der Grieche, »dann bleibt er nicht in der Stadt. Sie ist zu alt, sie hat zu viele Seuchen gesehen und zu viel Tod. Unsere Kranken gehen in die Berge von Badakhshan, wenige Tagesreisen von hier. Dort liegen kleine Dörfer in kalter, aber reiner Luft. Das Wasser ist das klarste und beste, das sich denken lässt, es gibt Milch von Ziegen und Kühen, Forellen aus den Bächen, Hirse, Buchweizen – einfache Kost, aber kräftig und unverdorben. Das Leben dort kostet so gut wie nichts, die Bauern sind an Gäste aus dem Tal gewöhnt und füttern sie gegen ein wenig Gerät, gegen ein paar Münzen oder eine schöne, warme Jacke gerne monatelang durch. Dort gebt euren Jüngling in Pflege und ihr werdet ihn genesen sehen!«

Auf dem Dach der Welt

Trotz der allgemeinen Gewohnheit, in Balch ausgiebig zu rasten, empfanden die drei Venezianer den Aufenthalt von nahezu einem Jahr zwischen Balch und Badakhshan als einen bedenklichen Aufschub ihrer Reise, und das Einzige, was sie tröstete, war die Nähe der Tatarenhauptstadt. Hätte sich in Karakorum etwas Entscheidendes ereignet, etwa ein Thronwechsel durch den

Tod Kublai-Khans oder ein Aufstand, so hätte sich die Nachricht davon gewiss sehr schnell bis Balch verbreitet.

Da sie nichts dergleichen gehört hatten, warteten sie nur noch die völlige Genesung des jungen Marco ab und die günstigste Reisezeit über die Hochpässe und brachen dann auf in eine Landschaft, die vom Flusse Pandsch durchströmt wird. In seinem Oberlauf trägt er den Namen Wachan-Darja nach dem Hochtal Wachan, in dem die Reisenden gemeinhin drei Tage unterwegs sind. Die Bewohner dieses Tales sind zwar Mohammedaner, aber sie sind an Karawanen gewöhnt und durch den Umgang mit so vielen Kaufleuten gesittet. Das hindert sie nicht, in Kriegen große Tapferkeit an den Tag zu legen und in Friedenszeiten außerordentlich tüchtige Jäger zu sein; ja sie bringen es sogar zuwege, wilde Tiere lebend zu fangen und in Käfigen an verschiedene Fürsten zu senden, die sich an den gefährlichen Bestien dann erfreuen.

Die kleine Gruppe der Venezianer mit ihren Dienern durchwanderte das Land Wachan und stieg danach in nordnordöstlicher Richtung immer weiter aufwärts. Berg um Berg musste überwunden werden; der Weg erklomm Hochpässe, die höher lagen als die höchsten Berge Europas, und senkte sich dann wieder, und endlich gelangte man auf einen Punkt, wo man unweigerlich den Eindruck hatte, man befände sich auf den höchsten Bergen überhaupt und somit gleichsam auf dem Dach der Welt. Die Pässe sind hier nämlich meist nur noch wenig eingeschnitten, so dass man nicht zwischen hoch aufragenden Gipfeln dahingeht, sondern weite Strecken auf der beinahe größten Höhe – wie auf dem First eines Daches.

Erstaunlich ist, dass es in dieser unwirtlichen Höhe noch einen großen See gibt und dank seiner Feuchtigkeit auch ausgedehnte

Weiden. Sie müssen sehr gut sein, denn das Vieh hier war fett, die Schafe erreichten eine außergewöhnliche Größe und reichsten Hörnerschmuck. Die Hirten boten den Durchreisenden allerlei Gerät an, das sie in den langen Wochen der Bergeinsamkeit aus dem mächtigen Gehörn der Widder geschnitzt hatten, nicht etwa nur Löffel, sondern auch Essgeschirr aus Horn, glatt, sauber und schier unzerbrechlich.

Da in dieser Höhe der Baumwuchs nur noch kümmerlich ist, muss das Schafgehörn auch für den Bau von Gehegen und Zäunen herhalten, doch erschien es den Venezianern zweifelhaft, ob solche Zäune imstande wären, die reißenden Wölfe von den Schafherden fernzuhalten. Die Hirten erzählten denn auch, dass ganze Wolfsrudel immer wieder über die Schafe herfielen und fürchterlichen Schaden anrichteten.

Die Gebeine der solchermaßen oder auf andere Weise verendeten Tiere dienen den Reisenden als wichtige Markierungen des Weges im Hochgebirge. Da es an Bäumen oder anderen Wahrzeichen fehlt, sind die grausigen Überreste gefallenen Viehs die einzigen Anhaltspunkte für Fremde, die hier den Weg suchen. Im Nebel oder in der Dämmerung ist es ein grausiges Dahinpilgern zwischen den Gebeinen, umbraust vom ewigen Wind des Hochgebirges und beunruhigt vom fernen Gekläff der Wolfsrudel.

Nicht weniger als zwölf Tage wallt man in dieser Höhe und Einsamkeit dahin, und da die wenigen Hirten, die man vielleicht antreffen könnte, keine Unterkunft zu bieten haben und von ihrer Nahrung nichts abgeben, muss sich jede Karawane selbst für etwa zwei Wochen mit dem Nötigsten versehen. Jagd ist nicht möglich – ein paar stinkende Iltisse, die sich beim Herannahen von Hufgeklapper in ihren Höhlen verstecken, wären die Ausbeute, nicht ein einziger Vogel. Denn obwohl hier oben niemand das

Leben der Vögel stören oder gefährden würde, gibt es keinerlei Federvieh auf dem Pamir.

Das Überraschende aber war, dass alle Speisen, die man aus Vorräten auf den Lagerfeuern zuzubereiten versuchte, sehr viel länger brauchten, um gar zu werden, ganz so, als habe das Feuer hier nicht die richtige Hitze und als koche das Wasser schon, ehe es die wirkliche Siedetemperatur erreicht habe. Aus all dem schlossen die Venezianer, dass das Leben in diesen Gegenden für Flachlandbewohner nicht ungefährlich sei, und beeilten sich, das Land Beloro zu erreichen.

Durch dieses Land Beloro ist man noch zwölf Tage lang in großer Höhe und entsprechender Kälte unterwegs. Die Menschen hier sind keine Mohammedaner, sondern Götzendiener und nennen sich Buddhisten. Sie leben in verstreuten, oft sehr ärmlichen Klöstern, erlegen wilde Tiere und kleiden sich in deren Häute. In manchen Gegenden von Beloro wird auch Gold, in anderen Silber aus den Bergen gegraben, doch kann es sehr viel nicht sein, sonst wäre das Land reicher.

Vor dem letzten Pass auf dem Wege nach Kaschgar vereinen sich die Karawanen, die aus den verschiedenen Richtungen über den Pamir heranziehen, um in der eisigen Höhe einander zu Hilfe kommen zu können. Die Venezianer freilich glaubten nicht so sehr an diese Hilfsbereitschaft wie an das gemeinsame Schutzbedürfnis, denn nur zu oft sind schon kleine Gruppen von Wanderern oder Pilgern hier in einem einzigen Schneesturm zugrunde gegangen. Auf diesen Höhen findet man keine Räuber mehr; Feinde des Menschen sind die grausame Natur und jene Geister abgeschiedener Wanderer, die in den Schründen neben der Passstraße kein Begräbnis gefunden haben und im wehenden Wind darüber klagen.

Unter den Reisenden, die zur Gruppe der Venezianer stießen, waren auch Kaufleute aus der Stadt Samarkand, die nach Kaschgar wollten und weiter ins Land der Seide. Auf dem langen Marsch zur Passhöhe erzählten sie von ihrer Stadt jene Leidensgeschichte, welche Marco Polo nun schon von Bagdad, von Balch und von Ormuz gehört hatte. Danach war Samarkand eine alte und hochberühmte Stadt gewesen, von der die Dichter Persiens und Arabiens nicht genug sprechen konnten, eine Stadt des Märchens und der Legenden, in der sich wundersame Dinge zutrugen. Viele Gelehrte lebten hier, unterrichteten an hohen Schulen und lasen das Schicksal der Menschen aus den Sternen. Vor dieser großen Zeit islamitischer Gelehrsamkeit soll Samarkand aber schon Alexander dem Großen bekannt gewesen sein, der hier in einem Gelage seinen Freund Klitus mit eigener Hand getötet haben soll.

Vielfacher Tod kam über Samarkand, als Dschingis-Khan im Jahr 1220 auch diese Stadt eroberte, doch litt sie darunter nicht so wie Balch, sondern erholte sich schneller durch den Handel. Die Männer, die dies alles erzählten, waren Juden. Sie berichteten auch, dass sie in Samarkand in einem eigenen abgeschlossenen Stadtviertel lebten. Nächst ihnen seien die Inder von Samarkand und einige Armenier die eifrigsten Kaufleute.

Nachdem jeder Reisende zu seinem Gott gebetet hatte, was eine Weile dauerte, ging die lange Karawane an den Aufstieg in die Höhen, wo die Luft dünn und die Kälte eisig wird. In den Nächten mussten Zelte aufgebaut werden, denn es war so kalt, dass man auch den Kopf nicht unbedeckt lassen konnte, und den Tragtieren mussten Decken übergeworfen werden. Am Morgen musste man sie erst eine Weile auf und ab führen, um das Blut wieder in Bewegung zu bringen, ehe man sie beladen konnte. Als man endlich auf der Passhöhe meinte, das Schlimmste überstanden zu haben, kam der steile Abstieg mit noch ärgerer Gefahr. Da war nicht daran zu denken, wie auf gewissen Alpenpässen, Reisende und Gepäck auf Schlitten oder Segeltücher zu packen und dann pfeilschnell talab gleiten zu lassen. Es wäre der sichere Tod in den Schluchten gewesen, deren Tiefe noch keines Menschen Auge erblickt hat.

Schritt für Schritt mussten die Tiere ihren Weg an den Abstürzen hingehen, und die Menschen wagten nur zu oft den Blick in die Tiefe gar nicht, um nicht vom Schwindel hinabgezogen zu werden.

»Das alles«, sagte Niccolò Polo zu seinem Sohn auf einer Rast, »nehmen die Menschen seit Jahrtausenden auf sich, um ein wenig Gewinn einzustreichen... Und da gibt es andere, die ein Leben hinter ihrem Obststand zubringen und die sich ebenso Kaufleute nennen wie wir...«

»Nicht nur Kaufleute wandern hier, Ser Polo«, mischte sich ein Jude aus Samarkand ins Gespräch, »wir machen den Weg oft, denn Samarkand und Kaschgar sind gleichsam Nachbarstädte und nur durch das Gebirge getrennt. Darum können wir euch sagen, dass wir hier oben schon Glaubensgenossen getroffen haben, die zu den Judengemeinden in China unterwegs waren, nur um des Glaubens willen, und vor allem Pilger, welche die alten Klöster des Buddhismus besuchen wollten, von denen allerdings nicht mehr allzu viele stehen.«

»Ohne die Kaufleute aber«, schloss Maffeo die Debatte, »wären diese Wege nie erschlossen worden und wären sie auch nicht gangbar. Die paar Pilger vermöchten sie nicht offen zu halten, ja sie würden vermutlich gar keine Karawanen bilden, die stark genug wären, solche Pässe zu überwinden.

Nach der eisigen Ödnis des Hochgebirges erschien den Reisenden aus Venedig die Stadt Kaschgar wie ein Garten von paradiesischer Schönheit. Sie begriffen, dass diese Stadt mit ihrem Umland früher ein selbstständiges Königreich gebildet hatte, lag sie doch allein unter den Bergen und in mächtiger Stellung, weil sich die Straßen der Seidenkarawanen hier zur Überquerung der Gebirge vereinigten. Einige Burgen um Kaschgar herum erinnerten noch an die alte Macht über die Wege, während Kaschgar selbst eine friedliche Handelsstadt geworden war, erfüllt von Mohammedanern, die hier jedoch bei weitem nicht so gut essen und trinken, wie sie es sonst gewohnt sind; denn sie sind zu schmutzig und zu habgierig, um ihre Speisen ordentlich zuzubereiten und sich die nötige Muße dazu zu gönnen. Dabei ist die Stadt von freundlichen Gärten und Hügeln umgeben, auf denen Wein gedeiht, und weite Felder mit Baumwollpflanzungen bilden die Grundlage für die zahlreichen Spinnereien und den Handel mit den Geweben.

Neben den Mohammedanern leben in Kaschgar viele nestorianische Christen, denen die Mohammedaner nichts zuleide tun; sie haben sogar eigene Kirchen, leben nach ihrem Glauben und reisen über die Gebirge zu anderen Gemeinden der Nestorianer im Osten und im Süden.

Fünf Tagesreisen von Kaschgar liegt eine weitere wichtige Handelsstadt an der Seidenstraße; sie heißt Yarkand und untersteht bereits unmittelbar dem Großkhan, also nicht mehr dem einen oder anderen seiner Verwandten wie die Städte Persiens oder des westlichen Turkestan. Hierher kommen die Karawanen aus Kabul, Kaschmir, der Dsungarischen Pforte und dem ganzen großen Becken, das nach dem Fluss Tarim genannt wird, der an Yarkand vorüberfließt. Er ist einer der merkwürdigsten Flüsse der Welt, denn er ändert seinen Lauf und verschwindet streckenweise ganz in der Wüste, um an anderer Stelle dann wieder aufzutauchen.

Was den Venezianern in Yarkand sogleich auffiel, das waren die vielen Kröpfe und Auswüchse, von denen die Bewohner befallen waren. Die vielen Fremden, die mit ihren Karawanen gekommen waren, schienen frei von diesem Übel. Die Juden aus Samarkand behaupteten, die Kröpfe kämen daher, dass die Bewohner von Yarkand ein womöglich noch schlechteres Wasser tränken als jene von Kaschgar, und das, obwohl der große Strom Tarim so nahe ist. Anders als die Könige von Chorasmien nämlich verstehen die Leute von Yarkand nichts vom Ableiten des Wassers. Sie haben vom Fluss zur Stadt ein paar Gräben gezogen, in denen Wasser bis hin zu einigen Teichen fließt. Aus diesen stehenden Teichen nehmen die Menschen dann das Wasser zum Trinken und Kochen, aber sie schütten auch allen Unrat in die Teiche und waschen darin ihre Wäsche, die stets voll Ungeziefer ist. Die Venezianer, wiewohl nicht gerade verwöhnt durch ihre Lagune, hüteten sich, auch nur einen einzigen Schluck von diesem Wasser zu sich zu nehmen, und hielten sich an den sauren und teuren Wein.

Waren die Reisenden von Kaschgar nach Yarkand noch am Gebirge hingezogen und über zwei Flussläufe gekommen, so erwartete sie nun, auf dem weiteren Weg nach Khotan, die Wüste, die Takla Makan genannt wird, ein böse klingender Name, den sich niemand zu deuten vermag.

Abermals begleiteten Gerippe den Weg der Reisenden, Gerippe von Tragtieren, aber auch von Menschen, und sie waren nicht hierhergelegt, um den Weg zu weisen, wie auf dem Hochland von Pamir, sondern sie stammten von zugrunde gegangenen Karawanen. Beunruhigt erkundigten sich die Venezianer, ob man denn tatsächlich auf dem richtigen Weg sei, aber die einheimischen Führer beteuerten, dieses sei die südliche Seidenstraße und der übliche Weg; es gebe zwar noch die nördliche Seidenstraße über Aksu und Kutscha, die nicht so öde und wegen häufiger Wasserstellen besser zu benützen sei, dort aber seien Raubüberfälle von Nomadenstämmen so häufig, dass die meisten Seidenkarawanen die südliche Straße vorzögen.

Da es sich nur um einen Weg von fünf Tagen handelte, fügten sich die Venezianer in das Unvermeidliche und gaben sich in Gottes Hand. Die Führer erzählten Maffeo und Niccolò, deren Vorliebe für Edelsteine sie bald herausgefunden hatten, wahre Wundergeschichten von Chalzedonen und von den Jaspissteinen, die man jenseits von Khotan in einem Flussbett finden könne.

Nachdem sie drei Tage gereist waren, verstummten aber diese Geschichten. Auch die Führer wurden unruhig, denn der Himmel bedeckte sich mit seltsam gelblichem Gewölk, und es trat eine völlige Windstille ein, die nichts Gutes verkündete. Am Horizont bildete sich ein grellweißes Rundfenster, aus dem die Sonnenstrahlen schräg über die Dünen hinglitten, als sei das Sandmeer der Takla Makan auf einmal in eine geheimnisvolle Bewegung geraten.

»Wahrt euch, ein Sandsturm«, riefen die Führer und begannen, sich die Gesichter zu vermummen, und beinahe im gleichen Augenblick begann ein hoher, singender Ton, die Luft zu erfüllen. Die Reiter duckten sich hinter den Hals ihrer Tiere und gaben ihnen die Sporen, als könnten sie auf diese Weise dem Sand entrinnen. Aber der Wind trieb dichte Böen aufgewirbelter Sandkörner viel schneller vor sich her, als je ein Mensch reisen könnte.

Es wurde so dunkel, dass Marco mit Mühe eben noch das Kamel sehen konnte, das vor ihm ging. Heißer Sand beizte die Augen und drang überallhin. Das hohe Singen in den Lüften wurde so grell, dass man sich die Ohren hätte zuhalten mögen, hätte man die Hände dafür freigehabt. Es war zu erkennen, dass eben dieses Singen den einheimischen Führern die meiste Angst einjagte, als verkünde es besonderes Unheil. Darum erkundigten sich die Venezianer vor allem nach diesen Tönen, als die Zone des Wüstensturms durchritten war und sie bei einem kleinen Wasserloch rasteten.

»Das sind die Stimmen …«, erklärte der Führer furchtsam und sah sich um, als ob aus der Nacht ringsum eine Hand nach ihm greifen und ihn am Weitersprechen hindern könne.

»Stimmen von – Geistern?«, fragte Maffeo, der das Tatarische besser sprach als Niccolò und Marco.

»Wir sagen nur die Stimmen. Niemand weiß, wessen Stimmen, ob die der Menschen, die in der Wüste zugrunde gegangen sind und mit ihren Gebeinen den Weg durch die Takla Makan weisen, oder die der Tiere, die am Weg verendeten, oder die der Menschen aus den einst blühenden Städten, denen der Sand zum Leichentuch wurde.«

»Aber diese Stimmen tun doch nichts … Es ist zwar unheimlich, sie in den Lüften zu hören, aber man braucht sie nicht wirklich zu fürchten?«

»Oh, doch!«, beharrte der Mann aus Yarkand. »Wir sind zusammengeblieben, das war unser Glück. Aber wehe, es bleibt einer im Sturm hinter der Karawane zurück oder verliert sie aus einem anderen Grund. Den locken die Stimmen dann vom Weg ab, führen ihn in die Irre, immer tiefer in die Wüste hinein, aus der es kein Entkommen gibt. Sie klingen im Sturm so täuschend wie menschliche Stimmen, dass jeder glaubt, die anderen riefen nach ihm, und gar nicht auf den Gedanken käme, dass es Geister oder Dämonen sind, die ihn narren. Bei Tag nehmen diese Geister sogar die Gestalten von Reisenden an und erscheinen dem Verirrten, um ihn immer tiefer in sein Verderben zu locken...

Wir haben es auch schon erlebt, dass neben der eigenen Karawane ganz deutlich der Hufschlag einer anderen ertönte; aber diese andere Karawane blieb unsichtbar, so nah sie auch zu sein schien.«

»Es ist wohl so, dass die Wüste schon viel gesehen hat, Kriege der Chinesenkaiser gegen die Hunnen, Kämpfe der Karawanen gegen die Räuber, Gesandtschaften, Pilger, Verirrte... Und die Takla Makan scheint die Gabe zu haben, davon eine Erinnerung zu bewahren.«

»Das ist es, Herr«, sagte der Führer voll Bewunderung und sah Maffeo an, als habe dieser eine Zauberformel gesprochen, »denn mehr als einmal haben wir Waffengeklirr aus der Luft gehört und das Wiehern der Kampfkamele. Hier ist ein sonderbares Land; die Flüsse und die Städte verschwinden, das aber, was sonst in der Ferne der Zeiten verschwindet, Menschenlaut und Waffenlärm, das hängt hier in den Lüften und weht im Wüstenwind über die Dünen hin – vielleicht für alle Zeit!«

Die versunkene Stadt Lou-lan

Am Ende der Wüste Takla Makan wird das Becken, das der Tarim mit anderen Flüssen bildet, ein wenig schmäler, und innerhalb der Wüste werden die Wasserstellen häufiger. Dieser für den Reisenden nicht mehr so beschwerliche Teil wird Wüste Lop genannt; im östlichen Teil sind große salzige Sümpfe und sogar eine See, Lop Nor.

Dieser Lop Nor ist als See so merkwürdig wie der Tarim als Fluss, denn er verändert seine Lage im Lauf der Zeit recht beträchtlich. Die Führer behaupteten, dass es Zeiten gab, wo der See drei Tagesreisen weiter nördlich lag, und andere, wo er sich weiter nach Süden ausdehnte. Die nördliche und die südliche Seidenstraße treffen sich in diesem unsicheren Gebiet, und es soll Jahrhunderte gegeben haben, in denen die Karawanen nicht südlich an dem See entlanggezogen sind wie zur Zeit des großen Kublai-Khan, sondern am Nordufer des Sees, der sich so weit nach Süden verlagert hatte. Das ist eines jener Dinge, die Marco Polos Landsleute einfach nicht glauben wollten und als eine Erfindung bezeichneten. Und doch ist es wahr; denn die Ufer dieses Sees sind nicht feste Felsenufer wie etwa am Benaco, den man auch Gardasee nennt, oder auch am Vansee, den die Venezianer am Armenischen Hochland kennengelernt hatten, sondern einfache Seeränder aus salzigem Sand, die der oft von Stürmen gepeitschte See abgräbt oder den die unterirdischen Flüsse durch die Strömung verändern.

Als die Venezianer durch diese seltsame Landschaft zogen, lag wohl wegen der Unsicherheit der Uferlinie keine Stadt in unmittelbarer Nähe des Sees. Niemand, der dort siedelte, hätte sicher sein können, sein Alter im gleichen Hause zu erleben wie seine Jugend. Aber ein Stück westlich des Seeufers trafen die Brüder Polo und Marco auf eine Stadt, die man Lop nannte oder auch das neue Lou-lan. Es war eine große Karawanenstadt mit einigem Betrieb; zahlreiche Kaufleute aus dem Inneren des Mongolenreiches bereiteten sich hier auf die schwierige Durchquerung der Wüste Takla Makan vor, andere aber waren eben aus der Wüste angekommen und rasteten eine Weile, um den Menschen und den Tragtieren die nach solchen Anstrengungen nötige Erholung zu gönnen.

Neben den Reisenden weilten hier auch tatarische Reiter, welche die nördliche Seidenstraße in streifenden Gruppen abreiten, um die Räuber aus den Nomadengebieten von den Karawanen fernzuhalten. Wegen all dieser Menschen war es nicht leicht, Quartier zu finden. Maffeo entlohnte die Führer aus Yarkand und erst dann machten sie sich auf die Suche nach einer günstigen Bleibe. Sie gedachten nämlich, von hier aus dem Großkhan Botschaft zu senden und auf seine Antwort zu warten, wo er sei und wohin er sie zu einem Zusammentreffen bestelle.

Da sich die Stadt das neue Lou-lan nannte, begehrte Marco Polo natürlich zu wissen, wo das alte lag und ob man davon noch etwas sehen könne. Aber die Menschen, die er in den nächsten Tagen danach fragte, bedeuteten ihm, dass vor mehr als tausend Jahren der See das alte Lou-lan verschlungen habe, der See oder der Salzsumpf, das ließe sich nicht genau sagen und sei im Übrigen auch manchmal ein und dasselbe.

Das alte Lou-lan war eine Karawanenstadt wie das neue und wie viele andere Städte an den beiden Seidenstraßen. Menschen konnten nur an den Rändern der großen Wüste leben, dort, wo die Wüste an die Berge stößt und von den Gebirgen Wasser herunterkommt in die Hochebene. Dieser Wasserplätze wegen hatten die Menschen schon früh begonnen, Häuser zu bauen und sesshaft zu werden, denn dort, wo Wasser so selten ist und weite Strecken ohne jeden Pflanzenwuchs sind, da ist das nomadische Leben nicht möglich. Die Hiungnu, von den Europäern Hunnen genannt, hatten jenseits der nördlichen Seidenstraße zwischen den Bergen, an den Flüssen und am großen Baikalsee ausgedehnte Weiden zur Verfügung, an denen sie mit ihren Zelten, Karren und Herden leben konnten. Von dort aus überfielen sie, wenn die Lust sie ankam, die Nordstraße zwischen Lou-lan und Kaschgar.

Um die Hiungnu zu befrieden und von ihren Überfällen frei zu werden, entsandte vor tausend Jahren ein chinesischer Kaiser eine liebliche Prinzessin als Braut eines Hunnenfürsten in dieses Gebiet. Sie war ihm – so erzählte man Marco Polo – eine brave Frau, aber sie war unendlich traurig. Sie sehnte sich nach dem Kaiserhof, nach den Eltern, den Gespielinnen und dem angenehmen Leben in den Gärten des Palastes. Der Hunnenfürst behandelte sie gut, aber er blieb darum doch ein Fürst eines Nomadenvolkes, und die kleine Prinzessin in ihrem Zelt, auf den Teppichen, inmitten der abgestellten Karren und der anderen Zelte, sehnte sich von Tag zu Tag mehr nach einer Stadt und nach richtigen Häusern.

Zuerst versuchte es der Fürst mit reichen Geschenken. Von seinen Raubzügen brachte er ihr herrlichen skythischen Schmuck mit, funkelnde Steine aus Persien, die kostbarsten Teppiche und Seidenstoffe, aber das alles schien ihr Verlangen nach einem anderen Leben nur noch stärker zu wecken.

Da der Fürst das zarte Mädchen aus dem fernen chinesischen Kaiserreich sehr liebte und nicht traurig sehen wollte, beschloss er, ihr eine Stadt zu schenken. Er bot sein ganzes Volk auf und ritt mit vielen Reitern gegen Lou-lan, das alte, das Mittelpunkt eines eigenen kleinen Königreichs am Salzsumpf war.

Trotz der Wehrbauern, welche die chinesischen Kaiser angesetzt hatten, und trotz der Generale, die sich in China aufmachten, um die Hiungnu zu vertreiben, hielt sich der Fürst eine ganze Weile in der Stadt Lou-lan, und die kleine Prinzessin war endlich glücklich. Das Leben auf dem Feldzug aber hatte ihrer Gesundheit geschadet, und vielleicht war auch die Luft am Salzsee und in der großen Höhe ihren schwachen Lungen weniger zuträglich als das gesunde Leben auf den weiten Steppen am Baikalsee; jedenfalls lebte die kleine Prinzessin nicht mehr lange. Sie starb in

Lou-lan, und man wickelte sie in ihre schönsten Stoffe, nachdem man ihren Leichnam einbalsamiert hatte. Man legte ihr die Gedichte der Sehnsucht, die sie geschrieben hatte, mit in den Sarg und bestattete sie in einem Hügelgrab.

Die drei Venezianer waren noch nicht lange im neuen Lou-lan, als eine Reitergruppe vom Großkhan eintraf. Sie brachte nicht die Antwort auf die Anfrage, die sie selbst losgeschickt hatten, sondern war vom Kublai-Khan aus eigenem abgefertigt worden, als er durch seine Späher erfahren hatte, eine Gruppe von Reisenden aus Europa, die ihn bereits kenne, sei unterwegs zu ihm. Da die Brüder Polo und Marco langsam reisten, hatte diese Nachricht, die bereits in Kaschgar ihnen vorausgeeilt war, den Großkhan viel früher erreicht als ihre Botschaft aus der Stadt Lou-lan.

Der Führer jener Abordnung näherte sich den drei Venezianern mit allen Zeichen der Ehrerbietung und überreichte zunächst drei der goldenen Tafeln, die Maffeo und Niccolò Polo bereits kannten und schätzen gelernt hatten. Danach aber bestellte er eine Nachricht, die eine kleine Enttäuschung in sich barg:

Der Großkhan halte sich zurzeit nicht in seiner Residenz Karakorum auf, sondern in der Sommerresidenz Schangtu in der Provinz Kaipingfu. Dies sei zwar einiges weiter als Karakorum, aber durch die Hilfe der entsandten Begleitmannschaft und die goldenen Tafeln hoffe der Großkhan, die Reisenden für diese Erschwernis ihres Weges zu entschädigen und ihnen ungefährdete Ankunft zu sichern. Vor allem sollten sie fortan keine Ausgaben mehr haben und alle Einrichtungen des Tatarenreiches nützen können, die ihnen die Reise zu erleichtern imstande wären.

Das klang recht tröstlich und bedeutete in gewissem Sinn wenn schon nicht das Ende der Mühen, so doch das Ende der Sorgen.

Sie brauchten nicht zu warten, bis eine ihnen zusagende Karawane in der gewünschten Richtung aufbrach, und noch weniger brauchten sie sich um etwaige Räubergefahr zu kümmern, denn das halbe Hundert Tataren, das Kublai-Khan entsandt hatte, war bis an die Zähne bewaffnet und bestand aus ausgesuchten Reitern seiner Leibgarde. Es war nicht anzunehmen, dass sich eine Schar von Wüstenräubern mit diesen Männern auf einen Kampf einlassen würde.

»Du siehst, Sohn Marco«, sagte Niccolò Polo, nicht ohne Stolz, »wie sich Herr Kublai unser annimmt. Er hat uns nicht vergessen, im Gegenteil, er wartet mit Ungeduld auf uns. Damit ist allerdings auch die Zeit des geruhsamen Reisens vorbei, denn die Tataren sind das eilfertigste Volk unter der Sonne und unruhig wie ihre Pferde. Hat der Kaiser einmal befohlen, dann gibt es kein Rasten mehr. Die Pferde werden gewechselt, denn von ihnen stehen genug bereit, aber unsere armen Ärsche können wir nicht austauschen, die müssen durchhalten ...«

Dennoch war Marco mit dieser Wendung ihrer Angelegenheiten durchaus einverstanden. Armenien und Persien, wo man viel gesehen hatte, Balch und das Hochland, wo das Verweilen ihm gutgetan hatte, das waren vertretbare Zeitverluste gewesen. Jetzt aber, in den wüstenhaften Weiten Innerasiens, da war es zweifellos das Beste, mit mongolischem Tempo zu reisen, in absehbarer Zeit anzukommen und erst danach zu ruhen.

Im Morgengrauen brachen sie auf und ritten scharf bis Mittag. Am Rastplatz hatte eine andere Truppe, die vorausgeritten war, bereits das Essen gekocht, sodass damit keine Zeit verloren ging, und sofort nach der Mahlzeit schwangen sich alle wieder in den Sattel.

Am Rastplatz für die Nacht waren – wenn es sich nicht um ein

Dorf handelte – die Zelte schon aufgestellt: praktische Rundhütten aus Filz auf zehn oder zwölf Pfählen, denn sie ließen sich nach der Rast wieder ganz klein zusammenrollen. Lagen die Reisenden nach der Abendmahlzeit auf ihren Decken im Zelt, dann taten ihnen die Knochen meist so weh, dass sie gar nicht gleich einschlafen konnten.

»So wirst du also Karakorum nicht sehen, Marco«, sagte Maffeo. »Nun, es ist nicht Konstantinopel oder Isfahan, aber es ist doch die Residenz des Großkhans und damit die Hauptstadt eines Weltreiches, wie es noch keines gegeben hat, seit Menschen auf der Erde leben.«

»Vielleicht gibt Kublai-Khan die Stadt überhaupt auf«, meinte Niccolò, »sie liegt doch ziemlich weitab, wenn er in China Krieg führt und das ganze südöstliche Asien erobern will, wie man uns überall erzählt hat.«

»Ich kann mir auch angenehmere Dinge denken als einen Winter in Karakorum, und es soll doch angeblich seine Winterresidenz gewesen sein in all den Jahren, seit wir ihn verlassen haben. Er hat Postlinien anlegen lassen und für schnelle Boten gesorgt, und in gewissem Sinn lag Karakorum ja mehr in der Mitte des Reiches als etwa Schangtu oder gar Kambalu, das schon nahe am östlichen Weltmeer gelegen ist...«

»Erzählt mir ein wenig von Karakorum«, bat Marco, »mich verlangt danach, mehr von einer Stadt zu wissen, die erst vor ein oder zwei Menschenaltern aus dem Wüstensand aufwuchs und vielleicht in zwanzig oder fünfzig Jahren unter diesem Sand wieder begraben sein wird!«

»Du gefällst mir«, sagte Maffeo, »wir sind Kaufleute und keine Gelehrten, wenn wir auch sehr wohl wissen, dass diese zweite Reise schon mehr eine diplomatische oder historische Mission ist als eine simple Handelsfahrt. Darum können wir dir von Karakorum nur sagen, was die Stadt in der Mongolenzeit bedeutete; ob vor Dschingis-Khan dort ein Dorf war oder nur eine Festung oder ein Übergang über den Orchonfluss, das weiß wohl niemand genau.

Dschingis-Khan jedenfalls hat seine Reichsversammlungen nach Karakorum einberufen, weil diese Stadt verhältnismäßig leicht zugänglich ist, vom Baikalsee aus, von der großen Wüste her und auch für alle, die durch die Dsungarische Pforte kommen. Ugèdai, ein anderer großer Khan, hat Karakorum dann mit Wällen und Gräben umgeben und die mächtigen Tore erbauen lassen, die wir auch gesehen haben. Er erbaute auch den rechteckigen Palast mit vierundsechzig hölzernen Säulen auf Steinfundamenten. In dieser Zeit entstanden wohl auch die Ziegelhäuser, die wir an den Straßen sahen, neben sehr viel Lehm- und Holzhütten, die sich gar nicht sehr hauptstädtisch ausnahmen und schon gar nicht in eine Hauptstadt der Welt passten.«

»Und die Menschen?«, wollte Marco wissen. »Wenn es eine Hauptstadt der Welt ist oder war, dieses Karakorum, dann müssten doch auch Menschen aus aller Herren Länder dort verweilt haben?«

»Nun, so ungefähr war es auch und wird es auch noch sein, denn schon Mangu-Khan hatte in Karakorum eine Menge Handwerker und Künstler aus den westlichen und anderen Ländern versammelt. Zum Beispiel erhebt sich vor dem Palast ein kunstreicher Baum aus Silber. Mit den Wurzeln reicht er in Fässer, mit den Zweigen gibt er die vier verschiedenen Getränke, die am Hof des Khans getrunken werden, nämlich Wein, Reisbier, gegorene Stutenmilch und Met. Diesen Brunnen, der ein Meisterwerk ist und noch einen Trompetenengel trägt, hat Maître Guillaume aus

Paris angefertigt, ein Goldschmied, der mit seiner ganzen Familie am Hof des Khans lebt; daneben trafen wir noch Lothringer, Ungarn, deutsche Bergleute und unter den Kaufleuten die übliche Mischung, beinahe so bunt wie in Täbris.

Mittelpunkt des Handels sind die Bazare im Sarazenenviertel, also im Wohngebiet der Mohammedaner. Dort findet der Wochenmarkt statt, zu dem alle Händler kommen. Das Chinesenviertel ist größer, aber dort wird nicht so viel gehandelt, dort sind die Werkstätten der Handwerker.

Verglichen mit Venedig oder mit Florenz, ist Karakorum ein Dorf; aber es gibt doch ein paar große Häuser, die sich die höheren Beamten des Khans erbaut haben, und vor allem gibt es viele Kirchen und Tempel, weil ja alle Religionen nebeneinander ihren Kult ausüben dürfen.«

»Keiner befehdet den anderen?«

»Keiner. Die Mongolenkhane scheinen sich für diese ganze Frage nicht sonderlich zu interessieren, und da sie in vielen Schlachten meistens Mohammedaner zum Gegner hatten, lieben sie den Islam nicht sehr. Das hält die eigentlichen Zeloten nieder und gibt den anderen die Freiheit, ihrem Glauben nachzugehen. Wir zählten zwölf Tempel der verschiedenen Nationen und Religionen, zum Gutteil mit den Götzen der Buddhisten vollgestellt, dazu zwei Moscheen und, am Rande der Stadt, eine christliche Kirche.«

»Schade«, sagte Marco, »das hätte ich gerne gesehen. Eine Kirche mitten in den mongolischen Bergen, tausende Meilen von Rom entfernt…«

»Ja, es ist schon eine merkwürdige Stadt«, pflichtete Niccolò Polo bei, »und schließlich haben wir jahrelang dort geweilt. Sehr praktisch fand ich die Märkte vor den Toren. Vor dem Osttor wurde allerlei Getreide verkauft, vor dem Westtor Schafe und Ziegen, vor dem Nordtor Pferde und vor dem Südtor Zugochsen und Wagen – es hat eben alles seine Ordnung im Mongolenreich, ein wenig barbarisch, aber zweckmäßig... Ach, wenn wir nun schon in Schangtu wären!«

In dem großen Zimmer des Gefängnisturms von Genua, in dem Marco Polo seinen Reisebericht diktierte, war es dunkel geworden, und Rustigiello sah beinahe nicht mehr, was er niederschrieb.

»Wenn Ihr gestattet, Ser Marco«, sagte er aufblickend, »so bin auch ich mit Eurem verehrten Herrn Vater der Meinung, dass sie nun endlich ankommen sollten. Wir wollen die Leser doch nicht auf die Folter spannen!«

Marco Polo, der mit langen Schritten auf und ab gegangen war und sich in Hitze geredet hatte, blieb überrascht stehen.

»Aber es *war* eine lange Reise, und nicht um das Ankommen geht es, sondern um die Länder, die durchwandert wurden.«

»Das habe ich bemerkt, Ser Marco. Ihr erzählt von den Ländern mehr als von Euren Erlebnissen. Ihr wisst, dass ich in Pisa hin und wieder etwas geschrieben und veröffentlicht habe, sogar ein paar Romane waren darunter. Darum gestatte ich mir in aller Bescheidenheit den Rat, Ser Marco: Würzt, pfeffert, salzt, sonst ermüdet eine so lange Reise selbst den, der sie nur im Lehnsessel mitmachen muss und unter der Leselampe!«

»Deine Rezepte gelten für Unterhaltung, da mögen sie gut sein. Ich will nicht unterhalten, sondern belehren, und mir geht es nicht um meinen Ruhm als Schriftsteller, sondern um die Nachrichten von einer einzigartigen Reise, von der ohne dieses Buch doch nur sehr wenige etwas erfahren würden. Was immer ich noch schreiben könnte, es könnte dem Schriftsteller Marco Polo nicht den Ruhm einbringen, den seine großen Reisen zu Land und zu Wasser ihm einbringen werden, sobald die Welt erst einmal davon erfahren hat.«

Rustigiello hatte die Feder niedergelegt und war ebenfalls aufgestanden.

»Verzeiht meinen Unverstand, Ser Marco«, sagte er, »Ihr habt natürlich recht. Wir Männer der Feder glauben immer, dass es auf die Worte mehr ankomme als auf die Taten, und das ist ein Irrtum. Nur – ganz ohne Worte blieben die Taten schließlich doch in ihrer Zeit gefangen und gingen mit ihr hinab. Denkt an Maître Guilleaume, den Goldschmied aus Paris. Der mit seiner Frau in Karakorum lebte; denkt an den venezianischen Kaufmann, von dem Ihr in Täbris hörtet, dass er dort die ganze Kolonie der Italiener begründete. Was hätten allein diese zwei Männer erzählen können, hätten sie sich dazu Zeit genommen, hätten sie nicht die Taten zu hoch über die Worte gestellt!«

ZWEITES BUCH

Vom Reich der Tataren

In der monatelangen Arbeit am ersten Buch seiner Aufzeichnungen hatte Marco Polo den Pisaner Rustigiello schätzen gelernt. Der Mann, der selbst von geistiger Arbeit gelebt hatte, bis er in genuesische Gefangenschaft geriet, kannte den für Marco Polo noch ungewohnten Prozess, Gedanken sich bilden zu lassen und sie in Worte umzusetzen. Er half durch seine verständnisvolle Gegenwart teils stumm, teils durch das richtige Wort im richtigen Augenblick. Und wenn sich auch Marco Polo noch nicht überzeugt hatte, ob tatsächlich alles so niedergeschrieben wurde, wie er es angesagt hatte, so war er doch sicher, dass die Feder Rustigiellos nichts entstellen würde, sondern höchstens da und dort ein wenig glätten und abrunden oder jene Eleganz in die fortschreitende Erzählung bringen, die dem Kaufmann Marco Polo doch nicht zu Gebote stand.

»Wir beginnen heute einen neuen Abschnitt, Marcantonio«, sagte Marco, als der Pisaner zur gewohnten Stunde, mit scharf geschnittenen Federn, mit Tinte und Wischblättern ausgerüstet, erschienen war.

»Ihr überspringt also ein paar hundert Meilen Wüste und Gebirge, vor allem da die Herren Tataren mit unseren armen Venezianern ohnedies in atemberaubender Schnelligkeit dahinreisen, sodass ihnen der Bericht kaum zu folgen vermag!«

»Nicht so sehr deswegen«, antwortete Marco, ohne auf den

ironischen Ton Rustigiellos einzugehen, »aber es scheint mir wichtiger, ein paar Worte über die Tataren selbst und über ihr Reich zu sagen als über den Reiseweg, den vielleicht so bald kein Europäer gehen wird, da Kublai-Khan ja inzwischen gestorben ist und seine Nachfolger gewiss nicht die Weisheit, Duldsamkeit und Fremdenfreundlichkeit an den Tag legen werden wie dieser große Kaiser.

»Ich mache also ein neues Kapitel und gebe ihm die Überschrift *Ci devise des Tatares et de leur vie* – Von den Tataren und wie sie leben«, sagte Rustigiello und begann, die Großbuchstaben zu kalligrafieren. »Ich hab's, Ser Marco, Ihr könnt beginnen ...«

Was Marco Polo von den Tataren wusste, hatte er zum geringeren Teil von seinem Oheim und seinem Vater, zum weitaus größeren Teil jedoch erst am Hof des Großkhans erfahren, als er selbst Ämter in diesem Reich ausübte und Befehle und Missionen für den Großkhan durchführte. Insofern greift er der Erzählung ein wenig vor, wenn er sich schon in diesem Augenblick, da er sich mit den beiden anderen der Stadt Schangtu nähert, über den Aufstieg der Tataren verbreitet und über die Gewohnheiten ihres Lebens, die sich so sehr von dem unterscheiden, was wir Europäer Leben nennen oder so zu nennen uns angewöhnt haben.

Die Tataren führten jahrhundertelang ein ziemlich einförmiges Wanderleben. Im Winter suchten sie mit ihren Herden, Wagen und Karren wärmere Gegenden auf, im Sommer die kühleren, die in den Bergen lagen und wo es auch in Trockenzeiten immer noch gute Weiden und Wasser für das Vieh gab. Auch achteten sie darauf, dass ihre Wohngegenden von stechenden Insekten frei seien, die das Vieh plagen.

Ist so ein Platz gefunden, so stellen sie ihre Hütten auf, die aus

Pfählen und Filzdächern bestehen und sich auf kleinen Raum zusammenrollen und schnell aufstellen lassen. Dabei bringen sie die Tür stets auf der Südseite an, weil es sich eben um keine richtige Tür, sondern um eine Öffnung handelt, durch die sonst der Nordwind pfeifen würde.

Für Zelte und Gerätschaften haben sie ungefüge Wagen mit vier Rädern, die von Ochsen gezogen werden und nur langsam vorwärtskommen. Für Frauen und Kinder haben sie jedoch ein anderes Fahrzeug, einen vorzüglichen Karren auf zwei Rädern, der mit Filz so gut ausgekleidet ist, dass man darin sehr gut einen ganzen Regentag reisen kann, ohne nass zu werden oder zu frieren. Diese Karren werden ebenfalls von Ochsen, oft aber auch von Kamelen gezogen. Die Familien führen darin das ganze Hausgerät mit sich, dessen sie bedürfen. Man muss gesehen haben, mit welcher Energie und Kunst junge Mongolenweiber zehn oder zwölf Gespanne vor solchen Wagen zu dirigieren vermögen und wie sie mit den stumpfsinnigen Zugochsen fertig werden, wenn der Weg auch noch so schwierig ist. Darüber hinaus verstehen sich die Frauen auch auf die Geschäfte, auf den Handel und auf alle Arten von Besorgungen, denn die Männer kennen keine andere Beschäftigung als den Krieg oder die Jagd, die sie mit ausgezeichneten Hunden und den besten Falken betreiben.

Die Nahrung der Mongolen verzichtet weitgehend auf die Feldfrüchte, weil sie ja nichts anbauen und auch keine Öfen haben, um Brot zu backen. Sie nähren sich von Milch und Fleisch, nicht nur von erlegtem Wild, sondern auch von einem kleinen kaninchenähnlichen Tier, das in Europa Pharaonsratte genannt wird und das auf den großen Steppen, in denen sich die Tataren bewegen, ungemein häufig ist. Aus der Milch von Pferdestuten verstehen sie, durch Gärung ein Getränk zu bereiten, das sie Kumis nennen und das den feinen säuerlichen Wohlgeschmack weißen Weines annimmt.

Besonders eindrucksvoll und beinahe überraschender als dieses einfache Leben war für die Venezianer jedoch der häusliche Friede, der in den Tatarenfamilien herrschte, obwohl manche Männer, zehn, zwanzig oder mehr Frauen hatten, denn das war dort gestattet. Durch das Leben mit den Herden kostet der Unterhalt der Frauen nicht viel, und sie arbeiten ja für ihren Gebieter, der sie wiederum mit großer Freundlichkeit behandelt. Die Tatarenfrauen sind treu und widmen sich völlig den häuslichen Geschäften und den Kindern, und da es wie gesagt viele sind, verteilen sich die Aufgaben, und es ist immer jemand da, der sich um die Kinder kümmert, was diesen begreiflicherweise sehr guttut und sie zu gesunden Menschen heranreifen lässt.

Die Frau, welche als Erste geheiratet wurde, genießt die höchste Achtung, und ihre Söhne haben wiederum den Vorrang unter der oft großen Kinderschar. Ehen zwischen Geschwistern sind verboten, doch darf ein Mann, dem der Bruder gestorben ist, dessen Witwe in sein Haus nehmen. Jede dieser vielen Hochzeiten wird ausgiebig und mit viel Getränk gefeiert, weil das Leben auf den Nomadenzügen im Übrigen ja ziemlich ereignislos ist.

Solange die Tataren in viele Völker aufgespalten waren, die ihr Vieh in den fruchtbaren Steppen vor den chinesischen Randgebirgen weideten, traten sie für andere Nationen kaum in Erscheinung. Der einzige kriegerische Stamm unter ihnen war jener der Hiungnu (Hunnen). Er machte den chinesischen Kaisern viel zu schaffen, die schon vor der Geburt Jesu Christi gegen die Hiungnu Krieg führen und Expeditionen aussenden mussten. Diese Hunnen wandten sich auch mit einem großen Heer unter verschiedenen Fürsten und zuletzt unter Attila gegen das Abendland.

Drei Vierteljahrtausende später stand wieder ein energischer Mann auf; er hieß Temudschin und hatte eine kleine Gruppe vornehmer Mongolen, die seine Freunde waren. Dieser Temudschin, Sohn des Yesukai, war etwa vierzig Jahre alt, als er im Jahre 1202 seinen ersten Sieg errang, und zwar über den christlichen Fürsten eines benachbarten Tatarenstammes (wie überhaupt manche Tatarenfürsten deutlich dem Christentum zuneigten, das ihnen viel näher stand als die Religion Mohammeds).

Vier Jahre darauf hatte sich Temudschin bereits alle Tataren der großen mongolischen Wüsten unterworfen und konnte einen Reichstag einberufen, auf dem er zum »Sehr mächtigen Khan« erwählt wurde, in der Tatarensprache Dschingis-Khan genannt. Damit begann nun der Abschnitt in der Geschichte der Mongolen, der für beinahe alle anderen Völker Eurasiens entscheidend und unheilvoll wurde: Dschingis-Khan Temudschin wandte sich nur kurz nach Osten, in die chinesischen Reiche, und begann dann seinen großen Eroberungsfeldzug in den vorderasiatischen Raum der mohammedanischen Fürstentümer und Kalifate.

Es gab damals einen Fürsten in Turkestan, der sehr mächtig war und in Dschingis-Khan nichts anderes sah als einen Barbaren und Emporkömmling. Dschingis-Khan wusste ganz genau, dass er diesen Fürsten besiegen müsse, wolle er sich den Weg nach Westen öffnen, darum sandte er zu ihm mit einem Ansinnen, das jener Fürst keinesfalls erfüllen konnte: Er bat durch seine Botschafter um die Hand der Erbprinzessin.

Als der Fürst von dieser Bewerbung erfuhr, sagte er (nach dem, was Marco Polo bei den Mongolen darüber erfuhr):

»Wie kommt solche Anmaßung über Dschingis-Khan, da er doch weiß, dass er mein Knecht ist, und es dennoch wagt, die Hand meiner Tochter zu verlangen? Eilt zurück zu eurem Herrn und sagt ihm, dass er elendiglich umkommen solle, falls er von seiner Bitte nicht zurücktritt!«

Obwohl Dschingis-Khan mit einer Ablehnung gerechnet hatte, erzürnten ihn diese Worte, die ihm getreulich berichtet wurden, und er sammelte vier gewaltige Heere, ein jedes zu hunderttausend Mann, manche sprechen sogar von vier mal hundertfünfzigtausend Mann. Die erste Armee befehligten seine Söhne Dschagatai und Ugedai und zogen vor die Festung Otrar im mittleren Sir Darja; das zweite und das dritte Heer hatten andere Aufgaben im Raum zwischen dem Persischen Meerbusen und der Kaspischen See, und die vierte Armee kommandierte Dschingis-Khan selbst, sie eroberte Buchara.

Als alle vier Heeressäulen ihre Aufgaben gelöst hatten, versammelten sie sich vor der Stadt Samarkand, in der jener hochfahrende Fürst residierte, und eroberten Stadt und Reich. Das war im Jahr 1221. Ein einziger mohammedanischer Fürst namens Dschelal Ad Din Mankburni leistete noch zehn Jahre länger Widerstand gegen die mongolische Übermacht.

Vor der großen Schlacht um Samarkand soll Dschingis-Khan, der an Sterndeuter und Zauberer glaubte, ohne eine richtige Religion zu haben, alle Hexenmeister, Propheten und Schamanen seiner Umgebung zusammengerufen und ihnen die Befragung eines Orakels anbefohlen haben, aber es müsse ein Orakel sein, das auch der einfachste Soldat verstehen könne.

Die Gilde der Schwarzkünstler begriff, was der Großkhan von ihnen erwartete, beriet eine Weile, und dann nahmen sie ein grünes Rohr. Dieses spalteten sie der Länge nach in zwei Teile und schrieben auf das eine Teil den Namen Temudschin des Dschingis-Khan, auf das andere den Namen Unkhan des Herrn von Samarkand. Danach setzten sie sich in einiger Entfernung voneinander auf den Boden und sagten zum Großkhan, die beiden Rohrteile würden während der nun folgenden Geisterbeschwörung durch die Macht der Dämonen aufeinander eindringen und miteinander kämpfen. Und der Sieg in der morgigen Schlacht werde dem zufallen, dessen Stück auf das des anderen steige.

Die Reiter Dschingis-Khans waren in einem weiten Rund versammelt, um den Kampf der Rohrteile sehen zu können. Die Zauberer saßen in der Mitte, und ihre Helfer saßen dahinter mit astrologischen Büchern und anderen Schriften, aus denen sie in einem fort vorlasen. Und plötzlich sah man die beiden Rohrteile sich bewegen; sie schwebten vom Boden empor und stürzten aufeinander los, aber schon nach kurzer Zeit sah man das eine, das den Namen Temudschin trug, sich über das andere erheben und schließlich daraufsteigen, sodass das andere unterjocht schien.

Als Dschingis-Khan und seine Tataren diesen Ausgang des Orakels erkannten, stimmten sie einen lauten Jubel an, warfen die Waffen in die Luft und gingen tags darauf in die große Schlacht mit der sicheren Zuversicht des Sieges. Unkhan selbst kam dabei ums Leben, das Reich fiel in die Hände Dschingis-Khans, und die stolze Erbprinzessin wurde eine der vielen Frauen des großen Khans. Sie musste sich noch glücklich schätzen, dass er sie nahm.

Nach dieser Schlacht eroberte Dschingis-Khan noch sechs Jahre lang mit gleichem Waffenglück weiter, bis er bei der Belagerung einer Burg im tangutischen Reich Hsia von einem Pfeil ins Knie getroffen wurde und im August 1227 starb. Sein gewaltiges Reich hatte er zuvor unter seine Söhne und Enkel verteilt.

Zur Zeit, da Marco Polo diese Worte über den großen Eroberer niederschreibt, sind bereits zwei Menschenalter seit Temudschins Tod vergangen, und man muss sagen, dass es kaum einen Heerführer gibt, der so viel Unglück über die Menschheit gebracht hat wie er. Sein großes Reich war ein Reich der Verwüstung, und die fleißigen chinesischen Chronisten haben errechnet, dass er durch den gnadenlosen Eroberungssturm seiner Armeen etwa fünf Millionen Menschen getötet hat. Nicht minder furchtbar als diese blutigen Opfer sind aber die Verluste an schönen Städten und herrlichen Bauten, an alten Schriften und blühendem Geistesleben in China, Chorasmien und im Zweistromland. Denn wenn auch die Mohammedaner kriegerisch und unduldsam gegen die Christenheit sind, so muss man doch zugeben, dass ihre Moscheen und ihre hohen Schulen eine Blüte des Bildungslebens eingeleitet haben, wie sie selbst in Europa nur wenigen Ländern zuteilgeworden ist. Das alles sank unter dem Triumphgeschrei der Tataren in Schutt und Asche, und die Menschheit wurde zwischen Kiew und Kanton um die Früchte jahrhundertealter Bemühungen gebracht – durch einen einzigen Mann und binnen weniger Jahrzehnte.

Wären alle Mongolenkhane wie Dschingis-Khan gewesen, die drei Venezianer, von denen unser Buch spricht, hätten den Weg nach Schangtu gewiss nicht angetreten. Aber unser Herr Kublai-Khan war aus einem anderen Holz. Er harrte geduldig seiner Gäste aus dem Westen, denn er war von chinesischen Lehrern gebildet und trotz seiner kriegerischen Tüchtigkeit ein Mann von hohen Gaben des Verstandes sowohl wie der Seele. Zwar hielt er mit Strenge und Entschlossenheit das große Tatarenreich, dessen oberster Khan er war, aber es bereitete ihm mehr Befriedigung, von allen Ländern, die er beherrschte, zu erfahren und Kenntnis aus ihnen zu ziehen, als dort wie ein Racheengel zu hausen und alles niederzubrennen, was die Menschen jener Länder erbaut und geschaffen hatten.

Einen Vorgeschmack der Annehmlichkeiten, welche die Venezianer erwarteten, erhielten sie bereits bei ihrer Ankunft in Schanganor, einer Stadt, die noch drei Tagesreisen von Schangtu, der Sommerresidenz des Großkhans, entfernt ist. Schanganor, auch Tschahan Nor geschrieben, liegt an einem hübschen See, der von vielen Enten, Schwänen, Kranichen und anderen Vögeln belebt ist.

Der Großkhan hat an jenem See ein Jagdschloss, das er gerne benützt, weil es ihm großes Vergnügen bereitet, hier mit Geierfalken und Sperbern zu jagen oder die Kraniche zu beobachten, von denen es hier nicht weniger als fünf Arten gibt, von den tiefschwarzen bis zu einer sehr großen grauen Art mit schwarzem Kopf und rotem Schnabel.

In der Nähe von Schanganor gibt es ein Tal, in dem Rebhühner und Wachteln sehr häufig sind. Ihnen lässt Kublai-Khan Futter streuen und hat sogar kleine Hüttchen für sie errichten lassen, in denen sie die Nächte zubringen können, wenn es kalt wird. Die Jagd auf diese Tiere ist bei strengster Strafe verboten, und wenn Kublai-Khan im Lande umherreist, lässt er sich Vögel aus diesem Tal überallhin nachbringen, wo er gerade Hof hält.

In diesem Palast kräftigten sich die Venezianer für die letzte kleine Strecke von drei Tagesreisen. So tief ins eigentliche China waren sie noch nie hineingekommen, und dennoch befanden sie sich noch immer nördlich jener großen Mauer, die vor den Mongolenkaisern von den Herren Chinas erbaut worden war, um die Räuberscharen abzuwehren.

Nachdem sie nun noch drei Tage lang in nordöstlicher Richtung gereist waren, erreichten sie die Mauern der Kaiserstadt Schangtu, was nichts anderes heißt als »Residenz des Herrschers«. Tatsächlich hat, wie die Führer den Venezianern erzählten, erst Kublai-Khan diese Stadt zu seinem Vergnügen und zu seinem Gebrauch erbauen lassen. Darüber wunderten sich die Venezianer, gibt es doch nirgends auf der Welt mehr und größere Städte als in China. Aber im Norden Chinas, in den weiten Wüsten, hatte es eben an Palästen und Verwaltungsgebäuden für einen so großen Herrn gefehlt. Vielleicht war es auch die Nähe warmer Quellen, die den Großkhan zu diesem Entschluss gebracht hatte, und die großen Jagdreviere, die sich unweit von Schangtu ausbreiten. Ähnlich wie Karakorum war auch Schangtu leicht zugänglich und bot viel Raum für die Zeltlager der Mongolenkhane, wenn diese zu Festversammlungen oder Beratungen über die Schicksale des großen Reiches hier zusammentrafen.

Nach ihrer Ankunft in dem marmornen Palast des Großkhans führten Diener die Venezianer zunächst in die Zimmer, in denen sie Wohnung nehmen sollten. Ihre Tragtiere und jene Diener, die in ihrer Begleitung den weiten Weg aus Venedig mitgemacht hatten, wurden ebenfalls untergebracht und alles Gepäck in die Zimmer geschafft.

Man brachte Waschwasser, erfrischende Getränke und einige Speisen und bedeutete den Venezianern, sich alle Muße zu gönnen. Der Großkhan werde sie nämlich festlich empfangen, im Beisein seiner Würdenträger und der Hofbeamten, und das sei an diesem ersten Tag nicht mehr möglich.

Maffeo und Niccolò sah man die Erleichterung an darüber, dass diese weite Reise im Ganzen doch gut vonstatten gegangen sei und dass trotz der Länge der Reise und des hohen Alters ihres Herrn Kublai-Khan dieser noch am Leben und bei guter Gesundheit war und ihnen offensichtlich nicht verübelte, dass sie so lange gebraucht hatten.

Marco aber bestaunte die Zimmer, in denen sie sich aufhielten. Das war nicht verwunderlich nach den vielen Monaten der Reise, in denen sie bestenfalls eine enge Stube oder ein Eckchen in einer Karawanserei für sich gehabt hatten und zuletzt nur noch Zelte oder ganz einfach den hohen Sternenhimmel.

Sie ließen sich auf ihre Lager nieder, die nicht so üppigweich waren, wie es in den Palästen der Kalifen der Fall gewesen sein mochte, aber doch auch nicht so spartanisch wie in den mongolischen Poststationen. Das Reich der Mitte empfing seine Gäste mit einer durchaus annehmbaren Fürsorge für den Leib und die Glieder, und die kühlen Getränke, die auf kleinen Tischen zwischen den Betten standen, taten ein Übriges, um die drei Kaufleute in die beste Stimmung zu versetzen.

Am anderen Morgen gaben Maffeo und Niccolò dem jungen Marco einige Verhaltensmaßregeln. Vor allem geboten sie ihm, sich beim Betreten des Saales sogleich zu Boden zu werfen und Seine Majestät Kublai-Khan gar nicht erst anzusehen, denn dies könnte vor allem bei einem so jungen Menschen wie Marco als Frechheit ausgelegt werden. Sie dürften alle drei der Gnade Kublai-Khans sicher sein, aber die Tatarensitten müssten eben befolgt werden, und das sei weiter auch nicht schlimm.

Gegen Mittag erschienen Diener, welche die Venezianer abholten und durch den Palast zum Thronsaal führten. Dabei hatte Marco Polo Gelegenheit, aus den Fenstern zu blicken und die eigentümliche Anlage des Palastes zu erkennen, der sich mit einer Fassade zur Stadt öffnete, mit der anderen aber auf die umliegende Ebene. Da die Mauern rund um die Stadt liefen, schien er der einzige Durchgang von der Stadt hinaus in das Umland zu sein.

Die Gänge waren lang und wohlgepflegt; neben Marmor war

auch allerlei anderer Stein verwendet, und bisweilen lag ein zarter Duft in den Räumen wie von Räucherwerk oder verbrannten edlen Hölzern. Endlich langten sie an den großen Türflügeln an, die sich auf den Thronsaal öffneten. Sie schwangen, so schwer sie waren, lautlos beiseite, und die drei Venezianer sahen ihren Herrn Kublai-Khan auf dem Thron in seiner Herrlichkeit, umgeben von reich gekleideten Großen seines Vertrauens und den höchsten Beamten der Residenz.

Sogleich warfen sich die drei zu Boden, sodass ihr Gesicht auf den Estrich zu liegen kam, aber schon nach einem kurzen Augenblick griffen ihnen die Diener unter die Arme zum Zeichen, dass Seine Majestät sie in Gnaden aufnehme und vor sein Antlitz treten lasse.

Während Maffeo und Niccolò nach so vielen Jahren vor Rührung kaum sprechen konnten, sah man den Zügen des Kaisers keine besondere Bewegung an. Aber er zeigte sich sehr gnädig und bewies, dass er alles im Gedächtnis behalten habe. Maffeo und Niccolò, die sich ihre Worte in den letzten Tagen schon ein wenig zurechtgelegt hatten, berichteten in tatarischer Sprache über alles, was ihnen auf der Reise nach Venedig, danach in Europa und Akkon und schließlich auf der Reise von Akkon nach Schangtu widerfahren war.

Sie brachten dies alles nicht zu ausführlich vor, aber da eben viel zu erzählen war, währte es doch eine Weile, und es war ein Glück, dass sie es in der tatarischen Sprache taten, denn ein Dolmetsch hätte den ganzen Bericht zweifellos über Gebühr verlängert.

Als sie geendet hatten, erkundigte sich Seine Majestät genau nach dem Papst und nach dessen Worten. Nun wurde das Schreiben Gregors X. hereingebracht und dazu auch gleich die Geschenke, die Seine Heiligkeit für den Großkhan der Mongolen bestimmt hatte, sowie das Gefäß mit dem Öl vom Lämpchen des Heiligen Grabes. Seine Majestät nahm diese Kostbarkeit mit der gebührenden Ehrfurcht in Empfang, bedankte sich dafür und gab Befehl, es mit religiöser Sorgfalt aufzubewahren.

Und nun erst, da dies alles gesprochen und getan war, bemerkte Seine Majestät den jungen Marco, erkannte, dass es sich um keinen Diener handeln könne, da er mit in den Thronsaal gekommen war, und erkundigte sich nach dessen Namen und Eigenschaften.

»Dies, Eure Majestät, ist mein Sohn Marco und Diener Eurer Majestät«, sagte Niccolò Polo.

Da ging ein kleines Lächeln über das Gesicht des Monarchen. Er winkte Marco zu sich, betrachtete ihn aus der Nähe und sagte dann zu einem Würdenträger, der zur Linken des Thrones stand:

»Dieser Jüngling gehört fortan zu meinen Ehrenbegleitern und steht unter meinem persönlichen Schutz.«

Kublai-Khan und seine Taten

Für Marco Polo begann nun ein völlig unerwartetes Leben: Noch nicht zwanzig Jahre alt war er bereits Würdenträger, und es war zu erkennen, dass der Großkhan noch mancherlei mit ihm vorhabe. Selbst Dschingis-Khan, der bis ins reife Mannesalter eine Abneigung gegen Schreiber, Beamte und Gebildete gehabt hatte, war schließlich wegen der Ausdehnung seines Reiches gezwungen gewesen, einen in China gebildeten Mongolen als Kanzler einzusetzen, der ihm viele Angelegenheiten abnahm. Kublai-

Khan war von vornherein ganz anders geartet als der große Eroberer und fühlte sich darum zunächst zu Maffeo und Niccolò Polo hingezogen, die ihm eine ganze, ihm unbekannte Welt nahebrachten. Als die beiden nun mit einem jungen Mann von angenehmem Äußeren zurückkehrten, der bildsam war, liebenswürdig und lernbegierig, erwachte in dem Monarchen das Verlangen, sein Vertrauen diesem jungen Menschen schenken zu können, der als Fremder in keiner aller höfischen Intrigen stand und mitten in Asien keine andere Stütze und Hoffnung haben konnte als eben ihn, den Großkhan…

Reicht dies vielleicht auch noch nicht aus, um zu erklären, dass der mächtigste Herrscher der Welt dem jungen Venezianer so viel Zeit und Aufmerksamkeit widmete, so kann es doch den Beginn einer Freundschaft erklären, die von der einen Seite väterlich war, von der anderen aber Verehrung. Ein gewisses Mitteilungsbedürfnis, wie es bedeutende Menschen vor allem im Alter überkommt, mag mitgesprochen haben, konnte sich doch Kublai-Khan, ohne eine Einbuße an Autorität befürchten zu müssen, keinem Tataren am Hofe in dieser Weise mitteilen.

Die Stätte, in der die beiden ungleichen und doch einander suchenden Männer das Band ihrer Freundschaft knüpften, waren die Gärten des neuen Palastes zu Schangtu, wobei man, nach der Vorliebe Kublai-Khans, eigentlich nicht von Gärten, sondern eher von einem großen Wildpark sprechen müsste. Zwar gab es Zierteiche, Lusthäuser auf Säulchen und mit Pagodendächern, Lauben und Rabatten in diesem Park, so als ob ihn einer der besiegten Kaiser angelegt hätte; es überwogen aber die ausgedehnten Wiesen, durch die zahlreiche Bäche flossen und auf denen sich zahlreiches Wild tummelte: Damhirsche, Rehe und Böcke, Kleintiere, Falken, Sperber und andere Vögel.

Reitet der Großkhan durch diesen Park, so werden abgerichtete Geparden auf anderen Pferden mitgeführt, die dicke Schabracken tragen, damit die Krallen der Raubtiere sie nicht verletzen. Auf ein Zeichen des Kaisers werden die Geparden dann losgelassen und erjagen eine Ziege, einen Damhirsch oder ein anderes Tier. Es belustigt Kublai-Khan, diesem Wettrennen zuzusehen, bei dem es zumindest für das fliehende Tier stets um Leben und Tod zu gehen pflegt.

Marco fand dieses Spiel sehr grausam, und als eines Tages eine besonders schöne Hirschkuh das Opfer der Geparden wurde und sich schon niedergebrochen in ihrer Todesnot an Marco Polo zu wenden schien, um gerettet zu werden, fasste er sich ein Herz und bat den Großkhan, ihm dieses Tier zu schenken.

Es bedurfte nur eines kaiserlichen Winks und die Geparden wurden zurückgepfiffen, an die Leinen gelegt und sprangen wieder auf die Pferde. Die Hindin aber erhielt ein Halsband zum Zeichen, dass sie künftig verschont werde, weil sie Marco Polo, dem Ehrenbegleiter des Kaisers, gehöre.

Tags darauf wurde Marco nicht zur Teilnahme am morgendlichen Jagdritt befohlen, erhielt aber die Aufforderung, in einem der Lusthäuser mit Seiner Majestät den Nachmittagstee zu trinken.

Marco kannte den Bau, er lag in einem Hain auf einem kleinen und vermutlich künstlichen Hügel, sodass stets eine angenehme Luftbewegung herrschte. Das Dach ruhte auf vielen zarten Säulen, die vergoldet und zudem noch bemalt waren, und an jeder Säule saß ein hölzerner Drache, der ebenfalls vergoldet war und seine Flügel drohend entfaltete als Symbol kaiserlicher Macht. Das leichte Gebäude mit seinem Bambusdach war mit Seilen am Boden und an Bäumen vertäut, um nicht wegzufliegen, wenn ein starker Wind plötzlich über Schangtu hereinbricht; ja das ganze kleine Wunderwerk war zerlegbar und konnte anderswo wieder aufgebaut werden. Seine Majestät hatte sich nämlich an dieses Lusthaus mit seiner luftigen Bauweise schon so gewöhnt, dass er es bei sommerlichen Reisen stets mitführen ließ, um darin seine Unterhaltungen pflegen und kleinere Besprechungen abhalten zu können.

Damit kein fremdes Ohr zuhöre, besorgten die Bedienung einige von den jüngeren Frauen des Kaisers selbst, und Marco lernte auf diese Weise die eine oder andere aus der zweihundert Damen zählenden Schar kennen. Nicht zu Gesicht bekam er jedoch die vier Kaiserinnen, die legitimen Gattinnen des Monarchen, deren Söhne erbberechtigt waren.

Die Nebenfrauen kamen alle aus der Provinz Kungurat, einer tatarischen Landschaft, deren Bewohner durch helle Haut und edle Gesichtszüge auffallen. Marco Polo fühlte sich in der stummen Gesellschaft dieser Tatarenmädchen, die den Tee brachten und Kühlung fächelten, wohler als in der großen Hofgesellschaft, in der er immer einer der Jüngsten war.

Der Kaiser wirkte gelöst und freundlich, er gab sich der erfrischenden Brise hin, die durch das Lusthaus strich, und erkundigte sich leutselig nach dem Befinden von Maffeo und Niccolò, die Kublai-Khan seltener sah. Die beiden hatten alle Freiheit, sich in Schangtu oder auch der Umgebung zu bewegen. Plötzlich setzte Kublai-Khan die Tasse ab, winkte Marco heranzurücken und sagte:

»Gestern hast du einen Fehler gemacht. Weißt du, welchen?«

Marco errötete, antwortete aber sofort:

»Ich habe Eure Majestät erzürnt, weil ich in den natürlichen Ablauf der Jagd eingriff...«

»Du hast mich nicht erzürnt, denn ich habe wie du den Blick

der Hindin bemerkt, und wir Tataren glauben an die Seele im Tier viel stärker als ihr Christen. Nicht dass du diese Regung des Mitleids empfunden hast, war dein Fehler, sondern dass du ihr nachgeben musstest auf die Gefahr hin, deinen Gönner und Herren zu erzürnen – erkennst du den Unterschied?«

Marco nickte nur; er begriff, dass der Mann neben ihm, den er immer im Palast, in den Gärten, auf der Jagd, aber seit dem ersten Tag nie mehr auf dem Thron gesehen hatte, etwas ganz anderes sei als ein weiser Lehrer oder Lehrherr oder ein väterlicher Mentor. Kublai-Khan war der Kaiser, er war das Gesetz für viele Millionen Menschen und für einen ganzen Erdteil, und Marco hatte sich eingebildet, dieses Gesetz würde für ihn, den Jüngling aus Venedig, einen Umweg, eine Ausnahme, etwas ganz Besonderes tun.

»Bei meinem Bruder und Vorgänger Mangu-Khan«, fuhr der Kaiser fort, »hätte dich eine Bemerkung wie die von gestern seine Gnade gekostet und wohl auch sein Interesse. Du wärst ihm fortan gleichgültig gewesen. Denn ein Großkhan kann keinen Diener brauchen, der seine Gefühle sprechen lässt. Bei unseren Gefühlen versuchen sie uns alle zu nehmen, bei unseren Gefühlen versuchen sie anzupacken, die Schmeichler und die Zauberer, die Orakelpriester und die Gaukler, die geheimen Rebellen und die Verwandten, die nur auf eine Gelegenheit warten, uns vom Thron zu stürzen. Darum muss ich es mir hundertmal überlegen, ehe ich ein Gefühl zeige, und um die Wahrheit zu sagen – ich habe es mir so gut wie abgewöhnt. Sie alle, die mich umgeben und belauern, erfahren nichts mehr von mir; ich achte die Überlieferung der Tatarenkhane, ich achte die Bräuche, wie sie meine Vorgänger eingeführt haben und wie vor allem die Armee sie gewöhnt ist. Im Übrigen aber, Marco, kämpfe ich auf dem Thron unsichtbar weiter, so wie ich für alle sichtbar gekämpft habe, als ich mir diesen Thron eroberte!«

»Er fiel Euch nicht zu, Majestät?«, wagte Marco zu fragen.

»Mir fiel die Möglichkeit zu, um ihn zu kämpfen, das war alles. Ich weilte gerade in China, hatte einen Feldzug beinahe zu Ende geführt und verhandelte mit dem Kaiser über den Frieden, als mich die Nachricht vom Tod meines Bruders, des Großkhans, erreichte. In Karakorum, wo Mangu starb, stand das Heer unter der Führung von Arik-Buga, einem meiner jüngeren Brüder. Wir haben eben alle viel zu viele Frauen, und diese Frauen haben viel zu viele Söhne ...«

Kublai-Khan versank so lange in Gedanken, dass Marco schon glaubte, das Gespräch sei beendet. Plötzlich aber hob der Kaiser den Kopf, lächelte verschmitzt und sagte in ganz verändertem Ton:

»Was hättest du getan an der Stelle des jungen Arik-Buga, an der Spitze von hunderttausend Reitern? Hättest du dich von vornherein dem fernen Bruder unterworfen, der irgendwo in China Krieg führte und noch gar nicht wusste, dass er der neue Großkhan sei? Ich nicht. Ich hätte gehandelt wie Arik-Buga. Und da ich gehandelt hätte wie er, wusste ich auch ohne Späher, was er tun würde. Noch nie hat einer von diesen weichlichen Chinesenkaisern so schnell einen so guten Frieden erhalten. Ich musste Schluss machen, ich brauchte meine Soldaten. Das ganze Heer wandte sich nach Norden, und ehe Arik-Buga es sich versah, waren wir über ihm. Er hatte sich in einer Reichsversammlung der nördlichen Reichsteile zum Kaiser ausrufen lassen, mich hatte eine Versammlung anderer Provinzen zum neuen Großkhan erhoben. Was hatte das schon zu sagen? Hätte ich nicht von Kindesbeinen an alle Feldzüge mitgemacht, die ich nur mitmachen konnte, hätte ich nicht gewusst, wie man eine große Armee schnell durch unwegsames Land führt und unbemerkt an den Gegner bringt, all meine höhere Bildung und vor allem mein Thronanspruch hätten mir nichts geholfen. So aber siegte ich über Arik-Buga; ich siegte immer wieder und schlug ihn, wo immer ich ihn traf; nur dadurch wurde ich zum Kaiser der Mongolen!«

»Könige und Gegenkönige gibt es wohl in Europa auch«, erzählte Marco, da er den Eindruck hatte, dass der Kaiser nun seine Meinung zu hören wünsche, »aber zum Kaiser wird der König des Römischen Reiches durch die Krönung, die der Papst vollzieht. Das ist eine heilige Handlung in einer römischen Kirche, und der Kaiser kniet dabei vor dem Papst, weil der Kaiser die weltliche Gewalt vertritt, der Papst hingegen die himmlische!«

»Das ist sehr schön... das gefällt mir sogar außerordentlich«, sagte Kublai-Khan. »Es wäre mir eine große Erleichterung, wenn es eine zumindest geistige Macht über der meinen gäbe, irgendetwas, einen Mann oder auch eine Gruppe von Männern, einen Eremiten oder eine Runde von Weisen, die zwischen mir und den Göttern stehen, Männer, deren Weisheit mich gegen die Dämonen des Irrtums, des Jähzorns, der Rachsucht oder der bloßen Gier abschirmen. Aber sieh sie dir doch an, diese Zauberer, die sich Priester, Schamanen, Weise, Gurus, Lamas und so weiter nennen! Sieh sie dir an, wenn sie behaupten, sie könnten die Gewitter von meinem Palast fernhalten, oder wenn sie das Stutenmilchopfer zelebrieren oder wenn sie Gauklerkünste aus dem Reiche Simsalabim vorführen, um mich glauben zu machen, dass sie im Besitz höheren oder geheimen Wissens seien, bloß weil sie irgendwelche Flüssigkeiten geschickt in irgendwelche Gläser praktizieren können...!«

»So glaubt ihr also nicht an all das, an die Sterndeuter und die

Weisen aus Tibet und das Stutenmilchopfer … Wo doch Eurem großen Vorfahren Dschingis-Khan die Propheten mit den beiden Pflanzenstängeln ganz richtig den Ausgang der Schlacht um Samarkand vorausgesagt haben?«

Kublai-Khan lachte und lehnte sich in seinem weichen Sitz zurück. Auf das kaiserliche Lachen hin waren zwei der Kungurat-Mädchen herbeigehuscht und hatten eine neue Kanne duftenden Tee auf den Basttisch gestellt, die Tassen ausgetauscht und die frischen mit heißem Tee gefüllt.

»Dschingis-Khan«, sagte der Kaiser leise, als vertraue er Marco ein Geheimnis an, »war der letzte, solchem Humbug zu vertrauen. Die Herren Propheten wussten ganz genau, was er erwartete und dass sie das Abendrot nicht mehr sehen würden, wenn sie mit den beiden Orakelstängeln ungeschickt hantierten … Nein, so einfach ist es nicht. Magie wäre dann eine Kunst, die das Leben zwingt, aber das Leben ist wild wie unsere Pferde, und der Raum unseres Lebens ist endlos. Nur Chinesen oder Europäer, diese sesshaften und gläubigen und der Zukunft vertrauenden Völker bauen Häuser und bauen Mauern um die Städte, ja sogar quer durch die Gebirge. Wir Tataren vertrauen nur der Schnelligkeit unserer Pferde, der Härte unseres Lebens, der nie erlahmenden Wachsamkeit, zu der uns die Heimatlosigkeit erzogen hat. Ich habe Karakorum aufgegeben, als ich fühlte, wie die Sesshaftigkeit mich bequem und lässig machte; ich werde Schangtu aufgeben, weil ich fühle, dass ich hier lebe wie der Kaiser von China, jener, den wir geschlagen haben und den wir nicht an der Spitze seiner Truppen antrafen, sondern an einem lieblichen Teich in der Gesellschaft von zwölf lieblichen Frauen. Dort ist er jetzt noch; es war überflüssig, ihn zu töten, er hatte längst aufgehört, eine Gefahr zu sein.«

Kublai-Khan erhob sich und ging die wenigen Stufen in den Park hinunter; Marco Polo folgte ihm, einen halben Schritt zurück, wie die Etikette es vorschrieb.

»Ein Kaiser aber«, fuhr Kublai-Khan fort, »ein Kaiser muss eine Gefahr sein. Immer. In dem Augenblick, da er das nicht mehr ist, bringen sie ihn um, setzt ein Wettrennen ein, ihn umzubringen.«

»Darf es auf dem Thron der Großkhane, hier im Tatarenreich, also keine gütigen Herrscher geben?«, fragte Marco leise.

»Was heißt Güte?«, fragte Kublai-Khan zurück. »Die Güte eines Herrschers ist die Gerechtigkeit. Ich herrsche nicht willkürlich. Ich habe die Gesetze aufschreiben lassen, wie es Dschingis-Khan begann. Sie werden angewendet, weil man mich fürchtet, sie werden geachtet, weil man mich fürchtet. Würde sich der Ruf meiner Güte verbreiten, so wären alle meine Gesetze nicht besser als Kamelmist, den man ins Feuer wirft.«

Nach dieser Teestunde ging Marco Polo noch lange durch den Wildpark. Das denkwürdige Gespräch mit Kublai-Khan hatte ihn unsicher gemacht, und er wusste nicht recht, was er denken und tun sollte. Er fühlte, dass er in einer Welt weilte, in der die Herrschaft der Liebe und der Güte, wie sie zu Hause in Italien von den Kanzeln gepredigt wurde, noch nicht eingetreten war und vielleicht nie eintreten würde. Er hoffte, dass aus irgendeinem Dickicht die schöne Hindin hervorbrechen würde, um ihre Wange an ihm zu reiben, ja dass sie ihm die Rätsel dieser neuen Welt lösen würde wie die sprechenden Tiere des Märchens. Aber solang er auch ging, er wurde nur von Sperbern umschwirrt, die mit gellenden Schreien herniederstürzten, und er sah nichts anderes als Gier, Mordlust und atemlose Flucht.

In dieser Stimmung begab er sich zu jenem alten Chinesen aus der Stadt Charbin, der ihn auf Geheiß des Kaisers in der chinesischen Sprache und in dem wichtigsten Mandschu-Dialekt unterrichtete. Er hieß Tin-Pao und hatte sich mit dem jungen Venezianer beinahe noch schneller angefreundet als der Kaiser selbst.

»Meister Tin«, sagte Marco nach der Begrüßung, »heute hat mir Seine Majestät eine Lektion erteilt und ich möchte mit dir darüber sprechen. Ich glaube, da ist manches, was die Tataren und die Christen trennt, dann nämlich, wenn die Tataren echte Tataren und die Christen echte Christen sind.«

Der weise Chinese hörte sich geduldig alles an, lächelte und sprach tröstend zu Marco:

»Ich kenne den Grund deiner Unsicherheit, Marco«, sagte er, »er liegt ganz einfach darin, dass der große Herr und Kaiser, den du schon ein wenig liebst und den zu lieben du entschlossen bist, dich zum ersten Mal enttäuscht hat. Du kannst dir Fürsten nur erhaben und gütig vorstellen, so wie Ludwig den Heiligen, von dem du mir erzählt hast, so wie die Führer der Kreuzzüge, die angeblich für hohe Ziele und nur für hohe Ziele kämpfen und vor lauter Edelmut schließlich an der Pest sterben müssen, denn kein Pfeil eines Ungläubigen vermochte, ihnen etwas anzuhaben … Hier, bei den Tataren, sind die Fürsten böse. Immer. Ich kenne die Geschichten, welche die Mütter ihren Kindern erzählen, auf den wochenlangen Fahrten von einem Nomadenlager ins andere. In diesen Geschichten kommen viele Tiere vor, viele Zauberer und auch einige Fürsten. Die Tiere sind einmal gut und einmal böse; die Zauberer sind meistens böse, hin und wieder aber auch gut. Nur die Fürsten, die sind immer böse, in allen Mongolenmärchen, die ich je hörte.«

Marco war müde und abgekämpft. Ihm war gar nicht nach der Beschäftigung mit der schwierigen chinesischen Sprache zumute.

Also bat er: »Erzähl mir solch ein Mongolenmärchen vom bösen Fürsten, Meister Tin.«

»Aber nur in Chinesisch!«, sagte Tin-Pao streng und erzählte dem jungen Venezianer die Geschichte von Cheng, dem Hirtenjungen, und seinem weißen Pony:

»Cheng war ein sehr armer Junge und musste die Schafe der ganzen Sippe hüten. Er ließ sich oft wochenlang nicht bei seiner Mutter und seinen Geschwistern blicken und ging völlig in seiner Aufgabe auf.

Eines Tages aber erschien er plötzlich zu Hause und hatte etwas Weißes, Struppiges auf den Armen. Es war kein neugeborenes Kalb, sondern ein eben geworfenes Fohlen, dessen Mutter man weggefangen hatte. Damit es nicht zugrunde gehe, hatte Cheng es aufgenommen und widmete sich ihm nun, indem er es mit Schafsmilch großzog.

Bald wurde das kleine, stämmige Pferd ein wunderhübsches, gesundes Tier und es war ganz weiß. Cheng hatte große Freude daran und ritt viel auf seinem Pferdchen herum, das ihn sehr liebte und ihm nie von der Seite wich. Ja eines Nachts, als der große Grauwolf über die Schafe herfallen wollte, drang das Pferdchen mit seinen scharfen Hufen auf den Wolf ein und vertrieb ihn; kein einziges Schaf wurde gerissen.

Nun war Cheng erst recht stolz auf sein Tier, und als der Fürst verkünden ließ, er wolle in seiner Residenz ein großes Rennen veranstalten und der Reiter auf dem schnellsten Pferd werde eine Prinzessin zur Frau erhalten, da ritt auch Cheng auf seinem weißen Pferdchen in die Stadt und nahm am Rennen teil, obwohl er nur ein Hütejunge war.

Nun, wie es im Märchen so ist: Cheng gewann das Rennen, das Volk jubelte ihm zu, der Fürst aber zog eine saure Miene, weil keiner der großen Züchter und Besitzer gewonnen hatte, sondern ein mittelloser Untertan.

›Hier hast du drei große Goldstücke, Cheng‹, sagte der Fürst, ›lass dein Pferd hier, es ist damit sehr gut bezahlt, und reite auf einem von meinen Pferden heim.‹

›Ich bin nicht gekommen, um ein Pferd zu verkaufen, sondern um zu siegen und zu heiraten!‹, antwortete Cheng trotzig.

Da winkte der Fürst, zehn Diener fielen mit ihren Stöcken über Cheng her, und als er aus seiner Bewusstlosigkeit aufwachte, fand er sich vor der Stadt und sein Pferdchen war verschwunden. Traurig schleppte er sich nach Hause.

Eines Nachts scharrte es an seiner Tür. Er öffnete und draußen stand, mit Pfeilen gespickt und blutbedeckt, sein Pferdchen. Es hatte den Fürsten abgeworfen, als er es besteigen wollte, und er hatte daraufhin befohlen, das Zauberpferd zu töten. Mit letzter Kraft hatte es sich dennoch den Weg aus der Stadt gesucht und war die weite Strecke bis zu seinem Herrn getrabt.

Cheng weinte, als er die tiefen Wunden sah. Er zog die Pfeile heraus, aber nun blutete das Pferdchen noch mehr. Und obwohl er alle Mühe und Sorgfalt aufwandte, um die Wunden zu heilen, starb das treue Tier. Cheng warf dem weißen Pferd die Arme um den Hals und wollte ein paar Tage lang überhaupt nichts essen. Erst nach langem Zureden seiner Mutter gestattete er, dass man das Pferdchen beerdige.

In der Nacht, bevor dies geschehen sollte, erschien ihm aber das Pferd und sagte:

›Wenn du für immer meine Stimme hören willst, wenn ich bei dir bleiben soll, solange du lebst, dann lege meinen Schädel nicht unter die Erde, sondern fertige dir aus ihm eine Geige; aus ihren Tönen wirst du mich hören, und ich werde bei dir sein!‹

Das tat Cheng, und damit war er erst wirklich getröstet, und wenn er die Saiten seiner Geige rührte, dann konnte ihm kein Fürst mehr etwas anhaben.«

Ein Feldzug mit dem Großkhan

Marco Polo bekam bald Gelegenheit, das Leben des Großkhans von einer anderen Seite kennenzulernen. Er begann zu begreifen, dass die häufigen Jagden des Kaisers, sein Vergnügen an Falken und Geparden und sein großes Gefolge von Falkenieren und Jägern ein wenig damit zu tun hatte, dass dieser mächtigste Mann der Welt beinahe ohne Unterlass um den Frieden seines Reiches und um seine eigene Herrschaft kämpfen musste.

Gleichsam alltäglich waren jene kleinen Aufstände, die an verschiedenen, meist entlegenen Punkten des Riesenreiches ausbrachen. Mit ihnen wurden die Statthalter des Kaisers selbst fertig, standen doch in jeder und vor allem in dicht bevölkerten Provinzen, die erfahrungsgemäß besonders zur Unruhe neigten, mongolische Truppen. Sie wurden jedes zweite Jahr ausgetauscht, auch die Offiziere an ihrer Spitze, um zu verhindern, dass die Provinzkommandeure mit den örtlichen Rebellen gemeinsame Sache machten oder sich allzu eng mit der Bevölkerung anfreundeten.

Es gab aber auch größere und gefährlichere Aufstände, und diese hatten zweierlei Ursachen. Die eine war, dass die Chinesen unter den Kriegen sehr zu leiden gehabt hatten und die tatarischen Statthalter vom Leben und von der Wirtschaft dieser chinesischen Völker nicht sehr viel verstanden, sondern ihnen nur immer wieder hohe Abgaben abzupressen versuchten. Stand nun irgendwo ein Unzufriedener auf und wehrte sich gegen die Bedrückung, so fand er stets schnell Zulauf, und die Anhänger der früheren chinesischen Kaiser aus der Sung-Dynastie scharten sich um ihn. Bis ein Tatarenheer zur Stelle war, hatten diese Anführer schon große Fortschritte gemacht, und es kostete Mühe, ihrer Herr zu werden.

Die andere Art Unruhen war womöglich noch gefährlicher, denn bei ihnen ging es nicht um begrenzte Bezirke und örtliche Unzufriedenheit, sondern letztlich um das ganze Reich und um den Thron Kublai-Khans: Das waren die Rivalitäten unter den Nachfahren Temudschins, des Dschingis-Khan, und seiner Brüder. Jeder von dieser kaum übersehbaren Schar von Enkeln, Urenkeln und Urgroßneffen wurde – wenn er ein Zipfelchen der Macht in die Hand bekam und irgendwo über eine Provinz gebot – nur zu oft größenwahnsinnig und suchte, das ganze Reich aufzuwiegeln. Auch sie fanden natürlich Verbündete, denn irgendein Statthalter oder Fürst eines Teilreiches fühlte sich wohl immer durch Kublai-Khan benachteiligt oder ungerecht behandelt und schloss sich der Rebellion an.

In der Zeit, in der die drei Venezianer am Hofe des Großkhans lebten, erhielt der Kaiser durch seine Späher Nachricht, dass Fürst Nayan, Statthalter in einer der nördlichen Provinzen, gegen ihn rüste und bereits ein rebellisches Einvernehmen mit jenem Kaidu hergestellt habe, der schon vor Kublais Thronbesteigung mit Arik-Buga, dem jüngeren Bruder des Kaisers, gemeinsame Sache gemacht hatte. Kaidu war damals geschlagen worden, hatte in die Kirgisensteppe ausweichen müssen, hatte aber nicht aufgehört, gegen Kublai-Khan zu arbeiten und zu intrigieren. Auf Nayans vorsichtige Anfrage hinsichtlich eines gemeinsamen Kampfes gegen den Großkhan hatte Kaidu sogleich 100 000 Mann zugesagt und selbst mit den Rüstungen begonnen.

Dem Kaiser kam dieser Aufstand, der noch nicht ausgebrochen war, aber jeden Tag losbrechen konnte, äußerst ungelegen, und er sprach auch zu Marco Polo darüber.

»Bereite deinen Vater vor«, sagte der Kaiser eines Morgens, »dass er dich monatelang nicht sehen wird. Ich möchte dich an meiner Seite haben, wenn ich gegen Nayan ziehe, denn ich werde der Ablenkung und der Aufheiterung bedürfen. Aber ich möchte auch dir einen großen Feldzug zeigen, denn unsere Tatarenpolitik besteht zu einem Gutteil aus Feldzügen. Ich hatte vor, nicht mehr selbst ins Feld zu ziehen, einmal, weil ich mich für zu alt dafür fühle, zum andern, weil ich sehr gute Feldherren habe, deren Vorfahren schon Dschingis-Khan gedient haben. Auch habe ich sehr viele andere Aufgaben zu lösen, von denen ich fürchte, dass sie meine Nachfolger nicht in dem Maß interessieren wie mich. Es gibt vor den Küsten des chinesischen Reiches, das nun mein Reich ist, eine lang gestreckte Insel, die wir Zipangu nennen. Die westlichen Völker haben davon noch nie gehört, denn nicht einmal die Araber treiben dort Handel. In dieses Zipangu habe ich eine große Flotte geschickt, um die Verbindung aufzunehmen und zu sehen, ob man dieses Land erobern könne, aber ein gewaltiger Sturm hat meine Dschunken zerstreut und vernichtet. Eben bin ich nun so weit, eine neue Flotte nach Zipangu zu entsenden, da rüstet dieser dreißigjährige Gernegroß gegen mich und hindert mich an der Erfüllung dieser um so viel wichtigeren Aufgabe!«

»Ihr habt aber doch genug Soldaten, Majestät, um der Besatzungen der Schiffe nicht zu bedürfen!«

»Gewiss. Ich kann Nayan erdrücken, wenn ich alle meine Truppen zusammenrufe. Aber es dauert vierzig Tage, und in dieser Zeit marschiert Kaidu über die Pässe und ich kann die Vereinigung meiner Gegner nicht mehr verhindern. Ich muss alles zusammenraffen, was ich in zehn Tagen erreichen kann, die Soldaten von den Schiffen ebenso wie meine Leibwache und meine Jäger. Alles, was hier um den Palast herum steht, wird in Marsch gesetzt, und Nayan wird geschlagen sein, ehe er überhaupt erfährt, dass ich seine Absichten erkannt habe!«

Marco Polo bewunderte die Energie und die Entschlossenheit dieses Mannes, der um die siebzig Jahre alt sein musste und einen so viel Jüngeren durch Schnelligkeit, nicht durch Übermacht schlagen wollte. Schon eine Woche nach diesem Gespräch verließ der Kaiser mit seinem Gefolge, zu dem auch die Ehrenbegleiter zählten, die Residenz und zog inmitten einer schnell aufgestellten Armee von etwa 100 000 Mann dem Fürsten Nayan entgegen. Schon vorher hatten kleine, gut berittene und besonders kampftüchtige Truppenteile die Pässe besetzt, über die Kaidu ziehen musste, wenn er zu Nayan stoßen wollte; sie hatten den Auftrag, die Passage der Gebirge um jeden Preis und so lange wie irgend möglich zu verhindern, damit der Kaiser Zeit habe, den Hauptgegner zu schlagen. Kaidu, das wusste Kublai-Khan, würde, auf sich gestellt, keinen Feldzug gegen den Großkhan wagen, denn Kaidu war ein alter, schlauer Fuchs, Nayan aber ein junger Heißsporn, dem seine frühe Macht alles Urteil genommen hatte.

Kublai-Khan befahl seinem erprobten Feldherrn Bayan, den Nordwesten und den Raum um Karakorum gegen Kaidu zu sichern; er selbst teilte seine Truppen in zwei Angriffssäulen unter Generälen und ließ sie gegen die verbündeten Fürsten Nayan, Kadan und Singtur vorrücken, welche die ganze südliche Mandschurei gegen den Kaiser aufgewiegelt hatten. Der Großkhan hatte Eilmärsche anbefohlen, sodass die Armeen in nur fünfundzwanzig Tagen am Fluss Liao erschienen, der Nayans Herrschaftsbereich begrenzt.

Während des ganzen Marsches war größte Geheimhaltung beobachtet worden; alle Wege nach Osten waren bewacht, sodass kein Späher durchkommen konnte, und im Übrigen verhinderte die große Schnelligkeit des Marsches, dass die Nachricht vom Herannahen der kaiserlichen Armeen diese überholen konnte.

Vor der letzten Hügelkette, an deren östlicher Seite bereits der Liao floss, ließ Kublai-Khan die Armeen sammeln und befahl eine Rast von zwei Tagen, um den vom Marsch erschöpften Soldaten die nötige Erholung zu gönnen und neue Verpflegung auszugeben. Er selbst aber befragte inzwischen die Astrologen und Zauberer und forderte sie auf, ihm in Gegenwart der ganzen Armee zu sagen, welcher Seite der Sieg zufallen werde.

Gemäß dem tatarischen Brauch, die abergläubischen Soldaten durch günstige Prophezeiungen zu beeinflussen, verrieten auch in diesem Fall die Astrologen nach langer Beratung, der Sieg werde dem Kaiser gehören.

Diese Mitteilung begrüßten die Truppen mit lautem Jubel und erklommen tags darauf mit großer Zuversicht die letzten Hügel vor dem Fluss. Nayan hatte mit seinen Truppen den Flussübergang vollzogen und lagerte am Westufer des Liao, so als könne ihm und seinen Leuten so nahe der Heimat überhaupt nichts Schlimmes widerfahren.

Marco Polo hatte aus Europa seiner Jugend wegen zwar keine Kriegserfahrung, aber er wunderte sich doch, dass eine so große Armee wie die des Fürsten lagerte, ohne Wachen oder Vorposten aufzustellen. Lediglich eine Wagenreihe bildete einen gewissen Schutz gegen das Hügelland.

Als die Truppen Kublai-Khans auf den Hügelkuppen auftauchten und sich anschickten, die Abhänge hinabzustürmen, stürzte Fürst Nayan aus dem Prunkzelt, in dem er mit seinen Frauen genächtigt hatte, und versuchte, die Truppen zur Verteidigung zu formieren. Aber obwohl die kaiserlichen Soldaten viele Tage anstrengenden Marsches hinter sich hatten, warfen sie sich so schnell und beherzt auf den Feind, dass dieser gar nicht einen geregelten Widerstand zu leisten oder sich irgendwo zusammenzurotten vermochte.

Kublai-Khan bestieg seinen Hochsitz zur Überwachung der Schlacht, die schnell in Bewegung geriet. Es war eine Art Sänfte, die zwischen vier Elefanten hing; die Tragtiere waren durch schwere Panzer aus im Feuer gehärtetem Leder gegen Pfeilschüsse geschützt. Rund um den Kaiser aber hatten in einem Laufgang ausgesuchte Bogenschützen Aufstellung genommen, sodass er von seinem wandelnden Kastell aus auch in den Kampf eingreifen konnte. Die kaiserliche Fahne, die über diesem Kastell wehte, trug die Sonne und den Mond als Zeichen der Weltherrschaft.

Unter einem ungeheuren Getön von allerlei Blasinstrumenten begann der Angriff auf das Lager selbst, und nach den Blasinstrumenten stimmten die Tataren ihre Kriegslieder an, wobei Zimbeln und Trommeln sie begleiteten, sobald das eigentliche Handgemenge beginnen sollte.

Kublai-Khan ließ diese musikalischen Kampfrufe zuerst für die beiden Flügel geben und bald war die Luft erfüllt von ganzen Wolken von Pfeilen. Die Fußsoldaten, die vor den Reitern kämpften, aber auch Pferde stürzten in großer Zahl getroffen nieder. Dazwischen erscholl das Kriegsgeschrei nun ungehemmt und immer furchtbarer.

Als die Pfeile verschossen waren, stürzten die Truppen mit

Lanzen, Schwertern und eisenbeschlagenen Keulen aufeinander los. Inzwischen hatten sich aber ganze Wälle aus den Leibern der toten oder sterbenden Pferde gebildet, sodass die Heere nur noch da und dort unmittelbare Berührung miteinander hatten und, als der Abend hereinbrach, sich vom Gegner lösen mussten. Nun aber ließ Kublai-Khan alle verfügbaren Reiter ausschwärmen, und es gelang ihm, die restlichen Truppen Nayans beinahe vollständig zu umzingeln.

In dieser Umklammerung wehrten sich die Soldaten des rebellischen Fürsten mit großer Tapferkeit, einmal, weil er ihnen ein milder Herr gewesen war und sie gerne für ihn kämpften, zum andern aber, weil sie als Aufrührer mit harter Bestrafung durch die Sieger rechnen mussten. Sie gaben den Kampf erst auf, als Fürst Nayan seine Umzingelung bemerkte und der Versuch misslang, durch die kleine Lücke zu entschlüpfen, die noch offen war. Er wurde gefangen und vor Kublai-Khan gebracht.

Der Kaiser zauderte nicht lange über das Los des Rebellen und befahl seinen Tod. Als Urenkel Utschugens, eines jüngeren Bruders von Dschingis-Khan, war Fürst Nayan Mitglied der kaiserlichen Familie und von kaiserlichem Geblüt. Weder Luft noch Sonne durften seine Hinrichtung sehen, darum rollte man ihn in zwei dicke Teppiche, die so lange hin und her geschüttelt wurden, bist der Fürst seinen Geist aufgab.

Betroffen hatte Marco Polo festgestellt, dass auf den Feldzeichen des geschlagenen Fürsten Kreuze prangten, als handle es sich um eine christliche Armee. Es stellte sich heraus, dass Fürst Nayan heimlich zum Christentum übergetreten war und seine Hoffnung auf einen Sieg mit dem Vertrauen auf den mächtigen Christengott verbunden hatte.

Unter den Moslems und Juden, die in der Begleitung Kublai-Khans waren, teils als Kaufleute, teils als Sterndeuter, herrschte darum große Freude über den Sieg des Kaisers und die Niederlage eines christlichen Fürsten. Sie begannen, die Nestorianer und auch die römischen Christen wegen der Niederlage zu hänseln, zeige sie doch, dass ihr Gott der schwächere sei.

Seine Majestät aber nahm sogleich Marco Polo und das Christentum in Schutz und sagte, gerade die Niederlage Nayans beweise, dass der Gott der Christen ein weiser Gott sei. Eine ungerechte Sache wie die Rebellion gegen den rechtmäßigen Herrscher werde nicht dadurch zu einem guten und gerechten Unternehmen, dass man sich Kreuze auf die Feldzeichen nähe. Einen rechtmäßigen Krieg hätte der Christengott gewiss mit seiner Macht unterstützt.

Diese Worte taten Marco Polo sehr wohl, und er dankte insgeheim dem Kaiser dafür, dass er sie gesprochen hatte. Zugleich aber überzeugten sie ihn von der großen Weisheit dieses Mannes, der sich weit über sein wildes Volk erhoben hatte und es tatsächlich verdiente, über den Völkern und den Religionen zu stehen und Gerechtigkeit zu üben.

Nach diesem großen Sieg zog der Kaiser an der Spitze seiner Truppen in die neue Hauptstadt ein, die er kurz zuvor erwählt hatte und die Peking hieß. Er blieb den ganzen Winter über in dieser Stadt, und als das Osterfest herannahte, von dem er wusste, dass es ein großes Fest der Christen sei, feierte er Ostern mit allen Christen der Residenz.

Sämtliche Christen, die in Peking anwesend waren, mussten vor dem Kaiser erscheinen und ihre heiligen Schriften mitbringen. Kublai-Khan ließ sich die vier Evangelien reichen, ließ das Buch reichlich mit Weihrauch ehren und beugte sich dann nieder, um es zu küssen. Auch die Großen seines Reiches mussten dasselbe tun.

Solange Marco Polo am Hof des Großkhans weilte, konnte er beobachten, dass Kublai allen Religionen ähnliche Ehrerbietung erwies. Er beachtete nicht nur Ostern, Pfingsten und Weihnachten der Christen mit Feiern und persönlicher Anteilnahme, sondern hielt es genauso mit den Festen der Sarazenen, der Juden und der Buddhisten.

In einer Stunde des vertrauten Gesprächs wagte Marco Polo die Frage, warum der Kaiser es so halte und sich nicht wie andere Monarchen für eine der großen Weltreligionen entscheide.

»Wenn ich Eure Majestät nämlich richtig beurteile und wagen darf, es auszusprechen«, sagte Marco, »dann ist unser Herr Kublai-Khan das Idealbild eines gerechten Fürsten auch im Sinn der christlichen Religion, und keiner der christlichen Fürsten Europas könnte ihm Anerkennung und Verehrung versagen.«

»Ich verstehe, dass du so sprechen musst, Marco«, antwortete der Kaiser, »aber ich bin kein Europäer, und Europa ist nicht die Welt, sondern nur ein sehr kleiner Teil dieser Welt. Keine der großen Religionen ist in Europa entstanden, alle stammen sie aus dem ungeheuren Asien, dessen Sohn und Herr ich bin. Darum gibt es für mich vier Propheten, deren jeder seine Völker hat, die ihn anbeten. Die Christen betrachten Jesus Christus als ihren Gott, die Sarazenen verehren Mohammed, die Juden Moses und die Buddhisten Sakya-Muni. Ich achte und verehre alle vier und bitte den, der in Wahrheit der höchste unter ihnen ist, mir in meinem Amt beizustehen.«

»Wenn Ihr so denkt, Majestät, warum dürfen die Nestorianer bei ihren Prozessionen dann das Kreuz nicht öffentlich mittragen, während die anderen Religionen nicht behindert werden in ihren Umzügen und Festen?«

»Kannst du dir das nicht denken, Marco?«, fragte der Kaiser

und lächelte ein wenig. »Ich achte und verehre alle vier Propheten. Soll ich es da dulden, dass einer von ihnen – und sei es auch nur als Abbild –, ans Kreuz geschlagen, durch die Straßen getragen wird? So, wie ich denke, als Mongole, ist das eine Beleidigung für Jesus Christus. Ich will das nicht sehen und will nicht, dass man es zeigt!«

Nach den religiösen Festen beschäftigte sich der Großkhan mit der Belohnung jener Offiziere und Würdenträger, die ihm in den Tagen des Kampfes gegen Nayan und Kaidu besondere Treue bewiesen hatten. Kaidu hatte sich wie erwartet kampflos zurückgezogen, als er erkannte, dass seine Armee ohnedies zu spät kommen würde; die Offiziere aber, die in Eilmärschen die Hochpässe besetzt hatten und dort in Schnee und Eis und kalten Stürmen Wache hielten, wurden nicht weniger belohnt als die Hauptleute, die in der Schlacht am Flusse Liao besondere Tapferkeit bewiesen hatten.

Jene, die besonders tüchtig ihre Hundertschaft befehligt hatten, wurden fortan über tausend Mann gesetzt, andere rückten vom Befehl über tausend zum Befehl über zehntausend auf. Die Tafeln, die dies bestätigten, bestanden bei der Hundertschaft aus Silber, bei der Tausendschaft aus vergoldetem Silber und bei den Generälen, die über zehntausend Mann geboten, aus purem Gold von zwanzig Unzen Gewicht.

Auf den Tafeln ist ein Löwenkopf abgebildet, und darunter stehen die Worte: »Durch die Gewalt und Macht des großen Gottes und durch die Gnade, welche er Unserem Reiche angedeihen lässt, sei der Name des Khans gesegnet, und alle, die ungehorsam sind gegen die Befehle der Tafel, sollen Tod und Vernichtung erleiden!«

Die Palaststadt und ihre Geheimnisse

Aus solchen Inschriften, wie wir sie eben angeführt haben, und aus den Gesprächen, wie sie der Kaiser wiederholt mit Marco Polo, aber auch mit Maffeo und Niccolò hatte, geht hervor, dass die Tataren nicht schlechthin Heiden zu nennen sind, wie dies insbesondere die Christen gerne tun, wenn sie Andersgläubige vor sich haben. In den vielen Jahren, die Marco am Hofe des Großkhans und auf Reisen in seinen Diensten zubrachte, stellte er fest, dass die Tataren an einen großen und erhabenen Gott glauben und ihm täglich Weihrauch verbrennen, wenn sie zu ihm beten um die Erlangung oder Wahrung ihrer Gesundheit. Neben diesem mächtigsten Gott aber gibt es ihrer Meinung nach noch eine ganze Anzahl mächtiger Geister.

Der Oberste dieser Geister ist eine Art Hausgott und heißt Natigay, bei anderen Tatarenstämmen auch Itoga. Sein Bild ist in jedem Hauszelt vorhanden und zeigt ihn umgeben von Frau und Kindern. Dieser Natigay ist für die Tataren so wichtig, weil sie annehmen, er kümmere sich insbesondere um ihre Kinder, ihr Vieh und ihre alltäglichen Angelegenheiten. Deshalb versäumen sie es nie, ihm und seiner Frau ein wenig von ihrer Speise um den Mund zu schmieren, vor allem, wenn sie etwas besonders Gutes essen.

Im Krieg stehen die Tataren jedoch unter einem ganz anderen Gesetz; da scheinen sie weder an ihre Familien noch an ihre Herden zu denken noch überhaupt an ihr Leben, sondern sind tollkühn, kämpfen voll Todesverachtung und ohne jegliche Schonung für den Gegner. Es ist erstaunlich, welche Entbehrungen sie auf dem Marsch oder zwischen den Schlachten ertragen können. Bis zu einem Monat lang leben sie, wenn es auf den weiten Steppen nichts anderes gibt, von der Milch ihrer Stuten. Es ist auch keine Legende, dass sie in höchster Not eine bestimmte Ader ihrer Pferde anschlagen und das herausspritzende Blut trinken, wonach sie die Ader wieder verschließen.

Die Männer sind es gewohnt, bis zu zwei Tage und zwei Nächte, ohne abzusteigen, im Sattel zu bleiben; sie schlafen sitzend, während ihr Pferd grast. Kein Volk auf Erden übertrifft die Tataren an wilder Tapferkeit, keines vermag größere Geduld und Entbehrungen auf sich zu nehmen. Auf diese Weise kosten selbst große Armeen nur geringen Unterhalt und verursachen keine Schwierigkeiten bei ihrer Versorgung. Diese Eigenschaften im Verein mit ihrer militärischen Tüchtigkeit haben die Tataren zu den Herren der Welt gemacht.

Kublai-Khan, ihr Herr, sieht auf den ersten Blick nicht so aus wie seine Männer. Jene sind oft klein, während er von mittlerer Größe ist. Seine ganze Gestalt ist wohlgebildet und zeigt die richtigen Verhältnisse und seine Gesichtsfarbe ist heller als die der Mongolen. Die Wangen zeigen bisweilen eine leichte Röte, die Augen sind dunkel und schön, die Nase ist edel geformt.

Nach seinen großen Siegen in verschiedenen Teilen Chinas wünschte der Großkhan, diesem Lande und seiner Kultur näher zu sein und verlegte seine Hauptstadt von neuem, nämlich von Schangtu nach Peking. Dieses Peking besteht im Grunde genommen aus zwei Städten. Die eine ist sehr alt und war bereits die Residenz der chinesischen Kaiser des Reiches Yen, später der Kitan und der Kin. 1215 eroberte Dschingis-Khan die Stadt und verwüstete sie, und im Jahr 1264 begann seine Majestät Kublai-Khan mit dem Wiederaufbau, wobei die Palaststadt den Namen Kambalu erhielt und die Stadt vor dem Palast den Namen Taidu.

Die Palaststadt bildet ein großes Viereck von acht Meilen Seitenlänge und ist mit einem Graben umgeben. An jeder Seite ist in der Mitte der Mauer ein breites Eingangstor, durch das Menschen und Fahrzeuge ein- und ausströmen, genau beobachtet von den Truppen, die zwischen der äußersten und der zweiten Mauer aufgestellt sind.

Diese innere Mauer ist vier mal sechs Meilen lang und hat neben kleinen Durchgängen ein großes Mitteltor, das nur für Seine Majestät geöffnet wird; die kleineren Durchgänge sind für die Dienerschaft und die Beamten, die Soldaten und die Lieferanten bestimmt. Zwischen der äußeren und der inneren Mauer kann sich das Volk frei bewegen.

Die eigentliche Palaststadt umfasst acht große Gebäude, die schön und geräumig sind und teils als Zeughäuser für Kriegsgerät und Ausrüstungen dienen, teils zum Aufbewahren der Harnische, der Munition für Schleudern und Feuerwerfer und anderem mehr.

Hier, wo viele Menschen beschäftigt sind, herrscht ein reges Kommen und Gehen. Das innerste Geviert jedoch, nur noch vier Meilen im Umfang und somit eine Meile an jeder Seite messend, ist ganz wenigen zugänglich. Selbst der weite Platz vor diesem eingeschossigen, aber mit einem hochragenden Dach versehenen Wohnpalast darf nur von bestimmten Würdenträgern und den Dienern des persönlichen Dienstes betreten oder überquert werden.

An den anderen Seiten ist der Palast von Tiergehegen, von Weiden und Hainen umgeben, sodass der Kaiser stets ins Grüne und auf sein geliebtes Wild herniederblickt, und wenn er sich in diesem Wildpark ergehen will, so hat er gepflasterte und erhöhte Wege zur Verfügung, die auch nach starkem Regen kein Schlamm bedeckt.

Marco Polo gehörte bald zu den Auserwählten, die diesen Palast betreten durften, so oft sie wollten, und darum hat sich ihm die Ausstrahlung und Einteilung dieses großen Bauwerks gut eingeprägt. Von vier Seiten führen Freitreppen zu den Eingängen hinauf. Im Innern sind die Zimmer und vor allem die große Halle mit Drachen aus vergoldetem Schnitzwerk verziert, aber auch mit bildlichen Darstellungen großer Schlachten. In der großen Halle sind besonders viel vergoldete Ornamente und Malereien zu sehen; in ihr finden die großen Gastmähler statt, die Kublai-Khan hin und wieder gibt.

An den Palast stoßen andere Gebäude, die jedermann unzugänglich sind, es sei denn, man hätte einen besonderen Auftrag. In ihnen werden die kostbarsten Gewänder des Kaisers und des Hofes aufbewahrt, aber auch der Schatz des Monarchen an Edelsteinen und Perlen und an Edelmetallen in Gold- und Silberbarren, dazu zahlreiche Gefäße aus Gold, Silber und anderen wertvollen Materialien.

Noch sorgsamer als diese Schätze werden die Räume behütet, in denen sich die vier Hauptfrauen des Kaisers aufhalten und die zwanzig Prinzen, die sie ihm geboren haben. Erbprinz ist des Kaisers zweiter Sohn Tschimkin, ein Fürst von hohen Gaben, der aber, wie Marco Polo später erfuhr, noch bei Lebzeiten seines Vaters verstorben ist. Als Marco den Palast von Peking kennenlernte, hatte Prinz Tschimkin einen Hofstaat nach dem Muster dessen, mit dem sein Vater sich umgab.

In diesen wohlverborgenen und geschützten Räumen der Frauen und der Prinzen liegen auch die persönlichen Gemächer des Kaisers, in denen er jene Arbeiten erledigt, die der Ruhe und Überlegung bedürfen. Hier warten ihm nicht Männer auf, von denen sich vielleicht doch eines Tages ein Verräter kaufen ließe und das

Leben des Monarchen in Gefahr bringen könnte, sondern Mädchen aus dem Stamme Kungurat, aus dem sich wegen der Schönheit dieser Mädchen schon viele Tatarenkhane ihre Frauen holten. Burteh Fujin, die Lieblingsgemahlin des großen Dschingis-Khan, war eine Kunguratin und gebar ihm seine vier Erben; aber auch beide Frauen Dschagatais und zwei von den sieben Frauen Hulagu-Khans, des Eroberers von Bagdad, kamen von dort. Auch seine Majestät Kublai-Khan hatte sich zwei seiner vier Hauptfrauen und fast alle seine Nebenfrauen aus diesem Stamm geholt, und das geschah auf folgende Weise:

In jedem zweiten Jahr entsendet der Kaiser bestimmte Beamte in die Stadt Kungurat in der gleichnamigen tatarischen Provinz. Sie prüfen die alsbald versammelten Jungfrauen der Stadt auf ihre körperliche und geistige Eignung für den Dienst bei Seiner Majestät und bringen je nach Bedarf zwanzig oder dreißig Mädchen in den Palast. Dort kommen diese jungen Tatarinnen, die von höfischem Benehmen keine Ahnung haben, in die Obhut angesehener Damen, die entweder mit hohen Hofbeamten verheiratet oder im Gefolge der Kaiserinnen tätig sind. Diese bringen den Schönheiten aus Kungurat von der Kleidung über die Körperpflege bis zum Benehmen und dem Verhalten im Dienst alles bei, was nötig ist, um den Kaiser gut zu versorgen und dennoch nicht in seinen Gewohnheiten zu stören oder gar bei seinen Arbeiten Unruhe zu schaffen.

Ihren Dienst verrichten diese Mädchen dann in zwei Gruppen zu je fünf, von denen eine in den inneren, die andere in den äußeren Gemächern ständig anwesend ist, bis nach drei Tagen und drei Nächten zwei neue Gruppen den Dienst antreten und die Aufwartung bei Seiner Majestät übernehmen.

Die Mädchen, die nicht den allerhöchsten Ansprüchen genügen

und schon bei der Auswahl in der Stadt Kungurat mit einer niedrigeren Kennzahl versehen wurden, verrichten ähnliche Dienste wie im kaiserlichen Palast bei höheren Hofbeamten. Wünscht einer der Würdenträger solch ein Mädchen zu heiraten, so stiftet der Kaiser im Gedenken an die Verdienste des Stammes Kungurat eine reiche Mitgift. Und weil das so ist, fühlen die Leute der Provinz Kungurat sich nicht nur nicht gekränkt darüber, dass ihnen alle zwei Jahre die schönsten Mädchen weggeholt werden, sondern sind auch noch sehr stolz darauf, sind sie doch im Laufe der Generationen auf diese Weise mit den größten Kaisern verwandt geworden. Ja man sieht sogar in der Zurückweisung eines Mädchens durch die Beamten ein besonderes Unglück und macht die schlechte Konstellation der Sterne dafür verantwortlich.

Ist der Kaiser auf diese Weise im Palast selbst wohlversorgt, so gehört seine eigentliche Liebe doch nicht den prächtigen Gemächern, sondern der Natur, die ihm Tiere und Pflanzen zur Erholung und Ergötzung liefert. Eine Pfeilschussweite vom Palast, hat Seine Majestät darum einen künstlichen Hügel anlegen lassen, der an der Basis etwa eine Meile Umfang hat. Die grünen Hänge dieses Hügels wurden mit Bäumen bepflanzt, und immer wenn Kublai-Khan auf irgendeiner Reise oder einem Feldzug einen Baum sieht, der ihm gefällt, so lässt er ihn mit den Wurzeln und ein wenig Erdreich ausgraben und in Eiltransporten nach Kambalu schaffen, wo er auf dem künstlichen Hügel eingepflanzt wird. Der immer grünende Hügel heißt im Volksmund »Grüner Berg« und trägt einen kleinen grünen Pavillon, in dem der Kaiser sich gerne aufhält.

In den tiefen Aushebungen, aus denen die Erde für den Grünen Berg stammt, sind Fischteiche angelegt, die das Wasser des Stromes speist, an dem Peking liegt. Es bewässert auch einige Bäche und Wasserkünste, die all die Gärten um die Palastanlage herum freundlicher gestalten und auf denen Schwäne und andere Wasservögel leben.

Der große Strom trennt die Palaststadt von der Stadt Taidu. Dies veranlasste den Kaiser beim Aufbau deshalb, weil die Sterndeuter ihm vorausgesagt hatten, dass seine Hauptstadt einmal in Rebellion gegen ihn aufstehen werde. So musste also der Palast durch den Strom, durch die drei Mauern und die Soldaten geschützt werden, um trotz der Nähe der eigentlichen Hauptstadt und ihrer zahlreichen Bevölkerung als vollkommen sicher zu gelten.

In der Stadt Taidu jenseits des Stromes leben die Menschen, die in der alten, von Dschingis-Khan zerstörten Stadt übrig geblieben waren, aber auch die vielen Kaufleute und Diplomaten, die sich immer in der Nähe des Großkhans und seines Hofes aufhalten.

Die Stadt ist mit größter Regelmäßigkeit angelegt, sodass man durch schnurgerade Straßen von einem Tor zum gegenüberliegenden freien Blick hat. In der Mitte der Stadt hängt die große Sturmglocke, die allabendlich die Ausgehsperre einläutet, um Rebellionen zuvorzukommen. Nach dem dritten Anschlagen dieser Glocke darf sich niemand mehr auf der Straße zeigen, es sei denn, er hätte eine plausible Erklärung wie schwere Krankheit eines Verwandten oder Kindesnot seiner Frau. In diesen Fällen muss jener, der aus dem Haus geht, ein Licht tragen, das ihn kenntlich macht.

Eine Meile vor der Stadt liegen die Gasthöfe und die Karawansereien für den Verkehr der Händler, und jedem Volk ist ein besonderes Gebäude zugewiesen, so wie im Abendland in großen Handelsstädten die Lombarden, die Franzosen und die Deutschen jeweils eigene Quartiere haben. Im Falle Pekings sind es die

Chinesen, die Tataren, die Araber, die Inder und dazwischen Armenier, Syrer, Perser und Juden, wie die Karawanen sie eben heranbringen; auch Nestorianer, Ceylonesen, Malaien und andere Völker trifft man hier an, weil das Meer näher ist als in Karakorum und auf den Schiffen mancherlei Volk in die Meere der Chinesen Eingang findet.

Während der Nacht reiten Wachen von dreißig bis vierzig Mann ohne Unterlass in den Straßen von Taidu auf und ab, aber auch in der Umgebung der Stadt und rund um den Palast, woraus man erkennen kann, wie sehr Seine Majestät den Sterndeutern und den Vorhersagen vertraut und wie wenig den Kataiern, die in Peking wohnen.

Wird ein Mensch in der Nacht aufgegriffen, so wird er ohne Gnade auf die Wache gebracht und genau befragt, was er zu dieser Zeit noch außer Haus zu suchen gehabt habe. Man führt ihn vor besonders unterrichtete Beamte, die stets wissen, was sich in der Stadt vorbereitet, ob Ruhe herrscht oder ob es unter der Bevölkerung gärt. Kann sich der Gefangene nicht von jedem Verdacht reinigen, so erhält er Stockschläge; ist er verdächtig, so sind es so viele Schläge, dass er daran stirbt. Diese Strafe wählen die Tataren, weil ihre Sterndeuter ihnen geraten haben, möglichst wenig Blut zu vergießen.

Alle Vorsicht und alle Vorsorge sollten aber nichts nützen. Es kam der Tag einer großen und gefährlichen Rebellion gegen Kublai-Khan, und zwar ganz anders, als alle es erwartet hatten, die ihn berieten und schützten.

Die Revolte in Kambalu

Seine Majestät Kublai-Khan wusste genau, dass die Chinesen, die man auch Kataier nannte, eine höhere Kultur hatten als die Tataren, dass sie sehr erfahren waren in der Verwaltung und allen Geschäften und viele unterrichtete Männer hatten. Dennoch vertraute kein Mongolenkhan den Kataiern höhere Ämter oder Machtstellungen an, und Kublai-Khan, der in China viele Kriege geführt hatte, hielt es ebenso.

Dschingis-Khan und seine Nachfolger hatten beinahe ohne Unterlass Krieg geführt und die eroberten Gebiete dem Kommando von Generälen anvertraut. Unter Kublai-Khan musste für das große Reich eine richtige Verwaltung geschaffen werden, und darum rief der Kaiser zwei Ratskollegien zusammen, deren jedes aus zwölf Männern bestand. Der eine Rat vereinte die zwölf Statthalter der verschiedenen Provinzen des chinesischen Reiches und jener mongolischen Gebiete, die Kublai-Khan nicht einem Verwandten zur unabhängigen Herrschaft anvertraut hatte. Der andere Rat, der im Rang über dem der Statthalter stand, vereinte zwölf Minister oder Barone, welche den Kaiser in den verschiedenen Angelegenheiten des Staates und der Armee, der Wirtschaft, der Kriege und anderer Dinge berieten. In diesen beiden Ratskollegien saßen Mohammedaner, Tataren und Christen, nicht aber Chinesen.

Schon dieser Umstand ärgerte die unterworfenen Einwohner von Peking und den anderen Chinesenstädten. Vor allem aber gerieten sie darüber in Wut, dass der mächtigste Minister ein Mohammedaner namens Achmed war, von dessen Amtsmissbräuchen ganz China zu wissen schien, nur Kublai-Khan nicht, der die

Vorwürfe gegen Achmed für Verleumdungen hielt und ihm immerzu sein Vertrauen schenkte.

Damit hatte es jedoch eine besondere Bewandtnis. Kublai-Khans erster Finanzminister war ein Mohammedaner aus Buchara gewesen, ein rechtschaffener Mann namens Sajad Ajil, dem der Kaiser nicht nur ein gutes Andenken bewahrte: Seit Sajad glaubte er auch, die Mohammedaner seien für Ämter dieser Art besonders geeignet. Dazu kam, dass jener Achmed aus Fenaket in jungen Jahren die Bekanntschaft der Prinzessin Dschambuikhatun gemacht hatte, als sie noch am Hof ihres Vaters, eines Kungurat-Fürsten lebte. Als diese schöne Prinzessin die erste Gemahlin Kublai-Khans wurde, war es ihr als Kaiserin ein Leichtes, Achmed dem Kaiser zu empfehlen. Der geschickte Mann brachte nach und nach so viele Ämter in seine Hand, dass es schließlich keinen Minister gab, der mehr zu sagen gehabt hätte als er.

Leider war dieser Achmed ganz und gar nicht so rechtschaffen wie sein Vorgänger aus Buchara. Er bereicherte sich nicht nur schamlos durch allerlei Geschäfte und Unterschlagungen, sondern auch durch den Verkauf der Ämter; dadurch kamen immer mehr seiner Kreaturen in wichtige Verwendungen. Die ärgsten Verwirrungen stiftete Achmed jedoch dann, wenn ihm eine Frau oder ein Mädchen in die Augen stachen, und darin war er ein rechter Sarazene. Hatte er solch eine Schönheit erspäht, dann ließ er ausforschen, wer sie sei, rief den Vater oder den Gatten zu sich und sagte dem vor Angst zitternden Mann:

»Fürchte nichts; ich könnte dich zwar vernichten, denn wenn ich Seiner Majestät sage, du habest ihn geschmäht oder du seist ein heimlicher Rebell, so bist du morgen tot. Aber ich will ganz im Gegenteil dein Bestes – ich habe einen schönen Posten für dich.«

Da jeder inzwischen Achmed und seine Neigungen kannte, wussten alle, die solchermaßen angeredet wurden, wie viel es geschlagen hatte. Sie hatten die Wahl eines erträglichen Amtes unter Preisgabe einer Tochter oder Gemahlin oder demnächst von den Wachen abgeholt zu werden.

Dieses Treiben brachte Achmed nicht nur eine große Anzahl schöner Frauen ins Haus, wozu er als Würdenträger des Reiches und Minister durchaus das Recht gehabt hätte, wenn alles anständig zugegangen wäre. So aber verschaffte er sich durch Zwang und Drohung eine Frauenschar, die ihm nicht zukam. Und da er von diesen Frauen viele Söhne hatte, musste er diese auch auf hohe Posten setzen, sodass der Reichtum seiner Familie und sein Einfluss schließlich ins Ungemessene anstiegen.

Da niemand, auch nicht die höchsten Würdenträger, es wagte, dies alles dem Kaiser zu enthüllen, wäre das böse und das Reich schädigende Treiben noch lange so weitergegangen, ohne jene Rebellion, von der Marco nun erzählen will.

Es war im Frühsommer, zu einer Zeit, da Seine Majestät Peking verlassen und sich in die Sommerresidenz Schangtu in den Bergen begeben hatte, als zuerst zwei Kataier sich zusammentaten. Der eine hieß Tschen-ku und war Offizier über 6000 Mann, der andere hieß Van-ku und war Oberst, was heißt, dass er 10 000 Mann unter sich hatte. Tschen-ku waren von Achmed Frau und Tochter weggenommen worden und er sann auf Rache.

Die beiden Kataier kamen überein, im Frühsommer loszuschlagen, wenn der Kaiser und Prinz Tschimkin abgereist seien, denn dann hatte Achmed den Palast unter sich und alle Angelegenheiten in Kambalu und in der Stadt Peking zu regeln. In den Wochen der Vorbereitung weitete sich die Verschwörung aus und richtete sich bald nicht nur gegen Achmed, sondern gegen die Tataren überhaupt, gegen die gesamte Verwaltung der Eroberer in Peking und in vielen anderen Städten. Auf ein gegebenes Signal, das den Tod Achmeds meldete, sollten in allen chinesischen Städten, die sich der Verschwörung angeschlossen hatten, die Bartträger umgebracht werden. Der Bart war nämlich das allereinfachste Unterscheidungsmerkmal, hatten doch die Chinesen keinen Bart, die mohammedanischen und christlichen Beamten des Großkhans hingegen schon. Dabei konnten zwar hunderte unbeteiligter Kaufleute ihrer Bärte wegen ebenfalls ums Leben kommen, aber das galt in dieser Stunde den Chinesen als nebensächlich; sie wollten ihre Heimat befreien und kümmerten sich nicht um jene, die im Gefolge der Tataren in das Land gekommen waren. In der Nacht, die für den Ausbruch der Revolte vorherbestimmt worden war, schlichen sich Tschen-ku und Van-ku heimlich in den Palast des Kronprinzen Tschimkin. Dies konnten sie tun, weil sie beide Offiziere waren. Van-ku setzte sich dort auf den gewohnten Hochsitz des Prinzen, Tschen-ku aber stellte sich mit dem gezogenen Schwert hinter die Tür. Andere Helfer hatten den Saal hell beleuchtet, wie er es nur war, wenn Tschimkin in der Residenz weilte, und hatten zu Achmed einen Boten geschickt: Seine kaiserliche Hoheit, der Kronprinz, wünsche ihn sofort zu sprechen.

Diese Botschaft erreichte Achmed in seinem Palast in Peking, wo er wohnte, da er ja nicht zur Familie des Großkhans gehörte. Angesichts der späten Stunde und der Dringlichkeit der Nachricht dachte Achmed nicht anders, als dass Kublai-Khan, der Hochbetagte, gestorben und Tschimkin der neue Herr sei. Das konnte für Achmed den Sturz bedeuten, die Stunde, da er sich für alles verantworten musste, oder neue, vergrößerte Macht an der Seite eines jungen Herrschers.

Von diesen Gedanken und Ängsten bestürmt, dachte Achmed

nicht daran, sich auf dem Weg zu schützen oder an der ungewöhnlichen Stunde Anstoß zu nehmen, sondern eilte, so schnell er konnte, in die Palaststadt. Unter dem Tor traf er dort auf einen Obersten der Leibwache namens Kogatai, einen Tataren. Dieser erkannte den Minister, erkundigte sich aber doch, was jener noch im Palast wolle, und Achmed antwortete:

»Prinz Tschimkin hat nach mir geschickt; er ist mit wichtigen Nachrichten eben eingetroffen und erwartet mich in seinem Palast!«

»Wäre der Prinz eingetroffen«, antwortete der Oberst, »so hätte ich es erfahren, denn ich hätte ja einen Teil der Wache zu seinem Schutz abstellen müssen.«

Oberst Kogatai hatte ein reines Gewissen und von einem Übergang der Herrschaft auf Tschimkin nichts zu fürchten; darum überlegte er ruhig und fand die Angelegenheit verdächtig, weswegen er sich Achmed anschloss und mit ihm zum Palast des Kronprinzen ging.

Als sich die Türen zum Saal öffneten, warf sich Achmed nieder; Kogatai, der ihm höflich den Vortritt gelassen hatte, stand noch an der Tür. In diesem Augenblick sprang Tschen-ku herzu und trennte dem knienden Achmed mit einem einzigen Schwertstreich den Kopf vom Rumpf.

Kogatai sah, dass Verrat im Spiel war, und erkannte, dass auf dem Hochsitz nicht Prinz Tschimkin saß, sondern ein Kataier. Er legte einen Pfeil auf und tötete mit einem einzigen Schuss durch den ganzen Saal Van-ku; dann nahm er Tschen-ku nach kurzem Kampf gefangen.

Oberst Kogatai wartete nicht erst Befehle von anderen Würdenträgern oder gar vom Kaiser ab, der in Schangtu saß, sondern handelte sogleich nach eigenem Ermessen. Die zwölftausend

Mann der Palastwache besetzten die Chinesenstadt und erklärten, jeden zu töten, der sein Haus verlasse. Boten, die in andere Städte abgefertigt wurden, sorgten dafür, dass überall die tatarische Besatzung alarmiert wurde, sodass niemand auf die Straße konnte, niemand imstande war, mit anderen Verbindung aufzunehmen oder die verabredeten Rauchzeichen zu geben.

Als diese Rauchzeichen ausblieben, glaubten die Verschwörer in den verschiedenen chinesischen Städten, der Anschlag auf Achmed sei misslungen und verhielten sich still. Hätten sie erfahren, dass Achmed tot sei, so hätten sie vielleicht losgeschlagen, obwohl Tschen-ku und Van-ku die Rebellion nicht mehr anzuführen vermochten.

Für Tschen-ku kamen schwere Stunden. Auf der Folter gab er die Namen jener Mitverschworenen preis, die er kannte, und die Tataren holten sie aus ihren Häusern. Man verhörte auch sie und behandelte sie nach dem Grade ihrer Schuld; nicht wenige wurden zum Tod verurteilt.

Da Kogatai so entschlossen gehandelt hatte und die Niederschlagung der Revolte nach Schangtu berichtete, sah Seine Majestät keine Veranlassung, die weite Reise aus der Sommerresidenz in das heiße Peking anzutreten. Er beschäftigte sich mit der ganzen Angelegenheit erst im Dezember, als er gewohnheitsmäßig wieder in Kambalu Einzug hielt.

Die Söhne Achmeds – es sollen insgesamt siebenundzwanzig gewesen sein – bemühten sich bei dieser Gelegenheit, ihren toten Vater als einen Helden hinzustellen, der sich für seinen Herrn geopfert habe. Kublai-Khan aber interessierte sich nicht nur für die Rebellion selbst, sondern auch für ihre Ursache und dafür, dass der Anschlag seinem Ersten Minister gegolten habe. Und nun, da Achmed tot war, wagten auch einige, die das Vertrauen des Kaisers besaßen, die wahren Ursachen des Anschlags anzudeuten und die Gründe zu nennen, die Tschen-ku und andere hatten, dem mächtigen Minister nach dem Leben zu trachten.

Daraufhin befahl der Kaiser eine Untersuchung, und es kamen zwar nicht alle Schändlichkeiten Achmeds ans Licht, aber doch genug, um den Kaiser mit großem Zorn zu erfüllen.

Der Leichnam des Ministers wurde aus dem Grab gerissen und auf die Straße geworfen für die Hunde, die zu allen Zeiten in Peking herumstreunen. Die Familie Achmeds wurde geächtet und seine Söhne aus ihren Ämtern entfernt. Jene sieben Söhne aber, die den Kaiser gleich Achmed betrogen und sich ungesetzlich bereichert hatten, wurden auf Befehl Kublai-Khans hingerichtet, und zwar in der grausamsten Form; denn niemals ist der Zorn eines Mächtigen furchtbarer, als wenn er sieht, dass sein Vertrauen viele Jahre lang missbraucht worden ist.

Kogatai, der umsichtige Oberst der Palastwache, wurde reich belohnt, denn er hatte die Hauptstadt gerettet und die Rebellion so gut wie allein niedergeschlagen. Die Mohammedaner aber hatten in den folgenden Jahren schlechte Zeiten im Reich des Großkhans, als wären sie alle mitschuldig an den Verbrechen Achmeds. Der Kaiser ließ sich berichten, dass die Sarazenen in allen Handlungen, die sich gegen Andersgläubige richten, keine Verbrechen sehen können, und wollte nun genau wissen, wo diese Gesetze stünden. Man brachte einen Schriftgelehrten der Sarazenen vor Kublai-Khan, der wohl oder übel bestätigen musste, im Koran stehe das Wort: »Tötet alle, die mehrere Götter anbeten.«

Selbstverständlich war ein Kaiser wie Kublai-Khan zu intelligent und zu gerecht, um ein ganzes Volk die Verbrechen eines einzigen Ministers und seiner Söhne entgelten zu lassen. Aber sein Verdacht gegen die Sarazenen war nun geweckt; er begann, sie zu verachten, und erließ Gesetze, die dieses Volk in der Ausübung seiner Religion und seines Handels beeinträchtigten. Vor allem verbot er das Schlachten nach mohammedanischem Ritus, nämlich das Durchschneiden der Kehle eines Tieres. Diese Art des Schlachtens war dem Kaiser schon lange ein Dorn im Auge, einmal, weil er als großer Jäger dieses langsame Ausbluten der Tiere grausam und unnütz fand; zum anderen aber, weil ihm einmal mohammedanische Reisende bei einem Gastmahl zu verstehen gegeben hatten, das sie das Fleisch von Tieren, die von Tataren geschlachtet würden, als unrein ansähen und zurückweisen müssten.

All dies kam nun zusammen, und im ganzen Reich Kublai-Khans hatten die Moslems nicht mehr viel zu lachen, vor allem auch weil die anderen Fremden, die Christen und die Buddhisten, den Hass gegen die Mohammedaner schürten und nicht erlöschen ließen.

Marco Polo und andere Kaufleute begrüßten es durchaus, dass die Sarazenen in ihrem Einfluss gemindert wurden, beherrschten jene doch ohnedies den ganzen Handel im Orient mit ihren Karawanen und Schiffen. Aber es zeigte sich, dass selbst ein so mächtiges Reich wie das Kublai-Khans auf die Dauer nicht auf die Handelskarawanen aus Vorderasien und die Flotten der Araber und Malaien verzichten konnte. Denn es gab viele Waren, die im Mongolenreich noch fehlten oder selten waren, und es gab andere, die der Großkhan auszuführen wünschte, weil er davon im Überfluss hatte und Dinge dafür eintauschen konnte, die er zur Ausrüstung seiner Truppen oder für seinen eigenen Bedarf nötig brauchte.

Darum kam es sieben Jahre nach dieser Rebellion zu einem langen Gespräch zwischen dem neuen Minister der Finanzen und des Handels, einem Uiguren namens Sanga, und dem Kaiser.

Seine Majestät erwies den drei Venezianern die Ehre, sie zu diesem Gespräch hinzuzuziehen.

Der Minister erkundigte sich bei Marco, der die tatarische Sprache inzwischen besser beherrschte als sein Vater und sein Onkel, ob die Christen im fernen Europa in der Lage wären, den Ausfall der sarazenischen Händler wettzumachen und in unmittelbare Handelsbeziehungen mit dem Reich des Großkhans einzutreten.

Marco Polo musste zu seinem Bedauern wahrheitsgemäß zugeben, dass zwischen dem christlichen Europa und den Tataren nicht nur eine endlose Steppe liege, sondern auch die Zone der mohammedanischen Reiche, und dass trotz vieler Kriege und tapferer Kreuzzüge der Christenkönige gegen die Sarazenen diese noch immer nicht geschlagen seien.

Darauf musste der Minister Sanga Seine Majestät bitten, die Gesetze gegen die Mohammedaner so weit zu mildern, dass sich die Händler aus Arabien, aus dem Zweistromland und auch Buchara wieder in das Reich des Großkahns wagen und den Handelsverkehr wieder aufnehmen würden wie vor dem Tod Achmeds, der einer der Ihren gewesen war und ihnen Schutz gewährt hatte.

Von zwei wunderbaren Erfindungen

Nach diesen Entscheidungen sahen die Christen und die Buddhisten, die gerne den ganzen Handel des Riesenreiches allein in Händen gehabt hätten, die Sarazenen wieder in Scharen in die großen Hafenstädte des Kaisers kommen und über die

Berge und durch die Wüsten mit ihren Karawanen. Einzig die Juden kehrten sich nicht an diese neue Wendung, denn sie, deren manche unter arabischen Namen reisten, weil dies vor allem auf den Schiffen sicherer war, hatten zu allen Zeiten und bei allen Völkern Eingang mit ihren Waren.

Etwas aber gab es im Reiche Kublai-Khans, was auch die Armenier, die Juden und die Syrer noch nie gesehen hatten, obwohl man sie doch mit Recht als die erfahrensten Kaufleute auf dem ganzen Erdkreis bezeichnet – das war federleichtes Geld aus Papier, das dennoch so viel wert war wie eine Menge schwerer Gold- und Silberstücke.

Dieses Papiergeld wird in Kambalu hergestellt, unter strengster Aufsicht, aber Marco Polo, der das Vertrauen des Kaisers besaß, erfuhr die Methode, nach der man es macht. Im Land der Seide gibt es viele Maulbeerbäume, von denen die Seidenraupen leben; von diesen Maulbeerbäumen nimmt man die innere, zarte Rinde zwischen der rauen Borke und dem eigentlichen Holz des Baumes. Diese dünne und biegsame Rinde wird eingeweicht und danach in einem Mörser zu Brei zerstampft. Daraus wird ein Papier verfertigt, das dem ähnelt, das man aus Baumwolle macht, nur dass dieses Maulbeerenpapier ganz schwarz ist.

Die ausgewalzten schwarzen Platten diese Papiers werden in Geldscheine von verschiedenen Größen zerschnitten, von denen manche quadratisch sind, andere ein wenig länger als breit. Die kleinste Größe entspricht unseren kleinen Münzen in Europa, die nächstgrößere ist schon ungefähr so viel wert wie der venezianische Silbergroschen. Danach beginnen die großen Geldscheine, die im Wert Goldstücken vergleichbar sind, und zwar jenen aus Byzanz, denn andere Goldmünzen als die Byzantiner aus Konstantinopel, wie sie die griechischen Kaiser ausgeben, kennt man hier nicht. Es gibt Geldscheine, die zehn solchen Byzantinern entsprechen.

Sieht man als Europäer solche Papiere, so denkt man zuerst, die könnte doch ein anderer auch verfertigen als der kaiserliche Geldhof, denn Maulbeerbäume gibt es im ganzen Land und in vielen Gärten. Dem ist aber nicht so, denn die Kataier machen das Papiergeld für den Großkhan mit so viel Gepräge und Aufwand, als stellten sie echte Goldmünzen her. Auf jedem einzelnen der größeren Geldscheine müssen die Beamten ihren Namenszug anbringen und sogar ein Siegel darauf drücken. Ist das dann geschehen, so taucht noch der oberste Münzmeister sein Siegel in Zinnoberfarbe und stempelt damit jenen Geldschein aus Papier auch noch ab.

Wer versuchen wollte, für sich selbst so schöne schwarz-rote Geldscheine herzustellen, müsste also nicht nur das Papier nachmachen, sondern auch das kaiserliche Siegel fälschen, und darauf steht im ganzen Land die sofortige Todesstrafe. Die einzige Gefahr für dieses Papiergeld besteht demnach darin, dass es natürlich nicht so widerstandsfähig ist wie eine Münze und dass es auf langen Reisen, die jeder Kaufmann auf sich nehmen muss, Schaden leiden kann. Darum sind die Münzanstalten in den verschiedenen Städten dazu angehalten, schadhafte Papiergeldscheine umzutauschen, wobei sie drei Prozent vom Wert einbehalten dürfen.

Im ganzen Reich des Großkhans wird dieses Papiergeld in Zahlung genommen, als sei es pures Gold, denn es zurückzuweisen hieße Seine Majestät beleidigen. Eine kleine Schwierigkeit ergibt sich jedoch für die Kaufleute aus fremden Ländern, in denen diese wunderbare Erfindung noch nicht bekannt ist und in denen der Großkhan nicht die Macht hat, die Annahme des Geldscheins zu erzwingen. Diese Kaufleute müssen eben die Geldscheine, die sie im Tatarenreich erhalten, dort auch wieder ausgeben, um die Ware für die Rückreise einzukaufen. Dies ist ohnedies der gewöhnliche Weg, denn wer tritt schon eine so weite Reise an, um nur einmal zu verdienen, kann er doch, wenn er die richtigen Waren erwirbt, auf der Rückreise noch einmal so viel Gewinn erzielen wie auf dem Hinweg.

Wenn die fremden Kaufleute ankommen und ihre Waren ausbreiten, erscheint daher ein kaiserlicher Schätzmeister, der den Wert der Waren taxiert, einen vernünftigen Gewinn hinzurechnet, aber auch eine Abgabe für den Kaiser einbehält. Was danach als Rest sich ergibt, erhält der Händler in Papiergeld ausbezahlt. Er verkauft nicht an einzelne Kataier, Tataren oder Nestorianer, sondern stets an den Kaiser. Dies ist einer der Gründe dafür, dass so viele Kaufleute kommen und sich vor allem in den Vororten von Peking aufhalten, denn der Hauptabnehmer für all diese Einfuhren ist der Kaiser selbst mit seiner großen Hofhaltung und seiner Armee. Überdies ist es eine gewisse Sicherheit, an den Kaiser zu verkaufen, denn er betrügt nicht, lässt allerdings auch nicht mit sich feilschen.

Mit dem Papiergeld, das die Fremden erhalten haben, ziehen sie dann durch die Straßen und versuchen, das einzukaufen, was auf ihren eigenen Märkten gut abzusetzen ist. Dabei handelt es sich meistens um Perlen und Edelsteine, aber auch um Gold und Silber, um einen schönen Schmuckstein, Jade genannt, aus dem man vielerlei Dinge schneiden kann; und natürlich um die Seidenstoffe, die teils mit Gold oder Silber durchwirkt sind und die seit langer Zeit schon den wichtigsten Artikel für den Handel der Kataier mit den westlichen Ländern darstellen.

Da auch die große Armee des Kaisers ihre Löhnung in solchem

Papiergeld bezieht, ist immer sehr viel von den Scheinen im Umlauf, und es war schon einmal so, dass es zu wenig Waren gab für diese vielen Scheine. Da wurden neue Scheine gemacht, und man musste fünf alte für einen neuen Schein geben. Das fiel jenen, die viel davon hatten, zwar im ersten Augenblick schwer. Als sich aber herausstellte, dass man mit den neuen Scheinen all das kaufen konnte, was auf die alten Scheine niemand hergeben wollte, waren alle Menschen wieder zufrieden, und die Not war abgewendet. Es gehört zu dieser Erfindung des Papiergelds also ein sehr weiser Monarch und eine Schar gut unterrichteter Beamter; darum werden wir in Europa wohl noch eine Weile darauf warten müssen ...

Die zweite Erfindung ist nicht weniger wunderbar als die erste. Wenn es für einen Fürsten ein großes Glück ist, immer genug Geld zur Verfügung zu haben, so ist es vielleicht nicht gerade die gleiche Glückseligkeit, aber doch eine hohe Notwendigkeit, stets schnell über alles unterrichtet zu werden, was in seinem Reich vor sich geht.

Von den Großkönigen des alten Persien wissen wir, dass sie zu diesem Zweck eine Königsstraße quer durch Anatolien und Persien anlegen ließen. Diese Straße vermied alle Städte, weil Städte stets Unruheherde sind, und an ihr lagen kleine Häuser, die Boten und Reisenden Unterkunft gewährten.

Im Kalifenreich von Bagdad gab es, bevor Hulagu-Khan es eroberte, eine kuriose Einrichtung, die sich der Klatschweiber in allen Orten bediente: eigene Beamte, die allen Tratsch, vornehmlich solchen über die Regierung und über den Kalifen selbst, aufschreiben und danach an den Kalifen nach Bagdad berichten mussten.

Über all diese Vorbilder, handelte es sich nun um den großen

Darius oder um die Kalifen, sind die Mongolenkhane und vor allem unser Kublai-Khan weit hinausgelangt durch die Erfindung der mongolischen Post, die alles übertrifft, was es auf diesem Gebiet bisher gegeben hat, die altrömischen Postlinien eingeschlossen. Nie zuvor ist ein Reich von jener weltweiten Ausdehnung durch Poststraßen und Postreiter in dem Maße erschlossen worden.

Hält sich der Kaiser auch oft in Schangtu auf, so ist der Mittelpunkt aller Poststraßen doch Kambalu, die Palaststadt von Peking, wie es ja auch natürlich ist, denn die Post ist in erster Linie für den Großkhan und seine Minister geschaffen und erst in zweiter Linie für die Reisenden und die Gesandtschaften, die nach Kambalu wollen.

An den vielen Straßen, die von Peking nach allen Himmelsrichtungen ziehen, sind in Entfernungen von fünfundzwanzig oder dreißig Meilen so genannte Jambs angelegt, Rasthäuser, in denen die Reisenden verpflegt werden und frische Pferde vorfinden.

In ihrem Inneren sind diese Jambs so ausgerüstet, dass sie selbst einem König zur Unterkunft dienen können; sie tragen dem Umstand Rechnung, dass in unseren Zeiten die kleinen Leute nicht reisen, sondern nur Menschen eines gewissen Vermögens, weil zum Reisen eben doch Dienerschaft, Ausrüstung, Tragtiere und somit beträchtliche Mittel gehören. Jedes Rasthaus verfügt daher über verschiedene Räume, von denen einige mit Seide tapeziert sind und alle Bequemlichkeiten enthalten, die Leute von Rang gewohnt sind.

Den Unterhalt der meisten Rasthäuser haben die Städte zu tragen, in denen sie liegen, doch hilft ihnen der Kaiser bei den dafür nötigen Aufwendungen; andere Rasthäuser, vor allem solche in einsamen Gegenden, werden ganz von der Regierung erhalten, der dann auch die Pflicht obliegt, für die nötigen Vorräte zu sorgen.

Kaum minder wichtig als die Vorkehrungen für Übernachtung und Verpflegung ist die Bereitstellung frischer Pferde. Die Entfernungen im Tatarenreich sind ungeheuer, und es wäre undenkbar, sie mit noch so guten Pferden zurückzulegen, wenn man diese nicht austauschen könnte.

Auf jeder Jamb oder Poststation stehen daher zweihundert Pferde zur Verfügung. Das nötigt den Posthalter, eine zweite Herde von abermals zweihundert Pferden auf der Weide zu haben, die wieder im Monat darauf als Postpferde eingesetzt werden können. Abgetriebene Pferde kommen gleich auf die Weide, wo sie sich erholen können, bis man sie wieder braucht.

In den nicht wenigen Poststationen, die in wüstenhaften Gebieten liegen, können sich die Reisenden nicht nur mit frischen Pferden, sondern auch mit Wasser und Vorräten versorgen, damit sie sicher die nächste Station erreichen. In diesen Gebieten entstehen um die Poststation meist kleine Ansammlungen von etwa vierzig Häusern, denn die Posthalter und ihr Personal müssen ja an der Station wohnen. Auch ist in so einsamen Gebieten der Schutz gegen die Räuber besonders wichtig. Seit die Khane über China und die ganze Mongolei herrschen, sind die Straßen wieder sicher, denn die Tataren auf ihren schnellen Pferden sind genau jene Soldaten, die von Räubern am meisten gefürchtet werden. Unter den chinesischen Kaisern gab es jahrhundertelang kein sicheres Reisen, sondern große Räuberbünde, die ihre Späher überall hatten und der Schrecken des ganzen Landes waren.

Als Marco Polo – dies sei hier zwischendurch bemerkt – nach seiner Heimkehr in Venedig von der Tatarenpost erzählte und dass es im ganzen Reich an die zehntausend Poststationen gebe, da fragten ihn die Venezianer, die an ihre kleine Stadtrepublik gewöhnt waren, woher denn der Großkhan all die Menschen nehme, denn allein für die Post seien ja hunderttausende von Beamten und Pferden notwendig.

Was Marco Polo darauf antwortete, setzt er zur Erläuterung auch hierher, damit sich der Leser gar nicht erst die gleichen Fragen stelle: Die Pferde sind bei den Tataren stets zahlreich gewesen, denn sie leben mit dem Pferd und von dem Pferd und sind gewohnt, es in ungeheuren Herden um sich zu haben, seit Jahrhunderten, ja vielleicht Jahrtausenden.

Und die Menschen, die sind in Asien überhaupt viel zahlreicher als in Europa, auch die Städte sind alle viel dichter bevölkert und viel größer und die Straßen viel belebter. Denn in diesen Ländern milden Klimas und regen Handels ist es nicht so schwer, mehr Menschen zu erhalten, wie in dem engen Europa, in dem sich selbst die Städte ängstlich gegeneinander abschließen. Auch haben die Europäer in der Regel nur eine einzige Frau und folglich nicht so viele Kinder wie die Tataren und die Sarazenen, bei denen vier Frauen die Regel sind, und die Kataier, die überhaupt riesige Familien mit reichem Kindersegen in jedem Haus auf erstaunlich kleinem Raum unterbringen.

Auf diese Weise also funktioniert die Mongolenpost, dank der vielen Menschen, der vielen Pferde und der vielen Rasthäuser – und dank der vielen Bäume, die Kublai-Khan in kleinen Abständen an die Straßen pflanzen ließ, wo immer sie nur gedeihen konnten. Sie stehen so eng nacheinander, dass sie die Fahrwege in völligen Schatten tauchen. Danach kann man schon von ferne den Verlauf der Straße erkennen, selbst im Winter, wenn die Wege verschneit sind. In der Wüste aber, wo kein Baum gedeihen will, werden Wegmarken aus Steinen oder Gebeinen aufgeschichtet. Vor Kublai-Khan dachte niemand daran, Überlandstraßen auf diese Weise zu kennzeichnen und besser gangbar zu machen.

Dazu muss allerdings, um der Wahrheit willen, gesagt werden, dass der Hauptnutznießer dieser Postlinien, Straßen und Postpferdedienste Seine Majestät selbst war, dazu die Prinzen seiner Familie und die höchsten Offiziere. Auch seine Nachfolger werden diesen Nutzen noch haben, sofern sie das großartige System der Stationen und der Wege nicht in Unordnung geraten lassen.

Denn wie einst Darius am meisten Sorge vor den vereinzelten Aufständen in seinem Großreich hatte, so ist es auch für Kublai-Khan von größter Bedeutung, nicht nur alles zu erfahren, was sich in den verschiedenen Provinzen ereignet, sondern auch, es so schnell zu erfahren, dass wirksame Gegenmaßnahmen nicht zu spät kommen. Im Fall des Fürsten Nayan hatte sich gezeigt, wie sehr es oft auf die Schnelligkeit der Unterrichtung und des Handelns ankomme, und darum war auf diesen Poststraßen noch ein besonderer Botendienst eingerichtet, der ausschließlich dem Hof selbst zur Verfügung stand.

Er stützt sich auf ausgesuchte, an Strapazen gewöhnte Reiter, die um ihren Leib den Kuriergürtel mit vielen kleinen Schellen tragen. Beim Herannahen des Schellenklangs müssen alle Karawanen und Fuhrwerke und Wanderer sogleich die Straße freigeben, um den Boten des Kaisers nicht zu behindern oder aufzuhalten. Solche Eilboten gibt es mehr als Poststationen, damit jeder nur eine kurze Strecke zu reiten habe und dieses Stück zurücklegen könne, ohne sich oder sein Pferd zu schonen. Mit dieser Technik der Stafetten ist es schon gelungen, an einem einzigen Tag bis zu zweihundertfünfzig Meilen zu überbrücken. Von Schangtu nach Peking zum Beispiel reist man gewöhnlich zehn

Tage. Sendet Seine Majestät jedoch eine dringende Nachricht ab oder, was häufig vorkommt, eine lebende Pflanze, die nicht lange unterwegs sein soll, so kommen Nachricht oder Pflanze, wenn sie am Morgen in Schangtu abgingen, am Abend des nächsten Tages in Peking an, also mit fünffacher Reisegeschwindigkeit.

Bei Nachrichten für den Großkhan, die von größter Bedeutung sind – zum Beispiel Meldungen über einen feindlichen Einfall an einer Grenze oder einen Aufruhr im Land oder über den Abfall eines tributpflichtigen Fürsten –, erhält der Bote die so genannte Tafel des Geisterfalken. Sie ist ein Ausweis für ganz besondere Dringlichkeit. Wer sie trägt, hat Anspruch auf jede Unterstützung ohne Schonung irgendeines anderen Reisenden. Der Kurier mit der Tafel des Geisterfalken darf sich überall die besten Pferde aussuchen, hat als Erster Recht auf Verpflegung und Wasser und Schutz, und wehe dem, der solch einem Boten irgendetwas abschlagen würde.

Kuriere für den Ritt mit der Tafel des Geisterfalken sind ausgesuchte Offiziere der tatarischen Armee, ausdauernde und harte Reiter und Männer, die sich in jeder Lage zu helfen wissen. Es gibt nicht viele von ihnen, und sie stehen im ganzen großen Reich in besonderem Ansehen. Ihr Herannahen an eine Poststation verkünden sie durch einen Hornstoß, damit die Austauschpferde schon bereitstehen. Die Kuriere stürzen dort dann schnell einen Trunk hinunter, nehmen die Verpflegung mit in den Sattel, binden ihr Kopftuch fester und sind wieder davon, ehe der Posthalter sie recht zu Gesicht bekommen hat. Darum, weil sie so schnell reiten wie Geister, die nirgends verweilen, trägt die Tafel diesen Namen, und für manchen Rebellen haben sie sich schon als böse Dämonen erwiesen und als das schnell reitende Unglück.

Es war an einem 28. September, dem Tag, da der Großkhan das

Fest seines Geburtstages begeht, dass solch ein Eilkurier die Festefreude störte. Marco Polo war dabei anwesend.

Dieser Geburtstag ist das größte Fest der Tataren, ausgenommen das Fest des Jahresbeginns, das nach chinesischem Brauch im Monat Februar gefeiert wird. An seinem Geburtstag bekleidet sich der Kaiser mit einem überaus kostbaren Gewand, und am gleichen Tag erhalten auch viele hunderte von Würdenträgern und Adeligen des großen Reiches solche oder ähnliche Ehrengewänder als Auszeichnung und damit sie erkennen, dass Seine Majestät in diesem abgelaufenen Lebensjahr mit ihren Diensten zufrieden gewesen sei. Diese Kleider dürfen nur an dreizehn besonders bezeichneten Festtagen des ganzen Jahres getragen werden; somit erhalten sich die kostbaren Gewänder zehn Jahre und länger.

An diesem Tag bitten alle Völker des Reiches, gleichgültig, welche Religion sie pflegen, ihren Gott oder ihre Götter um langes Leben und Gesundheit für den Monarchen, und man schickt ihm Geschenke aus allen Teilen der Welt. Wenn solch ein Geschenk aus mehreren Dingen besteht, so müssen es immer neun oder neunmal neun sein, denn die Neun bringt Kublai-Khan Glück; andere Zahlen will er an diesem Tag nicht sehen.

Der Kaiser betrachtete eben eine Koppel mit neun ausgesucht schönen arabischen Zuchthengsten, die ihm ein Vasall geschickt hatte, als der Kurier mit der Geisterfalkentafel in den Garten des Palastes einritt, woran zu hindern ihn niemand gewagt hatte. Staubüberkrustet, sodass er den Mund gar nicht zum Sprechen öffnen konnte, sprang er aus dem Sattel, tat zwei Schritte und warf sich dann vor Seiner Majestät nieder.

Kublai-Khan gab Marco Polo einen Wink. Dieser trat hinzu und hob den Mann auf, nahm ihm das Schreiben aber nicht ab.

Es war das Recht dieser ausgesuchten Kuriere, ihre Botschaft Seiner Majestät selbst zu überreichen.

Aus den Händen des Monarchen erst empfing Marco Polo das Schreiben mit dem Befehl, es vorzulesen, während zwei Diener sich des Kuriers annahmen und ihn in die Küche des Palastes geleiteten. Marco las:

»Der Herr behüte Seine Majestät, den großen Kublai-Khan, und sei dem Statthalter gnädig, der diese üble Nachricht absenden muss: Der König von Burma hat sich geweigert, den Tribut zu entrichten, und rüstet ein großes Heer aus, um in den Distrikt Yung-tschang einzudringen, der Eurer Majestät untertan ist. Wir werden an der Grenze kämpfen, bis die herrliche Armee Eurer Majestät hier eintrifft...«

Nestardin und die Elefanten

Zu einer Beratung über die Botschaft von der burmesischen Grenze kam es erst am nächsten Tag. Seine Majestät hatte sich wegen dieser Angelegenheit die Festesfreude nicht trüben lassen, war doch die Menge der Geschenke, die an diesem einen Tag nach Schangtu gebracht worden waren, weit größer als der ganze Tribut, der aus Burma zu kommen pflegte.

Am Vormittag des nächsten Tages aber beriet der Kaiser mit den Ministern, soweit sie in Schangtu weilten, und mit seinen Ehrenbegleitern, zu denen auch Marco Polo gehörte. Nachdem sich Kublai-Khan die Meinungen seiner Berater angehört und sich gemeinsam mit den Geografen über die große Landkarte seines Reiches gebeugt hatte, entschied er:

»Es gehört zwar zu meinen Plänen, einen Ausgang meines Reiches zum Indischen Ozean zu erobern, und darum werde ich eines Tages nach Bengalen vorstoßen. Burma, wo man uns jetzt den Tribut verweigert, ist für eine ständige Besetzung zu groß und zu bergig, und es wäre schwierig, Straßen von Burma nach Szetschuan anzulegen, weil diese Straßen viele tief eingeschnittene Flusstäler zu überqueren und zu viele hohe Berge zu erklimmen hätten. Ich glaube, dass ein großer Eroberungskrieg gegen Burma uns nichts nützt und sehr viele Soldaten im äußersten Süden unseres Reiches beschäftigen würde, und das wäre nicht ohne Gefahr für das Reich im Ganzen.

Darum habe ich beschlossen, eine kleine Gruppe von klugen Männern nach Yünnan zu entsenden, wo ich einen tüchtigen Statthalter habe und eine kleine Armee. Marco Polo soll diese kaiserliche Gesandtschaft führen und den Statthalter von Yünnan bei der Niederwerfung etwa eindringender burmesischer Truppen beraten. Es können auch Truppen aus Szetschuan herangezogen werden. Aber die Reichsarmee kann ich nicht durch ganz China marschieren lassen, lediglich wegen eines Tributs und einiger Unruhe an der Grenze.«

Dann wandte er sich zu Marco Polo, der sich, als sein Name fiel, zum Zeichen der Dankbarkeit für die Auszeichnung sogleich vor dem Kaiser niedergeworfen hatte.

»Du brauchst mir nicht zu danken, Marco«, sagte Kublai-Khan und hob den Venezianer selbst auf, »du wirst mir einen großen Dienst erweisen mit dieser weiten und mühseligen Reise; aber ich weiß auch, dass du jung genug bist, dass du Erfahrung im Reisen hast und dass du in mein Land gekommen bist, um es zu sehen. Und so viel Christen du auch hier und in Peking getroffen hast, dort in Burma wirst du der erste sein, und in vielen Landstrichen, die du durchmessen musst bis dahin, ebenfalls. Reise glücklich, und gib mir Nachricht mit ausgesuchten Kurieren, damit ich eingreifen kann, wenn du doch Hilfe brauchen solltest!«

Marco Polo freute sich über die Abwechslung, wenn ihm auch ein Ziel in der Nähe des Meeres lieber gewesen wäre. Was vor ihm lag, war wiederum eine unendlich weite Reise quer durch das Herz Asiens und über hohe Berge, und zudem bedrückte ihn die Verantwortung.

Beim Abschied von Vater und Onkel drückte er diese Sorgen aus:

»Wenn die Schlacht gegen die Burmesen verloren geht, seht ihr mich nicht wieder«, sagte Marco. »Ich wage es nicht, Seine Majestät zu enttäuschen, selbst wenn er mir verzeihen würde, denn ich bin schließlich kein General. Habe ich keinen Erfolg, so schlage ich mich nach Calicut durch und versuche, zu Schiff nach Ormuz oder Suez zu kommen.«

»Und wir?«, fragte Niccolò Polo, bekümmert von diesen Aussichten. »Was sollen wir in diesem Fall tun?«

»Ihr bittet um die Erlaubnis zur Heimreise, sobald eine eindeutige Nachricht von einer Niederlage in Peking eintrifft. Wir wollten ohnedies nicht mehr allzu lange hier bleiben, in Venedig hält man uns sicher schon lange für tot!«

An der Spitze einer kaiserlichen Abordnung, mit der Befehlsgewalt eines Statthalters ausgestattet und von zweihundert Reitern begleitet, reiste es sich anders als in einer Kaufmannskarawane. Marco brauchte für den Weg von Schangtu über den Hoangho und den Jangtsekiang bis nach Yünnan fünfzig Tagesreisen. Er schätzte sich glücklich, dass er Vater und Onkel nicht mitgenommen hatte, denn von den langen Ritten, die täglich zu absolvieren waren, schmerzten ihn alle Glieder. Aber er wollte sich als Ehrenbegleiter und Vertrauensmann des Großkhans keine Blöße vor den Tataren geben. Hin und wieder erzwang sich Marco Polo eine Pause für seine Aufzeichnungen, die er unentwegt machte, und dabei erholte er sich dann auch ein wenig. Und als sie bei Itschang auf den Jangtsekiang stießen, da ließ sich Marco von dem örtlichen Statthalter große Ruderschiffe für sich, seine Leute und die Pferde stellen und eine Woche lang stromauf rudern; das brachte sie ganz nahe an die Provinz Yünnan heran und kostete doch keine Kraft.

In Ipin, wo ein mächtiger Nebenfluss dem Jangtsekiang Wasser genug für Schiffe gibt, mussten sich Marco und seine Leute von dem Strom trennen und das letzte Stück wiederum reitend zurücklegen; so gelangten sie bis nahe an die Grenze von Burma, dem Land des unbotmäßigen Königs.

An dieser Grenze lagen zwei chinesische Provinzen, die bereits zum Reich der Tatarenkhane gehörten: im Norden Talifu, im Süden Yünnan.

Talifu hatte einen Vizekönig, keinen Statthalter, denn hier hatte Kublai-Khan seinen Sohn Kogatschi eingesetzt. Damit war Talifu, die Residenz, die so hieß wie das Land, zu einer der zwölf Hauptstädte des großen Reiches geworden, so einsam sie auch zwischen den großen Strömen Jangtsekiang und Mekong lag, die hier beide wild durch die Felsen brechen.

Yünnan wird von vielen Mohammedanern bewohnt. Das hat seinen Grund darin, dass ihr Statthalter der Sarazene Sajad Ajil aus Buchara war; er hatte viele seiner Landsleute und Glaubensgenossen hierher kommen lassen und ihnen die Niederlassung gestattet. Zu der Zeit, da Marco Polo Yünnan besuchte, war Sajad Ajil allerdings bereits tot, und sein Sohn Nestardin herrschte.

Nestardin hieß mit seinem wirklichen Namen Nasir Ed Din, was die Chinesen jedoch nicht aussprechen konnten und nach ihren Gewohnheiten umgeformt hatten. Er war als Sarazene im ersten Augenblick betroffen, sich einem Christen gegenüberzusehen, als Marco Polo mit seiner Begleitung im Statthalterpalast erschien. Aber da sie Diener des gleichen Herrn waren und beide wussten, dass Kublai-Khan sein eigenes und sehr persönliches Verhältnis zu den Religionen hatte, verstanden sie sich bald gut und berieten das Vorgehen gegen den König von Burma, der inzwischen unablässig gerüstet hatte.

»Seine Majestät«, sagte Marco Polo, »lässt dir die Entscheidung. Wenn du glaubst, mit deinen zwölftausend Mann die Burmesen schlagen zu können, so sollst du es versuchen. Wenn nicht, so habe ich Auftrag, dir Truppen zu besorgen, in Talifu oder Kweitschou oder Szetschuan.«

Nestardin überlegte nicht lange, sein Entschluss war offenbar seit langem gefasst.

»Ich war darauf vorbereitet«, sagte er, »dass die Hauptarmee nicht kommen würde. Aber ich hatte mit Prinz Kogatschi und zehn- bis zwanzigtausend Mann hier aus den südlichen Provinzen doch gerechnet. Seine Majestät zeichnet mich sehr hoch aus, indem sie mir die Entscheidung überlässt und die Chance zu einem Sieg gibt, der mir Ruhm bringen muss… Wir werden unter deinen Augen kämpfen, Ehrenbegleiter des Kaisers, und du wirst Seiner Majestät ehrlich berichten, wie alles zugegangen ist, ob wir nun siegen oder unterliegen. Und weil das so ist, weil ich einen hohen Zeugen habe für mein Verhalten und für das der Truppe, will ich den Kampf wagen. Unterliegen wir, so wird Seine Majestät erfahren, dass nicht Mangel an Mut, sondern Mangel an Truppen daran die Schuld trug.«

Das versprach Marco Polo, und in den nun folgenden Tagen der Vorbereitungen und des Aufbruchs gegen Burma lernten die beiden Männer einander so genau kennen, dass jeder wusste, er könne sich auf den anderen verlassen. Marco Polo versicherte Nestardin, dass er keinen Statthalterposten anstrebe, sondern solch eine Stellung nur vorübergehend annehmen würde, wenn der Kaiser niemand anderen zur Hand habe. Nestardin wiederum überzeugte den Venezianer davon, dass er nichts gegen die Christen habe, ja nicht einmal gegen die Buddhisten: In Asien müsse man, wenn man herrschen wolle, es so halten wie Seine Majestät und aus jeder Religion das Beste nehmen.

Der König von Burma und Bengalen hatte erfahren, dass sich eine Tatarenarmee seinen Grenzen nähere, und darauf seine Rüstungen eilends abgeschlossen. Er setzte vor allem auf seine Kriegselefanten, die hölzerne Kastelle trugen, in denen jeweils zwölf bis vierzehn ausgesuchte Bogenschützen saßen. Darüber hinaus aber hatte er noch zahlreiche Soldaten zu Fuß und zu Pferd, insgesamt an die sechzigtausend.

Nestardin konnte gegen diese Streitmacht keine Elefanten ins Feld führen, aber seine zwölftausend Reiter waren geübt, unerschrocken und vor allem mit Pfeilen reichlich versehen. Mit Pfeil und Bogen besaßen alle Tataren eine außerordentliche Erfahrung und Treffsicherheit.

In der Ebene des Flusses Irawadi trafen die beiden Armeen aufeinander. Die Burmesen waren früher auf dem Kampfplatz und hatten schon zwei Tage gerastet, um sich auf den Kampf vorzubereiten. Die Tataren unter Nestardin hatten nur eine kurze Rast gehalten, denn ihr Feldherr hatte einen günstigen Kampfplatz entdeckt, und ihm lag sehr daran, diesen zu besetzen, solange der Gegner noch lagerte. Bei der Aufstellung auf diesem Kampfplatz konnte sich nämlich der rechte Flügel der Tataren an einen dichten Wald anlehnen, in den die Elefanten voraussichtlich nicht eindringen würden und der auch eine Umgehung dieses Flügels durch die überlegenen Kräfte der Burmesen ausschloss.

Der König von Burma und Bengalen, das in der Sprache jenes Volkes Bangla heißt, hingegen war guten Mutes, als er die geringe Zahl der Feinde gewahrte. Er wies seine Soldaten darauf hin, dass sie in vierfacher Übermacht kämpften, wie Marco später erfuhr, sagte aber nicht, dass sie in Wahrheit fünffach überlegen seien, um seine Truppen nicht leichtsinnig zu machen.

Nestardin musste seinerseits etwas tun, um seinen Leuten über die offensichtliche Überlegenheit der Burmesen hinwegzuhelfen. Er wies sie zunächst darauf hin, dass die Feinde zwar zahlreich, aber ungeübt seien; Burma habe seit vielen Jahren keinen Krieg geführt. Was den Tataren gegenüberstünde, sei ein Aufgebot, aber keine Armee, während die Tataren doch erprobte Soldaten seien und mit ihren Waffen umzugehen wüssten. Schließlich befahl er ihnen, zuerst auf die Elefanten zu zielen, und zwar auf die Rüssel und die Beine. Elefanten seien zwar große und starke Tiere, aber sehr schmerzempfindlich und leicht in Panik zu versetzen. Helfe aber alles nichts und brächen die Elefanten durch, dann müssten die Tataren sich eben in den Wald zurückziehen und von dieser Deckung aus weiter mit den Pfeilen Schaden stiften.

In dieser Zeit waren auch die Burmesen mit ihrer Aufstellung fertig geworden. Die Elefanten bildeten das erste Treffen, Reiter und Fußvolk standen hinter ihnen in breiter Front, sodass sie zur Linken wie zur Rechten der Elefanten starke Flügel bildeten.

Die Tataren standen und rührten sich keinen Fußbreit. Also ließ der König der Burmesen alle seine Musikinstrumente anstimmen, und unter diesem ungeheuren Getöse setzten sich die

Elefanten gegen die Soldaten Nestardins in Bewegung. Zuerst schritten sie nur langsam, und die Kastelle auf ihren Rücken bewegten sich kaum, sodass die Bogenschützen sicher zielen konnten. Dann aber begannen die großen Tiere anzutraben und schaukelten ihre Besatzung so kräftig, dass von oben kein gezielter Schuss mehr fiel.

Dafür aber gerieten die Pferde der Tataren in Angst, als die Reihe der Ungetüme auf sie zutrottete. Sie bäumten sich wiehernd auf, und auch den geschicktesten Reitern gelang es nicht, ihre Tiere zu beruhigen. Marco Polo sah schon ein fürchterliches Debakel voraus, als Nestardin seinen Hauptleuten den Befehl zurief, alle Männer absitzen zu lassen. Einige hundert Soldaten aus dem zweiten Treffen führten die Pferde in den Wald und banden sie dort an, während die Tataren, nun zu Fuß, ruhig blieben und mit schnellen, gut gezielten Bogenschüssen die Elefanten empfingen.

Die Tiere waren zwar seitlich gegen den Nahkampf gepanzert, nicht aber vorn, wo sie ausschreiten mussten, und die genau gezielten Pfeile trafen die Dickhäuter immer wieder, sodass diese vor Schmerz und Zorn die Rüssel hochwarfen und unruhig wurden. Unerschrocken schossen die Tataren ihre Pfeile auch in die offenen Mäuler und zwischen die Stoßzähne. Bald machten die ersten der getroffenen Elefanten trotz aller Bemühungen ihrer Reiter kehrt und stürmten, wütend vor Schmerzen, gegen die dichten Reihen des burmesischen Fußvolks.

»Auch Kriegselefanten sind nur Elefanten«, sagte Nestardin zufrieden zu Marco Polo, der neben ihm auf einer kleinen Anhöhe hielt. »Sie bleiben Herdentiere. Sieh hin: Zehn, fünfzehn haben schon gewendet, die anderen werden folgen...«

Der Statthalter hatte recht. Wild trompetend stürzten die Elefanten in die Richtung, aus der sie gekommen waren. Die Tapferkeit des Burmesenkönigs half nichts; seine eigenen Elefanten trampelten durch die Reihen seines Fußvolkes, ließen die Pferde auseinanderstieben und brachen noch in den dicht gedrängten Tross ein, der dahinter hielt.

Um die Schlacht zu retten, ließ nun auch der Burmesenkönig Pfeile auf die Elefanten schießen. Das machte die ratlosen Tiere vollends wütend. In Zorn und Angst brachen sie seitlich aus, verließen das Schlachtfeld und brachten sich in einem Wald in Sicherheit, ohne auf die Kastelle zu achten, die sie auf dem Rücken trugen. Zu dutzenden wurden die Holzhäuschen abgestreift und die burmesischen Bogenschützen auf den Boden geschleudert, wo die nachfolgenden Elefanten sie zertrampelten.

»Holt die Pferde zurück!«, rief Nestardin. »Auf zur Verfolgung!«

Während die Burmesen in voller Unordnung waren und sich zum Teil schon zur Flucht gewendet hatten, waren bei den Tataren erst einige wenige Soldaten gefallen, teils durch durchgebrochene Elefanten, teils durch Pfeile aus den Kastellen. Im Ganzen aber konnte Nestardin eine geordnete und vollzählige Streitmacht gegen einen Feind führen, der in äußerster Verwirrung und seiner besten Waffe beraubt war. Und im Kampf ohne Elefanten, mit Pfeilen, Schwertern und Keulen, waren die Tataren jedem Gegner nicht nur gewachsen, sondern überlegen.

Der König von Burma und Bengalen erwies sich als ein tapferer Feldherr. Er ging durch die Reihen seiner Leute und ermahnte sie, sich durch das Missgeschick mit den Elefanten nicht entmutigen zu lassen. Er versuchte, da und dort Fliehende zusammenzufassen und zu neuem Widerstand zu bewegen. Aber die Pfeile der Tataren trafen zu genau und machten alle seine Bemühungen zunichte.

Als der König seine letzten Reserven, einige Schwadronen Reiter, in den Kampf warf, war das Schlachtfeld schon von so vielen Toten bedeckt, dass die frische Reiterei gar nicht mehr attackieren konnte. Marco Polo musste furchtbare Dinge sehen, entsetzliche Verwundungen und Verstümmelungen, vor allem dort, wo die Elefanten gewütet und sich eine Gasse durch das Fußvolk getrampelt hatten. Erst gegen Abend gab der König von Burma den Kampf auf und versuchte, einen Teil seiner Truppen zu retten, um die Hauptstadt seines Reiches zu schützen und an den Mauern dieser Stadt einen neuen Widerstandsring aufzubauen.

Die Tataren konnten nicht gleich nachsetzen, denn sie hatten lange mit jenen Burmesen zu tun, die von den Elefanten in den Wald getragen worden waren. Dort hatten sich die Bogenschützen in den Bäumen verschanzt, um noch nach dem Abzug des Königs Widerstand zu leisten. Sie hatten Bäume gefällt und Befestigungen erbaut, ja sie deckten sich sogar hinter getöteten Elefanten und benützten diese als Schutzschild gegen die Pfeile.

Nestardin entsandte jene Tataren, die mit Elefanten umzugehen verstanden, in den Wald. Sie brachten auch tatsächlich etwa zweihundert mehr oder weniger stark verwundete Tiere zusammen. Da ihre Kastelle zerstört waren und so schnell nicht ausgebessert werden konnten, schickte Nestardin diese Beute zurück zum Tross; andernfalls hätte er sie vielleicht gegen die Hauptstadt von Burma eingesetzt.

Nach einem Rasttag erst ritten die Tataren weiter auf Mandalay zu, wo sich der König verschanzt haben sollte. Sie hatten es nicht schwer, denn das Gebirge war hier zu Ende, und die große Ebene von Mandalay war gut gangbar, versammelten sich doch hier immer wieder die Kaufleute aus den Bergstädten und die Bauern, die ihre Waren in die Hauptstadt brachten.

Dennoch brauchten gewöhnliche Karawanen vom Schlachtplatz am Rand der Berge bis nach Mandalay etwa fünfzehn Tagesreisen. Die berittenen Tataren aber holten die Burmesen schnell ein und jagten sie, noch ehe sie sich hinter den Mauern ihrer Hauptstadt bergen konnten.

Um diesem Morden unter seinen Untertanen ein Ende zu machen, bot der König von Burma Nestardin den Frieden an und die Unterwerfung unter die Gebote des Großkhans. Nach kurzen Verhandlungen, denen Marco Polo beiwohnte, konnten der Feldherr und Statthalter Seiner Majestät Nestardin und sein Abgesandter Marco Polo im friedlichen Zug in Mandalay einreiten, einer großen und schönen Stadt, von der Kublai-Khan schon einiges gehört hatte. Darum hatte er Marco Polo befohlen, wenn diese Stadt erobert werde, ein bestimmtes großes Grabmal nicht zu zerstören, um den Frieden der Toten zu retten und die Geister dieser abgeschiedenen Könige nicht gegen Kublai-Khan zu erbosen.

Nun war Marco Polo selbst sehr gespannt auf das Grabmal, und er ließ Gelehrte und Priester an seiner Seite reiten, die ihm diesen Bau zeigen sollten, damit eine Wache für das Grabmal bestellt werden könne.

Dank dieser Vorsorge blieb die große Stupa, ein buddhistischer Kultbau der toten Könige von Burma, unversehrt mit ihren Pyramiden aus Marmor, die auf der Spitze große Kugeln trugen. Ohne die Wachen aber wären die Pyramiden bei der Plünderung wohl übel zugerichtet worden, denn die eine der Pyramiden war vom Sockel bis zur Spitze mit fingerdicken Goldplatten belegt, die andere mit Silberplatten gleicher Stärke. Und da jede Pyramide etwa zehn Schritt hoch war, bedeutete das eine solche Menge Gold und Silber, dass die Tataren alles nur zu gerne an sich genommen hätten. So aber rührten sie nicht einmal die kleinen silbernen und goldenen Schellen an, die rund um die Kugeln, die auf den Pyramiden saßen, aufgehängt waren und beim leisesten Windhauch eine zarte Musik anstimmten, wie Stimmen aus dem Geisterreich.

Auf diese Weise wurde Burma von den Tataren unterworfen, mit einer kleinen Armee und wegen eines einzigen verweigerten Tributes; das an Burma im Westen anstoßende Land Bengalen aber lieferte der König von Burma nicht mit aus. Er sagte, wenn die Tataren dieses Land auch haben wollten, so müssten sie selbst mit einer großen Armee kommen, denn seine Untertanen in diesem Land seien besonders kriegerisch. Darin hatte er recht, denn solange Marco Polo am Hof des Großkhans weilte, gelang es nicht, Bengalen zu unterwerfen, soviel Kublai-Khan inzwischen auch aus diesem Land erfahren hatte.

Es war ein reiches Land mit vielen fruchtbaren Ebenen, in denen Baumwolle und Zuckerrohr gediehen, dazu auch viele Gewürze, die im Handel des Tatarenreiches immer sehr viele Abnehmer fanden. Es kommen auch viele fremde Kaufleute in dieses Land, die mit Gewürzen, aber auch mit Sklaven handeln und sie in die sarazenischen Länder bringen.

Besonders gern hätte Seine Majestät einen der großen Ochsen aus Bengalen für seinen Tierpark in Kambalu gehabt, denn diese Ochsen sind beinahe so groß wie Elefanten, nur nicht so dick. Vielleicht hat Nestardin von einem der späteren Feldzüge solch ein Tier mitgebracht – nach Kambalu oder Schangtu aber ist keines gelangt, solange Marco Polo in diesen Städten weilte, sonst hätte er es wohl bemerkt.

Die liebliche Prinzessin Kogatin

Als Marco Polo sich genugsam in Bengalen umgesehen hatte, beschloss er, zu seinem Herrn nach Peking zurückzukehren. Nestardin war mit seiner Armee inzwischen nach Yünnan abgezogen und hatte nur eine kleine Besatzung in Mandalay zurückgelassen. Darum schien es Marco Polo, der in Begleitung seiner Adjutanten und Sekretäre, aber ohne Soldaten gereist war, weitaus sicherer, sich einem der vielen Schiffe anzuvertrauen, die aus Bengalen ins Chinesische Meer und von dort zu den großen Häfen fuhren, durch die das Reich des Großkhans mit der ganzen Welt in Verbindung stand.

Marco Polo hatte von Peking aus einige dieser Hafenstädte bereits besucht; aber eine so große Seereise hatte er noch nie durchgeführt, denn die Entfernungen im Mittelmeer ließen sich mit dieser Fahrt durch den Indischen Ozean und um die Halbinsel Malaya nicht vergleichen.

Dennoch langte Marco wohlbehalten in Quinsay, dem großen Hafen, an und erreichte von dort Peking in wenigen Tagesreisen; insgesamt hatte die Reise freilich um einige Monate länger gewährt als der Eilmarsch von Schangtu nach Yünnan.

Niccolò und Maffeo Polo waren außerordentlich erleichtert, als sie Marco wieder in die Arme schließen konnten. Sie hatten zwar von dem glücklichen Ausgang des Feldzuges gegen Burma und Bengalen gehört, aber das besagte ja noch nicht, dass auch Marco wieder nach Peking zurückkehrte; auch in einem siegreichen Krieg gibt es Tote, und dass die Verluste Nestardins sehr schwer gewesen waren, das hatte sich auch bis in die Palaststadt von Peking herumgesprochen.

»Insgeheim«, sagte Niccolò Polo, »haben wir uns freilich gewünscht, du würdest auf jeden Fall, auch nach dem Sieg Nestardins, in Bengalen ein Schiff besteigen und in die Heimat zurückkehren, bist du doch dort schon auf dem halben Wege.«

»Warum hätte ich das tun sollen?«, fragte Marco verwundert.

»Weil es so aussieht, als wolle Seine Majestät uns nicht ziehen lassen ... Als du weg warst, fühlten wir uns einsam. Auf einmal kam Maffeo und mir unser Alter zum Bewusstsein, und damit stieg der Wunsch in uns auf, unsere Heimat wiederzusehen. An einem Tag, an dem der Großkhan besonders gnädig gestimmt schien, warf ich mich ihm zu Füßen und bat um die Erlaubnis, unsere Abreise vorzubereiten, damit wir sie antreten könnten, sobald du wieder in Peking eingetroffen seist.«

»Und Seine Majestät schlug dies ab?«

»Nicht rundweg, nicht mit bösen Worten. Aber es war zu erkennen, dass ich den Kaiser gekränkt hatte. Er fragte, was wir denn zu Hause Besseres tun könnten als hier und ob wir mit unserem Gewinn unzufrieden seien. In diesem Falle würde er jedem von uns das Doppelte von dem geben, was er schon habe, aber wir sollten bleiben, er habe sich an uns gewöhnt und wolle uns nicht missen!«

»Und damit hast du es bewenden lassen?«

»Was hätte ich tun sollen?«, fragte Niccolò Polo bekümmert. »Den zweiten Grund für unseren Wunsch abzureisen konnte ich Seiner Majestät ja erst recht nicht sagen: unsere Befürchtung, dass er eines Tages sterben und uns einem Nachfolger ausliefern wird, der uns zwar nicht feindlich gesinnt ist, aber keinen Anteil an uns nimmt. Wie sollen wir dann ohne allerhöchste Hilfe, ohne Geleitbriefe, goldene Tafeln und Schutztruppe, den Rückweg quer durch Asien heil überstehen?«

»Das ist richtig«, sagte Marco nachdenklich. »Prinz Tschimkin ist gestorben und bis heute ist kein offizieller Nachfolger bestimmt … Der Kaiser ist weit über siebzig, vielleicht sogar schon achtzig Jahre alt, niemand weiß es mit Sicherheit zu sagen. Sein Tod wird Wirren auslösen und die Fremden zahlen bei solchen Gelegenheiten immer die Zeche!«

Obwohl sich der Großkhan offensichtlich freute, Marco Polo wieder an seiner Seite zu haben – ja vielleicht sogar gerade deswegen –, wagte Marco nicht, Seiner Majestät den gemeinsamen Wunsch der drei Venezianer vorzutragen, wenn er es vielleicht auch geschickter getan hätte als sein Vater. Aber es gab wie so oft einen Zufall, einen durchaus unerwarteten Umstand, der den dreien zu Hilfe kam, und dieser Zufall hatte die liebliche Gestalt einer siebzehnjährigen Prinzessin.

Im östlichen Persien herrschte seit dem Jahr 1284 Argon, ein Enkel des großen Hulagu-Khan, und hatte eine mandschurische Prinzessin namens Bolgara zur Frau. Als diese im Sterben lag, bat sie Argon in einem letzten Wunsch, ihr eine Nachfolgerin aus ihrer Familie zu geben, keine andere. Argon, der Bolgara sehr geliebt hatte, war entschlossen, diesem Wunsch zu entsprechen, mochte er auch noch so schwer zu erfüllen sein. Er sandte Boten an den Hof des Großkhans und bat seinen kaiserlichen Oheim, ihm eine neue Gemahlin aus der königlichen Familie Bolgaras auszusuchen und mit sicherem Geleit nach Persien zu schicken. Angesichts der vielen Prinzessinnen an jedem Hof der Tatarenkhane war die Wahl leicht zu treffen, und Kublai bestimmte die siebzehnjährige Kogatin, ein Mädchen von großer Schönheit und lieblichem Wuchs, als künftige Gemahlin seines Verwandten Argon.

War so weit alles einfach, so begann die Schwierigkeit mit der Reise der Prinzessin quer durch Innerasien und über die Gebirge nach Persien. Wegen eines Krieges, der zwischen rivalisierenden Tatarenfürsten ausgebrochen war, musste die Karawane mit Kogatin umkehren und fand sich abermals am Hof des Großkhans ein, als Marco Polo bereits aus Indien zurückgekehrt war.

»Marco, mein Freund«, sagte Seine Majestät bei einem der Gespräche im Teepavillon, »du kennst die Welt und alle Wege. Wie soll ich den letzten Wunsch der Königin Bolgara erfüllen, wie soll die schöne Kogatin sicher nach Persien gelangen, quer durch die Armeen meiner unbotmäßigen Verwandten, die nichts Besseres zu tun wissen, als einander zu bekriegen?«

»Es gibt einen langen Weg nach Persien, der aber durch kein Kriegsgebiet führt«, antwortete Marco, »das ist der Seeweg, auf dem täglich zahlreiche Schiffe und Warenladungen Zaytun oder Quinsay erreichen und wieder verlassen.«

»Aber die See hat mir eine ganze Flotte genommen, mit der ich Zipangu erobern wollte, die mächtige Goldinsel, die so höhnisch nahe vor den Küsten meines Reiches liegt«, seufzte der Kaiser, »wie soll ich diesem feindlichen Element eine Prinzessin anvertrauen?«

»Man könnte«, sagte Marco Polo vorsichtig, »eine Begleitung aus besonders erfahrenen Reisenden zusammenstellen, aus Männern, die schon weite Seereisen hinter sich haben und die Hafenorte kennen und auch Persien, wohin die Prinzessin gebracht werden soll; das wäre ein hohes Maß von Sicherheit!«

Das Gesicht Kublai-Khans verdüsterte sich.

»Ich weiß, worauf du hinauswillst, Marco, und es macht mich sehr unglücklich. Du warst der Trost meines Alters und du willst mich im Stich lassen an der Schwelle des Todes ... Geh jetzt, ich will nachdenken. Du sollst meine Entscheidung bald erfahren, denn ich kann Argon nicht warten lassen!«

Drei Tage darauf wurden die Venezianer zur Abschiedsaudienz befohlen. Seine Majestät hatte reiche Geschenke für sie vorbereiten lassen, dazu die goldene Tafel, die ihnen freie Reise, sicheres Geleit und kostenlose Unterkunft wie Passage überall dort verhieß, wo der Name des Großkhans geachtet wurde. Außerdem empfingen sie Schreiben, die sie als Gesandte des Großkhans erklärten und in dieser Eigenschaft gegenüber dem Papst, dem König von Frankreich und dem König von Spanien auswiesen.

»Da es euer Wunsch ist und ihr Fremde seid«, sagte der Kaiser zum Abschied, »lasse ich euch ziehen und vertraue euch noch eine Prinzessin an. Aber ich bitte euch, wenn ihr in Venedig eine Weile gelebt und eure Familie wiedergesehen habt, schifft euch ein und kehrt zurück nach Peking. Ihr seid mir immer willkommen und ich will für euch gut sorgen!«

Daraus sahen die Venezianer, dass Kublai-Khan, der bis auf seine Gichtanfälle gesund und rüstig war, noch lange nicht ans Sterben dachte, vielleicht auch weil seine Sterndeuter ihn fortgesetzt belogen.

Als die Prinzessin wieder zu Kräften gekommen und das Geleit zusammengestellt worden war, brach man auf. Die Reise ging zunächst längs des Kaiserkanals und zum Teil auf diesem Kanal nach Südosten. Die Venezianer hatten Gelegenheit, diese Schöpfung Kublai-Khans, den größten künstlichen Wasserweg der Welt, aus der Nähe zu bestaunen.

Quinsay, die mächtige Hafenstadt, kannte Marco schon, Maffeo und Niccolò Polo bewunderten sie umso mehr, als sie ein wenig an Venedig erinnerte mit ihren vielen Kanälen, mit dem Ineinander von Stadt und Hafen und dem dichten Gewimmel der Völker aus verschiedenen Ländern. Aber auch das Leben in der Stadt selbst war nicht minder fröhlich als in Venedig, denn es war wirklich für jede Unterhaltung, jede Freude und jeden Genuss gesorgt, sofern man ihn nur bezahlen konnte. Und es gab – im Unterschied zu Venedig – keine Priester und keine Sbirren, die man dabei zu fürchten brauchte …

Auf der einen Seite der Stadt dehnte sich die Wasserfläche einer Lagune, aber sie hatte frisches und gutes Wasser, das nicht übel roch. Auf der anderen Seite floss ein Strom ins Meer; aus diesem Strom leiteten Kanäle das Wasser in die Stadt, das somit ein fließendes Wasser war, Unrat und Abwässer schnell wegspülte und ein gesundes Leben in Quinsay sicherte, soviel Menschen sich hier auch stets aufhielten.

Große und kleine Brücken überspannen die Kanäle, und jene, welche über die Hauptkanäle führen, sind so hoch gewölbt, dass die Schiffe darunter passieren können. Auf diese Weise ist die Zufahrt zu den zehn Hauptmarktplätzen nicht schwierig, denn Kanäle wie Straßen führen dorthin, und die Straßen sind allesamt gepflastert, sodass der Regen ihnen nichts anhaben kann. Nur auf den Überlandstraßen, die nach Quinsay führen, läuft neben dem befestigten Straßenkörper ein weicher Streifen einher, auf dem die Kuriere des Großkhans mit ihren Pferden besser vorwärtskommen können als auf den Steinen.

Das Meer ist von Quinsay noch fünfundzwanzig Meilen entfernt, aber auf dem Strom fahren die Schiffe besser als auf dem Meer selbst, weil er ruhiger ist und frei von Riffen. Waren aus aller Welt und die Fische, die an der Küste gefangen werden, kommen so auf die großen Märkte und in die Verkaufshallen. Zwischen diesen Märkten gibt es aber viele belebte Straßen mit einzelnen Läden, mit Bädern, Gasthöfen und mit den Wohnungen der Ärzte und Astrologen, aber auch mit den Läden, in denen die Handwerker sitzen und arbeiten.

Die schönsten Gebäude stehen an den Ufern des Sees; in ihnen wohnen die reichen Handelsherren und die hohen Beamten. Hier erheben sich auch große Klöster der Buddhisten. Diese ganze Menge von Menschen in einer so großen und schönen Stadt ist dem Großkhan untertan und nimmt sein Papiergeld an; aber sie lieben es nicht, daran erinnert zu werden, dass die Tataren sie unterworfen haben.

Die Venezianer und die ihnen anvertraute Prinzessin hielten sich in der angenehmen Stadt nur so lange auf, bis Marco, ausgerüstet mit den Vollmachten des Kaisers, eine Flotte zusammengebracht und die nötigen Besatzungen gefunden hatte, was immerhin seine Zeit brauchte. Schließlich aber waren vierzehn Schiffe ausgerüstet, darunter einige, die zweihundert Menschen tragen konnten und groß genug erschienen auch für eine weite Reise. Auf Befehl Seiner Majestät hatte Marco Polo diese Flotte mit Vorräten für zwei Jahre beladen lassen. Vier oder fünf dieser Schiffe konnten bis zu neun Segel führen, und die Venezianer waren guten Mutes, auf diese Weise die Heimat nicht nur sicherer zu erreichen, sondern auch mit geringeren Strapazen, waren doch Maffeo und Niccolò Polo nicht mehr die Jüngsten.

Der erste Hafen, in dem die Flotte festmachte, um die Vorräte zu ergänzen und den Damen ein wenig Erholung zu gönnen, war die berühmte Handelsstadt Zaytum, der größte Markt für Gewürze in der ganzen Welt. Allein die Menge an Pfeffer, die Marco Polo hier aufgeschüttet sah, war etwa zehnmal so groß wie die gesamte Pfeffereinfuhr Europas, die über Alexandria läuft. Und weil alle Gewürze hierher zu Schiff kommen und ohne Landtransport, sind sie sehr viel billiger als in den europäischen Ländern am Mittelmeer.

Der Handel über Zaytun ist eine Haupteinnahmequelle für

den Großkhan, dem alle Kaufleute, die hier feilbieten, zehn Prozent des Warenwertes abführen müssen. Dennoch kommen die Kaufleute gern hierher, weil der schnelle und sichere Umschlag ihnen den erhofften Gewinn bringt. Andere Gäste der Stadt sind Menschen, die ihre Haut mit Tätowierungen verzieren lassen wollen. Die Künstler, die dies ausführen, leben nirgends sonst in so großer Zahl und sind zum Teil wirkliche Meister ihres Faches. Sie zaubern einem, wenn auch in einer schmerzhaften Prozedur, ganze Gemälde, vom simplen Drachen bis zur kunstvollen Landschaft, auf Rücken, Brust, Bauch und Arme.

Beim Auslaufen aus dem Hafen von Zaytun waren die Venezianer, aber auch die sie begleitenden Diplomaten und die Prinzessin mit ihren Damen, ein wenig bedrückt. Denn nun, das wussten sie, nahm das Weltmeer sie auf, und die Fremde harrte ihrer. Das Reich des Großkhans lag hinter ihnen. In der Provinz Manji, deren Hafen Zaytun ist, herrscht eine gemeinsame Sprache, und eine gemeinsame Schrift wird für alle Mitteilungen verwendet, sodass sie sich noch recht gut verständlich machen konnten, trotz der Unterschiede zum Dialekt von Peking. Nun aber begann jene Welt, in der selbst ein so mächtiger Herrscher wie der Großkhan nichts mehr zu befehlen hatte, und es war gut, dass sie an Bord ihrer Schiffe so viele Menschen hatten, um sich notfalls wehren zu können: gegen Piraten, wie sie in der Malaya-See häufig sind, aber auch gegen gieriges Hafenvolk, gegen das die schöne Kogatin und ihre Ehrendamen geschützt werden mussten.

Das Meer der tausend Inseln

Von Zaytun aus segelte die kleine Flotte, welche die Prinzessin an Bord hatte, nun fünfzehnhundert Meilen über das offene Meer. Das war eine lange Meerfahrt für die Schiffe wie für die Menschen, und die drei Venezianer hatten sich mit den chinesischen Schiffern und den malayischen Lotsen sehr eingehend beraten, ehe dieser Kurs gewählt wurde. Zur Rechten des Weges lag nämlich die große Insel Hainan, was nichts anderes bedeutet als »Südmeer«, und diese Insel, die dem Großkhan untertan ist, hätte man anlaufen können. Man kam aber davon ab, denn Marco wusste, dass der Großkhan gerade zu dieser Zeit starke Stämme der Miaotse aus dem südwestlichen China nach Hainan transportieren lasse. Bei dieser Umsiedlung ging es nicht immer sanft zu, und die alteingesessenen Miaotse waren dem Kaiser nicht gutgesinnt, weil er sie genötigt hatte, ihre Dörfer zu verlassen und sich ihr Leben in Hainan neu aufzubauen.

Die Schiffer hätten dennoch gern Hainan angelaufen, denn sie waren unendlich abergläubisch. Sie fürchteten auf dem weiten Meer nichts so sehr wie den Vogel Rock, den die Europäer auch den Vogel Greif nennen, ein riesiges Untier, das hoch genug fliegt, um jedes Schiff zu entdecken, das sich auf dem weiten Spiegel der See befindet. Danach stürzt der Vogel hernieder, ergreift das Schiff wie eine Nussschale mit seinen Klauen und trägt es mit allem, was darin ist, zu seinem Nest.

An einem diesigen Morgen, als nur wenig Wind wehte und die Schiffe nur langsam vorankamen, ertönte plötzlich aus dem Mastkorb der Schreckensschrei: »Vogel Rock!« Ein Malaie hatte am Horizont eine Wolkenbildung gesehen, die tatsächlich ein wenig aussah wie ein auf dem Wasser ausgestreckt ruhender Vogel mit einem langen Schnabel und einem runden Höcker.

Der Ruf hatte auch die anderen Schiffe aufmerksam gemacht; Hände reckten sich in Richtung des vermeintlichen Untiers, und schon warfen sich an Deck die ersten Matrosen auf die Knie, um vom Himmel Vergebung ihrer Sünden und gnädige Errettung vom Vogel Rock zu erflehen.

Ihre Hoheit, die Prinzessin Kogatin, ließ Marco Polo rufen und erkundigte sich nach der Ursache der allgemeinen Unruhe und des Fußgetrappels an Deck. Marco berichtete die Sache so, wie er sie sah, nicht etwa um die Prinzessin zu beruhigen, sondern weil er in vielen Jahren des Reisens durch die ganze Welt noch nirgends den Vogel Rock oder auch nur seinen Schatten gesehen hatte. Die junge Prinzessin schien ihm zu glauben, aber ihre Kammerfrauen steckten sogleich ängstlich die Köpfe zusammen und begannen, noch ehe Marco Polo die Kajüte verlassen hatte, Räucherstäbchen abzubrennen, um das schlummernde Untier in noch tieferen Schlaf zu versenken.

Als Marco Polo wieder an Deck zurückkehrte, hatte die allgemeine Angst ihren Höhepunkt erreicht. Grund dafür war die Tatsache, dass sich jene Wolkenbank vom Horizont gelöst und bei ihrem Aufsteigen die Sonne verdunkelt hatte. Statt dies als Beweis dafür zu nehmen, dass es sich tatsächlich nur um eine Wolke handle, waren die Seeleute nun überzeugt, der Vogel Rock sei erwacht und schicke sich zum Angriff an.

»Wir haben jemanden an Bord, der uns Unglück bringt!«, schrie ein Steuermann. »Ich fahre diese Strecke schon mein Leben lang, und noch nie hat der Vogel Rock das Schiff angegriffen, auf dem ich war – irgendetwas muss seinen Zorn erregt haben!«

Wenn es gilt, einen Schuldigen zu suchen, überbieten die Menschen einander an Findigkeit. Scheue Blicke streiften die Venezianer: Sie waren Christen, gewiss, und die Malaien waren allesamt Mohammedaner. Aber an den Gesandten des Großkhans, den Männern mit der goldenen Tafel, wagte sich doch niemand zu vergreifen. Doch sie zerrten einen alten Juden heran, der in Quinsay an Bord gegangen war und gebeten hatte, gegen gute Bezahlung mitreisen zu dürfen. Er habe sein Leben in Quinsay verbracht und möchte nun in die Heimat seiner Väter zurückkehren, um dort zu sterben.

Marco versuchte vergeblich, ihn zu retten, ja er setzte damit, wie er sogleich sah, auch Maffeo, Niccolò und sich selbst der Todesgefahr aus, denn die Mohammedaner waren auf die Christen noch schlechter zu sprechen als auf die Juden. Unter Flüchen und Verwünschungen wurde der alte Mann, der kaum wusste, was mit ihm geschah, an die Reling geschoben, und man wollte ihn eben ins Meer werfen, als die Sonnenstrahlen wieder hervorbrachen. Der vermeintliche Vogel Rock hatte sich in einer Gruppe harmloser Wölkchen aufgelöst, und die erleichterten Seeleute warfen sich zu einem Dankgebet an Allah dort nieder, wo sie gerade standen. Der alte Jude aus Quinsay hatte inzwischen begriffen, welchem Schicksal er entronnen war; er warf Marco Polo einen vorwurfsvollen Blick zu und schlich unter Deck.

Schlimmer als die schnell verflogene Angst vor dem Vogel Rock waren die ersten Anzeichen jener bösen Krankheit, die auf langen Seereisen kaum ein Schiff verschonte. Die Venezianer wussten als Bürger einer Handelsstadt von diesem Übel und hatten sich reichlich mit Zwiebeln und Zitronen versorgt, die sie täglich zu den einförmigen Mahlzeiten aus den kaiserlichen Vorratstonnen aßen. Aber als eine der langen Flauten, wie sie im Chinesischen Meer häufig sind, die Flotte drei Wochen lang nicht vom Fleck kommen ließ, gab es auf den Schiffen, welche die stärksten Besatzungen hatten, die ersten Toten.

»Wir schaffen es nicht, Malaya oder Java geradenwegs anzusteuern, Herr«, sagte der Kapitän zu Marco Polo. »Ein paar Matrosen sind mir schon gestorben, die Hälfte meiner Leute liegt krank und schleppt sich nur noch zur Arbeit. Sie haben geschwollenes Zahnfleisch, die Zähne fallen aus, sie sind schon halb tot vor Entkräftung. Wir müssen schnell an Land... Ihr kennt doch die Länder des Großkhans, Herr – wohin sollen wir steuern?«

»Die Länder des Großkhans liegen hinter uns«, antwortete Marco, »aber wenn wir, statt nach Südsüdwest weiterzufahren, einen beinahe westlichen Kurs steuern, kommen wir in das Land Tschampa, das dem Großkhan tributpflichtig ist. Es gibt einen Flusshafen, einige Meilen von der Mündung, in dem sich unsere Flotte sicher sammeln kann, ohne eine Brandung fürchten zu müssen...«

Wenige Tage später lagen die vierzehn Schiffe unweit der Residenzstadt Hu-eh vor Anker.

Marco Polo und ein Beamter des Großkhans namens Goza, der schon einmal in Tschampa geweilt hatte, begaben sich in die Stadt, um König Akkambale ihre Aufwartung zu machen und um ihn um Unterstützung für die Versorgung einer Flotte des Großkhans zu bitten. Würden sie gut aufgenommen, so sollten auch die Prinzessin und ihre Damen Gelegenheit zu einem Landaufenthalt erhalten, denn wenn die weiblichen Passagiere auch allesamt nicht unter dem Scharbock (Skorbut) litten, so hatte die große Hitze während der langen Flaute sie doch sehr geschwächt.

König Akkambale war ein hochgewachsener Mann von etwa demselben Alter wie der Großkhan, aber längst nicht so rüstig. Es gab in seinem Reich nämlich ein Gesetz, dass sich kein Mädchen verheiraten dürfe, ohne dem König vorgestellt worden zu sein. Gefiel sie ihm, so behielt er sie ein paar Tage oder Wochen bei sich, und je nachdem, wie lange er sie behalten hatte, fiel das Geschenk für den Bräutigam aus. Behielt er sie gar nicht, so musste der Bräutigam dem König ein Geschenk machen.

Dieses Gesetz hatte König Akkambale ein Leben lang getreulich wahrgenommen und war nun, in seinem Alter, so tatterig geworden, dass er sich dem Großkhan so gut wie freiwillig unterworfen hatte. Jener General Sotu, den Kublai-Khan in dieses Land zwischen Indien und China geschickt hatte, das man darum auch kurz Indochina nennt, hatte nämlich trotz aller Kampferfahrung und trotz der Überzahl seiner Truppen gegen den alten Akkambale gar nicht viel erreicht. Der König war in seine Festung zurückgewichen, hatte das flache Land dem Feind überlassen und somit Sotu, dessen Armee von Seuchen bedroht war, zum Abzug gezwungen. Als Sotu dann fort war, hatte Akkambale von sich aus einen jährlichen Tribut von fünfundzwanzig ausgesuchten Elefanten und ebenso vielen Traglasten Edelholz angeboten. Kublai-Khan, der nicht wünschte, diesen aussichtslosen Krieg in einem so schwierigen Landstrich zu verlängern, ging auf den Vorschlag ein, und seither lebte Akkambale wieder in Hu-eh.

Die Stadt erinnerte Marco Polo an Peking, denn auch hier lag um eine Palaststadt im innersten Kern wie ein Ring die Reihe der Arsenale, der Hofwohnungen und der Gebäude für die Dienerschaft des Königs; um diesen Ring herum lag als ein zweiter und umfangreicherer Ring dann die Beamtenstadt. Erst außerhalb der Mauern ballten sich die Quartiere für die Fremden und die Kaufleute zusammen, und jenseits des Flusses standen die Hütten, in denen die kleine Besatzung hauste, die General Sotu nach dem Friedensschluss hierhergeschickt hatte.

König Akkambale erschrak zuerst ein wenig, als man ihm von den vierzehn Schiffen des Großkhans erzählte; aber Goza wie Marco Polo versichertem ihm, dass es sich um einen durchaus friedlichen Besuch handle und dass man nichts anderes brauche als frisches Wasser, Obst und Gemüse und für die ermatteten Besatzungen Bewegung in guter Luft. Obwohl Akkambale diese letzte Forderung bestimmt für einen Vorwand hielt, hunderte von Soldaten und Matrosen auszuschiffen, zeigte er sich höflich, lud die Prinzessin in seinen Palast und gab zu Ehren der Gäste aus Peking ein improvisiertes Fest. Dabei setzte er die schöne Prinzessin Kogatin an seine Rechte und beschäftigte sich den ganzen Abend so eindringlich mit ihr, dass Goza ihm schließlich höflich zu verstehen gab, die Prinzessin sei zwar eine Braut, der Bräutigam aber König von Persien und auf etwaige Geschenke aus Hu-eh keineswegs angewiesen.

»Ich habe«, sagte daraufhin Akkambale würdevoll, »dreihundertfünfundzwanzig Kinder. Die eine Hälfte hat sich in den Kriegen gegen euren Kaiser mit Ruhm bedeckt; die andere Hälfte, die Mädchen und Frauen, sind zum Teil von großer Schönheit, hatten sie doch die schönsten Mütter meines Reiches. Könnte ich nicht dem Perserkönig eine meiner Töchter senden, die ja auch Prinzessinnen sind, und Kogatin – heiraten?«

Goza und Marco tauschten einen Blick. Die Lage war schwierig. Akkambale war sehr alt und gebrechlich, aber einen Befehl, über die Gäste herzufallen, konnte er sicherlich noch geben. Goza war jedoch Diplomat genug, es nicht so weit kommen zu lassen. Er berichtete so eindringlich vom letzten Wunsch der Königin Bolgara, dass Akkambale aus Angst vor dem Geist der Toten schließlich nachgab. Marco Polo ordnete an, dass die Prinzessin das Schiff nicht mehr verlassen dürfe; auch ließ er das Schiff weit draußen im Fluss ankern und die Ankertaue sowie die ganze Reling bewachen, und er war sehr froh, als nach einigen Tagen die Schiffe, mit allem Nötigen beladen, ihre Reise fortsetzen konnten.

Nach einer abermaligen Reise von fünfzehnhundert Meilen, bei der ihnen allerdings der Wind günstiger war, erreichte die Flotte die große Insel Java. Zwischen Java und einer zweiten, etwa ebenso großen Insel, Java minor oder Sumatra genannt, verläuft eine schmale Schifffahrtsstraße aus den chinesischen Gewässern hinaus in den Indischen Ozean. Beide Inseln haben Schätze im Überfluss, nämlich Gold und Silber, Edelhölzer, Gewürze und manche heilkräftige Substanz, die für viel Geld gehandelt wird. Die Könige dieser Inseln sind aber den Fremden nicht freundlich gesinnt und fürchten offenbar, dass man ihre Geheimnisse ausspäht. An der Nordküste von Sumatra jedoch liegt ein Königreich namens Basma, das zwar nur eines von den acht Königreichen auf dieser großen Insel ist, aber die Oberhoheit des Großkhans freiwillig anerkannt hat, und darum wandte sich die Flotte Marco Polos dorthin.

Auf jene fernen Inseln Truppen zu schicken, wäre selbst für den Großkhan schwierig; auf Java und auf Zipangu zu landen, hat er einige Male versucht, aber es kam nur dazu, dass seine Schiffe wie die anderer Länder auch auf Java Waren anbieten und einkaufen dürfen. Das Königreich Basma und Sumatra jedoch hat sich aus purer Klugheit für die Abhängigkeit von Seiner Majestät entschieden. Zwar zahlt man keinen Tribut an den Großkhan, aber man schickt ihm ausgezeichnete Falken für die Jagd, die er sehr zu schätzen weiß, und andere Aufmerksamkeiten.

Hier, im Reiche Basma, konnte Marco Polo also seine Flotte für die Überquerung des Indischen Ozeans überholen lassen und neu ausrüsten. Einige kleinere Schiffe wurden zurückgelassen, einmal, weil wegen der Krankheits- und Todesfälle nicht mehr genug Leute vorhanden waren, um alle vierzehn Schiffe damit zu besetzen, zum andern aber, weil sie nicht seetüchtig genug erschienen und die Flotte aufgehalten hätten.

Für diese Schiffe erhielt Marco Polo von den Kaufleuten zu Basma eine Fülle guter Vorräte und auch so viel Geld, dass er einige Malaien als Lotsen für die gefährlichen Meeresstraßen und für die Überfahrt nach Ceylon in seinen Dienst nehmen konnte, obwohl sie das Papiergeld des Großkhans nicht wollten.

So stand denn alles recht glücklich, wäre nicht nach zu wenig Wind im chinesischen Meer bei Hainan nun auf einmal zu viel Wind aufgekommen. Mitten auf dem Ozean, etwa gleich weit von Sumatra wie von Ceylon entfernt, packte ein heftiger Sturm die Schiffe des Großkhans und zerstreute sie im Nu. Die Seeleute lagen wieder mehr auf den Knien, als dass sie in die Wanten kletterten, und Marco musste den Kapitän zu sich rufen, um ihm vorzuhalten, dass Gottes Hilfe zwar unerlässlich sei, dass aber Gott das Recht habe, von den Menschen einen gewissen Einsatz zu erwarten.

»Es gibt nur noch ein Mittel, Herr«, antwortete der Kapitän, »gelobt eine gemeinsame Wallfahrt mit der ganzen Mannschaft…«

»Wenn es sonst nichts ist!«, antwortete Marco, »aber wo kann man denn hier auf dem Meer wallfahren?«

»In Ceylon – beim Grab Adams, unseres Urvaters… Es ist uns Mohammedanern ebenso heilig wie den Nestorianern und den Buddhisten!«

Das Gelübde, das gemeinsam abgelegt wurde, gab allen Mannschaften neuen Mut. Sie bargen die Segel, sie hielten unerschrocken das Ruder besetzt, sie krochen unverdrossen auf die Rahen, als wieder etwas Leinwand gesetzt werden konnte, und schließlich fanden sich die größeren Schiffe der Flotte alle auf Ceylon zusammen, um jenen hohen und zerrissenen Berg zu erklimmen, wo der sarazenischen Sage nach das Grab Adams liegen soll. Ketten und Ringe, die man in den Felsen eingelassen hatte, erleichterten diese Aufgabe, insbesondere für die Seeleute, die das Klettern ja gewohnt waren. Marco Polo entsann sich einer festlichen Prozession in Peking: Kublai-Khan selbst war einige Jahre zuvor seinen Gesandten entgegengezogen, die ihm Reliquien vom heiligen Berg Adams mitgebracht und dafür eine gefährliche Reise auf sich genommen hatten.

Eine Prinzessin zu viel

Durch den langen, aber notwendigen Aufenthalt in Sumatra mit der Ausbesserung der Schiffe war viel Zeit verstrichen, und die Stürme im Indischen Ozean hatten abermals Wochen gekostet, sodass sich der Frühling des Jahres 1293 seinem Ende zuneigte, als die kleine Flotte der drei Venezianer mit Prinzessin Kogatin zum letzten Stück der Schiffsreise ansetzen wollte, zu der Fahrt nach Ormuz, dem großen persischen Hafen.

Der Kapitän, der auf Ceylon die Pilgerfahrt zum Adamspik mitgemacht hatte, und die Führer der übrigen Schiffen machten bedenkliche Gesichter, als Marco Polo ihnen im Hafen die neuen Weisungen für die Fahrt nach Nordwesten gab.

»Wir stehen an der Monsunschwelle, Herr«, sagte der Kapitän von Marco Polos Schiff für alle anderen, »wir müssten an der

Malabarküste in einem fort gegen die starken Winde von See her ankreuzen, und zu nahe unter Land können wir nicht den Kurs legen, wegen der Seeräuber, die an dieser Küste besonders gefährlich sind. Sie haben schon manches Schiff weggenommen, vor allem wenn sie wussten, dass Frauen an Bord sind, die sie auf Sklavenmärkten gut verkaufen können. Und was meint Ihr, wie die auf unsere Prinzessin Jagd machen würden! Eine echte Prinzessin aus der Familie des Großkhans, die würden ihnen die reichen Scheichs am Golf von Bahrain in Silber aufwiegen.«

»Auf Ceylon aber können wir nicht ein halbes Jahr lang stillliegen!«, entschied Marco Polo. »Hier geht eine Seuche um, wie ich gehört habe, und wenn die sich erst ausbreitet, lassen sie uns in Ormuz überhaupt nicht mehr landen. Wo können wir mit einigermaßen günstigem Wind hin? Gibt es keinen brauchbaren Umweg zu irgendeiner friedlichen Insel?«

»Da Ihr Insel sagt, Herr...«, warf einer der Schiffer ein, »man könnte jetzt, am Beginn des Monsuns, wohl noch gut über den Ozean nach Sokotra kommen. Von dort treibt uns dann der volle Rückenwind geradenwegs auf Ormuz zu... Und in Sokotra könnten wir unbesorgt ausbessern, Vorräte ergänzen und was nötig ist. Die Insel wird von Schiffen aller Nationen zu diesem Zweck angelaufen, wenn ich mich nicht irre, seit mehr als tausend Jahren! Dort erwartet uns keine Gefahr.«

Quer über den Ozean zu fahren, abermals so weit über offene See, wie man soeben zwischen Sumatra und Ceylon gesegelt war, das begeisterte niemanden. Aber die Seucheninsel Ceylon war auch kein traulicher Aufenthalt. Also wurden die Schiffe mit Frischwassertonnen vollgepackt und die kleine Flotte nahm zunächst Kurs auf die Lakkadiven. Das waren kleine Koralleninseln, in die man nur bei Flut und nur von Nordwesten her einfahren konnte, was angesichts des aufkommenden Monsuns einige Schwierigkeiten machte. Die Inselbewohner, die keine Moslems waren, erwiesen sich als friedliche Fischer, die gewohnt waren, Schiffe zu versorgen. Sie hatten herausgefunden, dass es für sie günstiger sei, alljährlich hundert oder zweihundert Schiffen ihre Kokosnüsse und Fische zu verkaufen, als ein Schiff völlig auszuplündern und dann von der Schifffahrt gemieden zu werden.

Jenseits der Lakkadiven aber öffnete sich dann der Indische Ozean unbarmherzig mit einer starken, aus Südwest anlaufenden Dünung, die den kleineren Schiffen der Flotte arg zu schaffen machte. Aber da kein Sturm daraus wurde und allen das Ziel bekannt war, lagen drei der kleinen, schnellen Fahrzeuge bereits im Hafen von Tamaridah an der Nordküste der Insel Sokotra, als Marco Polo mit den beiden anderen Venezianern und der Prinzessin dort eintraf. In den nächsten Tagen wurde die Flotte, die insgesamt noch aus acht Schiffen bestand, tatsächlich vollständig, und man schickte sich guter Dinge an, durch einen Aufenthalt auf Sokotra möglichst gute Vorbereitungen für das letzte Stück der Reise zu treffen.

Die Sokotris sind hellhäutige Menschen, was man den Reisenden damit erklärte, dass diese Insel schon den Seefahrern des alten Griechenland bekannt war und zu Alexanders Zeiten besiedelt wurde. Später soll es hier dann Seeräuber gegeben haben, bis zu zehntausend an der Zahl, die im zehnten Jahrhundert den Schiffsverkehr durch die Straße von Aden beinahe lahmlegten.

Als die drei Venezianer diese Insel besuchten, fanden sie ein arbeitsames Völkchen vor, dem es recht gut erging, was in der Regel friedlich stimmt. Ursache dieses Wohlstands war die Ambra, wie man die Darm- und Harnsteine des Pottwals nennt, ein Mittel, das die arabischen, jüdischen und indischen Ärzte gegen

Krämpfe und Krankheiten verwenden. Um zur Ambra zu gelangen, beschäftigen sich die Sokotris eifrig mit der Walfischjagd. Dazu benützen sie eiserne Harpunen mit Widerhaken und an den langen Seilen dieser Harpunen ziehen sie die schweren Fische hinter sich her bis an den Strand. Da die Pottwale sehr große und kräftige Tiere sind, ist diese Jagd keineswegs ungefährlich, und schon manches Boot der Sokotris hat das Tau kappen müssen, wenn der verwundete Fisch wütend in die Tiefe schoss. Darum haben sie am Ende des Seils eine knallrot gefärbte Tonne angebunden, die ihnen zeigt, wo das verendete Tier liegt.

Obwohl die Sokotris Christen sind und einen nestorianischen Erzbischof haben, gehen sie unbekleidet bis auf ein kleines Schürzchen, wofür sie allerdings die Entschuldigung haben, dass Sokotra einer der heißesten Orte der Erde ist und nur im Winter einige wenige Niederschläge zu verzeichnen hat, welche die Hitze mildern.

Weil Sokotra niemandem zu gehören scheint als dem nestorianischen Patriarchen in der fernen Stadt Bagdad, ist die Insel eine Art Freistatt geworden. Die Seeräuber, die früher hier lebten, haben eine friedliche Nachkommenschaft an Fischern und Händlern gefunden, sodass alle Schiffe, die ins Rote Meer einfahren oder von dorther kommen, auf Sokotra anlegen. Aber es kommen andere Seeräuber von der Handramautküste und manchmal sogar von Malabar herüber, die auf dem Markt von Sokotra das losschlagen, was sie anderen Schiffen abgenommen haben. Niemand tut ihnen etwas, obwohl es sich um unrechtmäßiges Gut handelt, denn beinahe alle Schiffe im Indischen Ozean gehören den Sarazenen, und diesen etwas wegzunehmen, erscheint den Nestorianern von Sokotra nicht als Sünde.

Die Sokotris sind überhaupt die merkwürdigsten Christen, die

Marco Polo je zu Gesicht bekommen hat. Abgesehen davon, dass sie mit den Piraten paktieren und nackt herumlaufen, sind sie auch große Zauberer. Hat einer der Piraten ihnen zum Beispiel zu viel Geld für seine Ware abgenommen oder sie beim Handel sonst wie betrogen, so bannen sie mit Zaubersprüchen sein Schiff fest, dass es nicht von der Stelle kommt, bis es wendet, um den Schaden gutzumachen. Ebenso können sie die stürmische See beruhigen und aus glattem Meer urplötzlich Sturmwellen aufspringen lassen, sodass es zu Schiffbrüchen kommt. Für all diese Kunststücke werden sie von ihrem braven Erzbischof in den Bann getan, und er verwehrt ihnen Beichte und Absolution, weil dies alles Teufelszeug sei. Aber sie scheinen davon nicht lassen zu wollen.

Auf Sokotra hört Marco Polo auch viel von einer großen Insel erzählen, die weiter im Süden liege und Madagaskar heißen soll; arabische Seefahrer berichteten von ihrer ungeheuren Größe und davon, dass dort Moslems lebten. Betreten hat Marco Polo aber Madagaskar ebenso wenig wie die große Insel Zipangu; er erwähnt sie nur, weil seines Wissens weder in Venedig noch in Genua bisher jemand Kunde von diesen Inseln hatte, obwohl doch zahllose Schiffe anderer Völker sie immer wieder aufsuchen.

Hingegen hat der christliche Fürst von Abessinien, wie man Marco Polo erzählte, fünf Jahre bevor die Venezianer Sokotra erreichten, seine Hauptstadt Aksum verlassen, um sich zu einer Wallfahrt nach Jerusalem zu begeben. Auf Bitten seiner Minister kehrte er aber um, bevor er die sarazenischen Länder betrat, und entsandte an seiner Stelle einen Bischof, der für ihn die Wallfahrt ausführte und auf der Rückreise nach Aksum von arabischen Fürsten arge Schmähungen zu erdulden hatte. Aus Rache dafür eroberten die Abessinier unter ihrem christlichen König die große arabische Festung Aden.

Als die Venezianer von Sokotra aufbrachen, hatte die einst so prächtige Flotte nur noch drei große und zwei kleine Schiffe; da es auf diesen nicht gut zu leben war, fuhren sie als Vorratsschiffe und trugen außer der Besatzung weder Mitglieder der Gesandtschaft noch Damen aus dem Gefolge der Prinzessin. Kogatin und ihr Gefolge befanden sich übrigens erstaunlich wohlauf. Sie erhielten ja auch stets bestens zubereitete und unverdorbene Speise, und Wasser schöpfte man für sie nur aus den zuletzt gefüllten Fässern. Große Sonnensegel waren auf dem Vorderdeck ausgespannt, wo stets eine kühle Brise über das Schiff hinstrich, und die Nähe des Ziels tat ein Übriges, die schöne Prinzessin mit neuem Lebensmut zu erfüllen.

Je näher Ormuz kam, desto häufiger versuchte sie, Marco Polo in Gespräche über Persien und das dortige Königshaus zu verwickeln, und auf Sokotra hatte sie Marco gebeten, sich doch zu erkundigen, wie es um König Argon bestellt sei und was sie eigentlich in dem ihr unbekannten Land erwarte.

Aber es war nicht allzu viel, was sich erfahren ließ, und darum war Kogatin sichtlich erleichtert, als man in Ormuz an Land ging und sie eine Stadt von freundlich-lebhaftem Aspekt vor sich sah, deren Leben und Betriebsamkeit sie ein wenig an Quinsay erinnerten. Die Hitze freilich, die der Monsun nur unwesentlich zu mildern vermochte, erschreckte sie, und sie war gern bereit, die Strapazen einer Karawanenreise gleich nach der Landung auf sich zu nehmen, um die heiße Hafenstadt möglichst schnell verlassen zu können.

Marco Polo allerdings hatte Nachrichten erhalten, die ihn ein wenig beunruhigten. Der Herrscher von Persien und Chorasan, so sagte man ihm, heiße nicht Argon, sondern Giakhatu. Argon sei gestorben. Da nun ein Toter, und sei er auch ein König, mit einer lebendigen Prinzessin herzlich wenig anfangen kann, ergab sich die Frage, ob die arme Kogatin am Ende auch diese zweite, sehr viel längere Reise vergeblich gemacht habe und noch einmal umkehren müssen, wie zuvor in Zentralasien.

Ohne Kogatin etwas zu sagen, entsandte Marco den klugen Diplomaten Goza zu Giakhatu. An Schnelligkeit und lange Ritte durch die lange Dienstzeit bei Kublai-Khan gewöhnt, konnte Goza mit seiner Bedeckung aus tatarischen Soldaten binnen weniger Wochen zurück sein. Die Venezianer und die Damen bezogen inzwischen eine luftig und ein Stück landwärts gelegene Villa, die der Statthalter von Ormuz zur Verfügung gestellt hatte.

In dem freundlichen Hain, der die Villa umgab, zwischen Wasserspielen und Büschen, erkannte Kogatin, dass ihr ein wenig Ruhe vor der Karawanenreise doch sehr guttat. Auch wollte sie ihrem künftigen Gatten, von dem sie annahm, dass er schon ziemlich bejahrt und folglich wählerisch sei, nicht ermattet von langer Seereise, sondern frisch und erholt gegenübertreten. Marco, der täglich mit ihr über all diese Dinge plauderte, um sie bei Laune zu halten und weil er Persien kannte, war wiederholt drauf und dran, ihr die Wahrheit zu sagen; aber er fürchtete die Ungewissheit, die danach eintreten würde, und beschloss, Goza abzuwarten, der ja wohl irgendeine Entscheidung mitbringen würde.

Es währte immerhin vierzig Tage, bis Goza wieder in Ormuz eintraf, und bevor er irgendetwas Vernünftiges sagte, äußerte er sich sehr ungnädig über die persischen Poststationen, die denen der Tataren in der Mongolei und in China ganz beträchtlich nachstanden. Dann erst ließ er die Katze aus dem Sack und bestätigte den Tod Argons. König sei Argons Sohn Ghazan, doch führe für den Knaben jener Giakhatu die Regierung, der ein Bruder oder Halbbruder des Verstorbenen sei.

»Die arme Kogatin!«, seufzte Marco Polo. »Nun hat sie sich drei Jahre lang darauf eingestellt, die sehr junge Frau eines alten Königs zu werden, und erfährt nun, dass ihr neuer Gatte noch gar kein Mann ist!«

»So schlimm ist es wieder nicht«, berichtete Goza. »Giakhatu hätte die Regierung wohl schon an Ghazan übergeben können, der ein energischer, wenn auch junger Prinz ist, aber er will offenbar um jeden Preis herrschen, so unbeliebt er auch ist. Ich nehme an, er wird sich nicht mehr lange halten können und unsere Prinzessin wird in längstens zwei, drei Jahren die Königin dieses Landes sein!«

»Und was wurde nun hinsichtlich der Übergabe beschlossen?«, fragte Marco.

Trotz sichtlicher Übermüdung lächelte Goza pfiffig.

»Seine königliche Hoheit Prinz Ghazan ist ungeduldig, die Prinzessin kennenzulernen. Daran bin ich nicht ganz unschuldig, denn ich erzählte, wie schön sie sei. Es trifft sich, dass im Osten dieses Landes Unruhen herrschen, sodass Prinz Ghazan eine Armee von sechzigtausend Mann in Richtung auf die Pässe führen will, die den Übergang nach Belutschistan beherrschen. Er zieht West – Ost, wir Süd – Nord. Die Übergabe unserer schönen Schutzbefohlenen soll im Kreuzungspunkt der großen Straßen erfolgen!«

»Also in Abhar?«

»Ganz richtig. Und Eile ist geboten, denn Ghazan ist bereits auf dem Marsch!«

Noch ehe Marco sich bei der Prinzessin melden ließ, gab er Befehl, das Gepäck bereitzustellen, und bat seinen Vater, vom Statthalter die nötigen Reit- und Lasttiere anzufordern. Er war glücklich, Kogatin nicht abermals hinhalten zu müssen, sondern ihr gleich alles auf einmal sagen zu können. Allerdings blieb die Prinzessin, nach allem, was ihr mitgeteilt wurde, in nicht geringer Verwirrung zurück.

Zwei Tage darauf, als im Morgengrauen aufgebrochen wurde, hatte sie sich jedoch gefasst. Goza musste ihr von Prinz Ghazan erzählen, Marco Polo von Yesd und Abhar. Die etwas angenehmere Witterung nach den großen Hitzen des Hochsommers, das kühle Bergland und die große Karawanenstraße nach Yesd taten das ihre, Kogatin zuversichtlich zu stimmen.

Bei der Berechnung der Reittiere und der Verteilung der Traglasten hatte sich herausgestellt, dass beinahe sechshundert Mann von jenen, die in Quinsay ausgefahren waren, teils ums Leben gekommen, teils in einem der angelaufenen Hafenorte krank zurückgeblieben waren. Die Venezianer selbst waren wohlauf, aber auch von den Damen der Prinzessin fehlte nur eine einzige. Sie war nicht mehr jung gewesen und auf Sokotra dem Fieber erlegen.

In Abhar wartete Ghazan schon, was für die Prinzessin angenehm war; harrt die Braut, so fühlt sie sich leicht zurückgesetzt. Ghazan empfing Kogatin mit dem militärischen Gepränge seiner sechzigtausend Mann und bedankte sich herzlich bei den Venezianern. Diese nahmen schnell Abschied von Kogatin, die so lange ihre Gefährtin gewesen war, einmal, um ihr den Abschied zu erleichtern, zum andern aber, weil Abhar voll Soldaten lag und kein Quartier zu bekommen war. Ghazan überbrachte ihnen eine Einladung von Giakhatu, an seinem Hof in Täbris zu leben, solange es ihnen gefalle, es werde ihm eine Ehre und Freude sein, die Gesellschafter des Großkhans zu den seinen zu machen.

Rustigiello legte mit Nachdruck die Feder auf den Tisch und sagte höflich: »Täbris, Ser Marco, hatten wir schon … Ich weiß, dass

Ihr neun Monate dort geblieben seid, Zeit genug, ein Kind auszutragen, und Ihr habt nicht einmal Euer Buch dort geschrieben, als Ihr alles noch frisch im Gedächtnis hattet. Jetzt, wo wir am Ende Eurer langen Reise sind, werdet Ihr doch nicht anfangen wollen, die vielen Löcher zu stopfen, die in dieser Geschichte klaffen?«

Marco Polo hielt überrascht in seinem Aufundabgehen inne.

»Löcher? Mir ist doch, denke ich, aus meinen Papieren alles wieder recht deutlich geworden ...«

»Euch, Ser Marco, aber auch Euren Lesern?«

»Ach, Rustigiello«, bat Marco unwillig, »ich weiß, du bist ein Künstler, und ich bin nur ein Kaufmann; lass die Löcher eben Löcher sein, die Zeit wird sie füllen, die anderen Venezianer, die reisen, die Genuesen, die Griechen. Ich habe ihnen gezeigt, wie groß die Welt ist, die wir nicht oder nur vom Hörensagen kennen, darauf kam es an, mag auch das eine oder andere sich als ein Irrtum oder als lückenhaft herausstellen ... Lass mich noch schnell zu Ende bringen, wie wir von Täbris aus weiterreisten. Die Mameluckensultane führten noch immer Krieg gegen Syrien, darum konnten wir nicht unmittelbar ans Mittelmeer reisen, sondern ritten, nachdem wir von Giakhatu Urlaub genommen hatten, nach Trapezunt am Schwarzen Meer. Dort herrschte ein christlicher König, der uns nichts in den Weg legte, als wir, wie so viele andere Genuesen und Venezianer, ein Schiff nach Griechenland bestiegen. Gefährlich war an diesem letzten Wegstück nicht mehr die Seereise, sondern die kurze Strecke von Täbris nach Trapezunt, denn jener Giakhatu, so freundlich er mit uns war, hatte sich im Land sehr unbeliebt gemacht, und seine goldenen Tafeln, die er uns gleich dreifach und in beträchtlicher Größe mitgab, hätten uns herzlich wenig genützt, wären wir nicht auch von zweihundert seiner Reiter begleitet gewesen.

Wir waren noch nicht wieder in Venedig angelangt, als wir von Reisenden aus Armenien erfuhren, nicht nur Kublai-Khan, unser kaiserlicher Freund sei gestorben, sondern auch Giakhatu sei nach nicht einmal vierjähriger Regierungszeit in Täbris ermordet worden!«

»Ein toter Kaiser und ein toter König am Schluss, Ser Marco, das macht sich nicht gut«, sagte Rustigiello, »Ihr gestattet, dass ich diese Ereignisse in einem kleinen Vorwort dem Ganzen voranstelle … Aber das braucht Euch nicht mehr zu kümmern. Meldet ruhig dem großmächtigen Admiral Lamba Doria, dass Eure Aufgabe gelöst ist und Ihr nun endlich ebenfalls heimkehren wollt wie alle anderen Gefangenen der Venezianischen Republik. Ich zweifle nicht, dass diese Bitte sogleich gewährt wird … Ihr habt ein Werk ohnegleichen vollbracht, nach einem Leben ohnegleichen, das müssen selbst die Genuesen Euch lassen!«